Michaelsen, W.

Die geographische Verbreitung der Oligochaeten

Michaelsen, W.

Die geographische Verbreitung der Oligochaeten

Inktank publishing, 2018

www.inktank-publishing.com

ISBN/EAN: 9783750133419

Die

geographische Verbreitung

der

Oligochaeten

von

Dr. W. Michaelsen

in Hamburg.

Mit 11 Karten.

Berlin

R. Friedländer & Sohn

1903.

Es giebt im Thierreiche wohl kaum eine Klasse oder Ordnung, bei der scharf ausgeprägte Beziehungen zwischen Verwandtschaft und geographischer Verbreitung häufiger sind, als bei der Ordnung der Oligochaeten. Die Bedeutsamkeit dieser Beziehungen lässt sich daraus ersehen, dass die geographische Verbreitung in vielen Fällen den ersten Fingerzeig für die Auffindung der Verwandtschaft ergab, und dass sie sich bei Feststellungen über die systematische Gliederung der Oligochaeten-Familien stets als die beste Kontrolle erwies. Das gilt besonders für die rein terrestrischen Formen, die sogenannten Regenwürmer, die die überwiegende Masse der Oligochaeten ausmachen. Da nun die geographische Verbreitung der Regenwürmer, wie wir sie jetzt vorfinden, in erster Linie auf der Konfiguration der Festländer und Meere in den verschiedenen jüngeren geologischen Perioden beruht, so darf sie als ein wichtiges Dokument für die Erdgeschichte angesehen werden. Bei dieser Sachlage muss es verwunderlich erscheinen, dass die Oligochaeten in fast allen neueren allgemein-zoogeographischen Schriften unberücksichtigt geblieben sind. Der Grund hierfür liegt zunächst wohl darin, dass die Entzifferung jenes Dokumentes mit besonderen Schwierigkeiten verknüpft ist. Die ursprünglich klaren, reinen Züge der Grundschrift sind überkritzelt und dabei theilweise ausgelöscht durch eine zweite, ganz anders geartete Schrift. Der Einfluss des Menschen hat diese Verwirrung verursacht. Durch den kommerziellen, zumal den gärtnerischen Verkehr sind vielfach Regenwürmer verschleppt worden. Es bedarf also einer Sichtung des in den Fundortsangaben vorliegenden geographischen Rohmaterials. Ferner fehlte es an einer Zusammenfassung der verwerthbaren Thatsachen auf der Basis eines natürlichen Systems. Es ist einleuchtend, dass nur ein natürliches, die Verwandtschaftsverhältnisse wiederspiegelndes System die geographischen Beziehungen in richtiger Weise hervortreten lässt. Das einzige zoogeographische Werk, in dem die Oligochaeten eingehende Berücksichtigung fanden, BEDDARD's Zoogeography[1]), entspricht dieser Vorbedingung nicht. BEDDARD hat sich in diesem Werke an das ältere System der Oligochaeten gehalten, dessen Unzulänglichkeit genugsam nachgewiesen ist. Nachdem ich seit Jahren an dem Ausbau eines Systems gearbeitet habe, das den zur Zeit erkennbaren Verwandtschaftsverhältnissen besser entspricht, liegt mir nun, nachdem diese Ausarbeitung bis zu einem gewissen Grade zum Abschluss gebracht ist[2]), auch die Pflicht ob, eine Zusammenfassung der geographischen Verhältnisse an der Hand dieses Systems zu liefern. Die positiven Resultate dieser Zusammenfassung mögen für die Richtigkeit der entsprechenden systematischen Feststellungen zeugen, die negativen Resultate andererseits auf gewisse Unvollkommenheiten in dem zu Grunde gelegten System hinweisen und zur Aufklärung fraglicher Punkte anregen.

---

[1]) F. E. BEDDARD: A Textbook of Zoogeography. Cambridge 1895.
[2]) W. MICHAELSEN: Oligochaeta; in: Das Tierreich, 10. Lief., 1900.

6

Ich hoffe, mit dieser Arbeit das für zoogeographische Probleme so
werthvolle Oligochaeten-Material auch für Nichtspezialisten zugänglicher zu
machen, und damit den Oligochaeten bei zoogeographischen Erörterungen den
hervorragenden Platz zu sichern, der ihnen ohne Zweifel gebührt. Hiermit
ist auch das Ziel meiner Arbeit festgestellt. Wenngleich es sich kaum
vermeiden lässt, dass im Laufe der Erörterung zuweilen auch bestimmte
erdgeschichtliche Probleme berührt werden, so ist es doch nicht meine Absicht,
aus den zusammengestellten Thatsachen im Allgemeinen nun selbst die für
die Erdgeschichte wichtigen Folgerungen zu ziehen. Ich werde mich im
Allgemeinen darauf beschränken, die Oligochaetenfaunen der verschiedenen
Erdgebiete zu charakterisiren und die erkennbaren Verwandtschaftsbeziehungen
zwischen denselben festzustellen.

Ich kann dieses Vorwort nicht beschliessen, ohne denen herzlichen Dank
zu sagen, die die Herausgabe der vorliegenden Abhandlung ermöglichten,
der Königlichen Akademie der Wissenschaften zu Berlin für ihre
thatkräftige Unterstützung und im Speziellen Herrn Geheimrath Prof. Dr.
F. E. Schulze für werthvollen Rath und freundliche Fürsprache. Auch die
Herren der Verlagsfirma R. Friedländer & Sohn zu Berlin haben mich durch
ihr freundliches Entgegenkommen zu grossem Danke verpflichtet.

Hamburg, den 30. November 1902.

Dr. W. Michaelsen.

Allgemeiner Theil.

Lebensweise und Ausbreitung.

Die Art und Weise, wie die Ausbreitung einer Art vor sich geht, ist in erster Linie abhängig von der Lebensweise, von dem Medium, in dem die betreffenden Thiere leben, und der Fähigkeit, gewisse bei der Ausbreitung in Frage kommende Sonderverhältnisse zu ertragen. Es ist einleuchtend, dass ein Terricole, für den der Salzgehalt des Meeres tödtlich ist, andere Ausbreitungsverhältnisse zeigt als ein littorales Thier, dem der Salzgehalt des Meeres nicht schädlich oder gar zur Existenz nöthig ist. Da die geographische Verbreitung hauptsächlich von diesen Ausbreitungsverhältnissen abhängig ist, so muss das ganze Material zunächst nach diesen biologischen Verhältnissen gesondert werden, wenn wir überhaupt zu verwerthbaren Resultaten kommen wollen. Selbst kleine systematische Einheiten geben kein einheitliches Resultat, wenn verschiedene Lebensverhältnisse in ihnen vertreten sind. Wollten wir z. B. die rein littorale Gattung *Pontodrilus* mit ihren eigenartigen Ausbreitungsverhältnissen gemeinsam mit ihren terrestrischen Verwandten, Gattung *Plutellus* u. a., betrachten, so ergäbe sich für diese Verwandtschaftsgruppe eine wenig charakteristische nahezu circumtropisch-subtropische Verbreitung, während doch die terrestrischen Formen dieser Gruppe, für sich betrachtet, eine sehr charakteristisch beschränkte Verbreitung aufweisen. Betrachten wir zunächst die Ausbreitungsverhältnisse der verschiedenen biologischen Gruppen. Wir können drei **Hauptgruppen** unterscheiden: die terricole, limnische und marine, und zwischen diesen Hauptgruppen drei Uebergangsgruppen: zwischen der terricolen und der limnischen die amphibische, zwischen der terricolen und der marinen die littorale und schliesslich zwischen der limnischen und der marinen die des Brackwassers.

Die **terricolen Oligochaeten**, deren Hauptmasse die sogenannten Regenwürmer bilden, sind die Ackerbauer unter den Thieren. Sie kleben in des Worts verwegenster Bedeutung an der Scholle. Die Ansichten über die Bedeutung selbständiger Wanderungen bei diesen Thieren gehen auseinander. Wahrscheinlich ist einerseits, dass die frei kriechenden, anscheinend wandernden Regenwürmer zum grossen Theil nur durch Krankheit oder durch Ungunst der Wohnungsverhältnisse, z. B. durch plötzlich eintretende Feuchtigkeit, zum Verlassen ihrer Wohnröhren veranlasst wurden.[1] Manche Regenwürmer sind, wenn sie gewaltsam aus ihren Wohnröhren herausgenommen sind, garnicht im Stande, sich neue Wohnröhren zu suchen oder anzufertigen; sie sind hülflos

---

[1] STOLL: Zur Zoogeographie der landbewohnenden Wirbellosen; Vierteljahrsschr. nat. Ges. Zürich, XXXVII p. 249.

dem Untergange geweiht.[1]) Andererseits sprechen manche Thatsachen dafür, dass wenigstens gewisse Arten selbständig zu wandern vermögen, so vor allem die Ansammlung zahlreicher Thiere in neugebildeten, oasenartigen Localitäten in sonst Individuen-armen Gebieten, wie z. B. unter Misthaufen auf ziemlich trockenen Weideflächen.[2]) Zweifellos ist diese selbständige Wanderung nur sehr wenig ausgiebig. Es fragt sich, ob der passive Ortswechsel ein bedeutenderes Moment für die Ausbreitung der terricolen Oligochaeten ist. Ein treibender Baumstamm kann in den mit losgerissenen Erdmassen seines Wurzelwerkes und unter seiner lockeren Borke eine ganze Kolonie von Oligochaeten mit sich führen und an einer von dem Ursprungsort weit entfernten Stelle wieder abladen. Diese Art der Ausbreitung geht jedoch in durchaus beschränkter Richtung, stets nur flussabwärts, vor sich, und ermöglicht nicht die Ausbreitung von einem Flussgebiet in ein anderes. Hierzu bedarf es jedenfalls der Kombinirung dieser Ausbreitungsweise mit anderen Wanderungen überland. Es könnte ausserdem auch noch die Verschleppung von Cocons durch streifende Säugethiere in Betracht gezogen werden — ein wandernder Wiederkäuer mag in kleinen, an seinen Hufen klebenden Erdklumpen wohl Cocons transportiren. Die Wahrscheinlichkeit, dass eine solche Verschleppung erfolgreich ist und zur Bildung einer neuen Kolonie führt, ist jedoch für die Hauptmasse der terricolen Oligochaeten, die Regenwürmer, nur sehr gering, wie in dem Abschnitt über „Vermehrungsweise und Ausbreitung" näher erörtert werden wird.

Betrachten wir nach Feststellung dieser verschiedenen Ausbreitungsweisen die Thatsachen, so sehen wir, dass sich verschiedene manchmal nahe miteinander verwandte Arten sehr verschieden verhalten. Eine verhältnissmässig geringe Zahl von Arten zeigt eine ungemein weite Verbreitung. In dem Abschnitt über „Verschleppung durch den Menschen" wird nachgewiesen werden, dass viele Arten erst in ziemlich junger Periode und unter Beihülfe des Menschen zu dieser weiten Verbreitung gelangt sind. Sie sind als verschleppte Formen auszusondern. Manche dieser weit verbreiteten Arten mögen aber auf natürlichem Wege, auf eine der in dem vorigen Absatz angeführten Ausbreitungsweisen, zu ihrer jetzigen Verbreitung gekommen sein. Sie mögen als Weitwanderer bezeichnet werden. Es ist natürlich in den einzelnen Fällen schwer oder garnicht festzustellen, ob es sich um verschleppte Formen oder um Weitwanderer handelt; das ist aber für unsere Ziele belanglos. Wir sind berechtigt, die Fragestellung so zu formuliren, wie es für die Erzielung von bedeutungsvollen Resultaten am zweckmässigsten ist, und deshalb sondern wir die Weitwanderer ebenso wie die Verschleppten ab und bezeichnen sie gemeinsam als peregrine Formen.

Der grössere Theil der terricolen Oligochaeten-Arten zeigt eine sehr geringe Verbreitung. Die oben angeführten ausgiebigen Ausbreitungsweisen können für ihn nicht in Betracht gekommen sein; die Ausbreitung dieser Formen — ich bezeichne sie als endemische Formen — ging nur langsam, Schritt für Schritt, vor sich. Es bedurfte langer Zeiträume für die Ausbreitung einer derartigen Gruppe endemischer Formen vom Bildungsherde über die ganze ihr zugängliche Festlandsmasse.

Ausgiebige Wandlungen der Formen konnten während dieser Zeiträume vor sich gehen, sodass der räumlichen Entfernung der Glieder eines

---

[1]) J. J. FLETCHER: Notes on Australian Earthworms I; in: Proc. Linn. Soc. N.S.Wales, 2. Ser. Vol. I p. 532.
[2]) K. BRETSCHER: Die Oligochaeten von Zürich; in: Rev. Suisse Zool., T. III, p. 531.

Formenkreises ein Unterschied nach Art oder Gattung oder nach einer noch höheren Kategorie entspricht. So ist es z. B. zu erklären, dass die über das ganze tropische Afrika verbreitete Unterfamilie *Eudrilinae* in West- und Ost-Afrika in durchweg verschiedenen Gattungen auftritt. So erklären sich auch verschiedene, eine gewisse Regel aufweisende Art-Reihen, wie z. B. eine Reihe der *Polytorentus*-Arten von Deutsch- und Britisch-Ost-Afrika, deren einzelne Glieder sich in der Linie von der Küste landeinwärts ziemlich regelmässig aneinander schliessen, sowie die im Laufe des Vorwärtsdringens durch Abänderung entstandene Arten-Reihe der Untergattung *Eophila* der Gattung *Helodrilus*.

Das Meer, breite Wüstenstrecken und mit ewigem Eis bedeckte Gebirgsketten sind für die selbständige Ausbreitung der terricolen Oligochaeten **unüberwindliche Hindernisse**. Eine Formengruppe dieser Terricolen konnte sich von ihrem Bildungsherde nur soweit ausbreiten, als ihm keine derartige Schranke Einhalt gebot. Die Zugänglichkeit der verschiedenen **Festlandsgebiete für terricole Oligochaeten** war aber während verschiedener geologischer Perioden sehr verschieden. Während sich hier Festlandsbrücken bildeten, lösten sich dort Festlandspartien, Inseln oder insulare Kontinente bildend, ab, Kettengebirge erhoben sich oder wurden durch Erosion abgetragen und klimatische Aenderungen führten zur Bildung von Wüstenstrecken. Den zu verschiedenen geologischen Perioden in einem Gebiet zur Herrschaft und von hier aus zur Ausbreitung gelangenden Formengruppen waren also sehr verschiedene Verbreitungsgebiete vorgezeichnet. Die recente geographische Verbreitung der verschiedenen Terricolen-Gruppen entspricht bis zu einem gewissen Grade dieser Ausbreitungsmöglichkeit — soweit sie nämlich nicht durch andere Verhältnisse, Kampf der Eindringlinge gegen die Urbevölkerung, Klima u. a. modifizirt ist. Wir können demnach aus der recenten Verbreitung, zurückschliessend, gewisse Ausbreitungsmöglichkeiten, bezw. Ausbreitungsschranken konstruiren, mit anderen Worten, gewisse erdgeschichtliche Vorgänge erschliessen oder, falls sie schon anderweitig erschlossen sind, bestätigen. Aus dieser Betrachtung ergiebt sich, welche Bedeutung der geographischen Verbreitung der terricolen Oligochaeten für erdgeschichtliche Probleme beizumessen ist: sie mag thatsächlich als eines der wesentlicheren Dokumente für die Erdgeschichte betrachtet werden.

Zu der Abtheilung der terricolen Oligochaeten gehören besonders die höheren Familien von den Moniligastriden aufwärts entweder ganz oder zum grössten Theil. Von niederen Familien ist nur ein Theil der Enchytraeiden als terricol zu bezeichnen.

Die **limnischen Oligochaeten** zeigen eine ganz andere Art der Ausbreitung als die terricolen, und in Folge dessen zeigt auch die recente geographische Verbreitung derselben ganz andere Gebietsformen als bei jenen. Diese beiden Gruppen sind bei der Erörterung der geographischen Verbreitung bisher nicht genügend scharf auseinander gehalten worden, und hieran liegt es zum grossen Theil, dass bei manchen Abtheilungen der Oligochaeten sich so wenig System in die geographische Verbreitung bringen liess. Die Gebietsumgrenzungen der limnischen und der terricolen Oligochaeten sind durchaus incongruent. Es giebt z. B. keine terricole Gattung, die wie *Criodrilus* das tropische Südamerika und zugleich Mittel- und Süd-Europa und Südwest-Asien bewohnt.

Während die terricolen Oligochaeten in der Regel — abgesehen von den oben charakterisirten peregrinen Formen — eine sehr geringe Verbreitung der Art und eine meist in sehr charakteristischer Weise beschränkte Verbreitung der Gattung. Unterfamilie und Familie aufweisen. zeichnen sich die limnischen Oligochaeten — ohne dass an eine Verschleppung durch den Menschen gedacht werden könnte — durch eine ungemein weite Verbreitung einzelner Arten sowie Gattungen und Familien aus. In vielen Fällen beruht das wohl darauf, dass wir es mit sehr alten Formen zu thun haben. Wenn wir z. B. *Haplotaxis gordiodes* (G. L. Hartm.) über Nordamerika. ganz Europa und Sibirien verbreitet sehen, so müssen wir in Betracht ziehen, dass es sich hier um ein Relikt aus weit zurückliegender geologischer Periode handelt; steht diese Art doch aller Wahrscheinlichkeit nach der Wurzel sämmtlicher höheren Familien nahe. Es ist nicht verwunderlich, dass eine Familie wie die Naiden. die noch weit älter ist als die der Haplotaxiden. kosmopolitisch ist. Der weiten Verbreitung der limnischen Oligochaeten-Gruppen kommt noch ein weiterer Umstand zu Gute. Die jüngsten. verbreitungskräftigsten Zweige der Oligochaeten — die ganze Familie *Lumbricidae*. die Gattung *Pheretima* als jüngste Form der Megascoleciden-Unterfamilie *Megascolecinae*. sowie die Gattung *Dichogaster* als jüngste Form der Megascoleciden-Gruppe *Octochaetinae-Diplocardiinae-Trigastrinae* — sind mit ganz vereinzelten Ausnahmen amphibischer Formen terricol. Ihre intensive Ausbreitung hat die Verdrängung älterer, schwächerer terricoler Gruppen zur Folge gehabt und erklärt gewisse enge Beschränkungen in der Verbreitung dieser letzteren, die zum Theil nur in Relikten-artigen Vorkommnissen *(Hormogastrinae*. Gattung *Notiodrilus)* oder in frühzeitig durch Meeresarme oder Wüstenstrecken abgesonderten Faunen (Oligochaeten-Fauna Neu-Seelands und Australiens, Madagaskars. und des Kaplandes) erhalten geblieben sind. Die limnischen Oligochaeten waren vor dieser vernichtenden Konkurrenz durch ihre Lebensweise geschützt. So ist es wahrscheinlich zu erklären, dass z. B. die limnischen *Microchaetinae* sich im tropischen Afrika. in Süd-Asien und auf den Sunda-Inseln, in dem Gebiet der kräftigen *Dichogaster*- und *Pheretima*-Formen. halten konnten. während die terricole Abtheilung dieser Unterfamilie auf das enge Gebiet Madagaskars und des Kaplandes beschränkt wurde.

Auch die Ausbreitungsweise mag die weite Verbreitung vieler limnischer Formen günstig beeinflusst haben; doch liegen Beobachtungen über diese Verhältnisse meines Wissens nicht vor. Es bedarf noch des Nachweises. ob etwa die Cocons limnischer Oligochaeten besonders leicht durch Wasservögel verschleppt werden. Die niederen Familien. die das Hauptkontingent der limnischen Gruppe stellen. sind. wie wir in dem Abschnitt „Vermehrungsweise und Ausbreitung" zu erörtern haben. durch ihre Vermehrungsweise in Bezug auf Ausbreitung besonders günstig gestellt.

Zu der Abtheilung der limnischen Oligochaeten gehören fast die ganzen niederen Familien bis zu den Haplotaxiden aufwärts: auszunehmen sind nur einzelne marine (gewisse Naididen und Tubificiden). terricole (viele Enchytraeiden) und littorale Formen (gewisse Tubificiden und Enchytraeiden). Auch einzelne Abtheilungen der höheren Familien. so die ganze Unterfamilie *Criodrilinae*. ein Theil der Unterfamilie *Microchaetinae* und viele *Ocnerodrilinae*. sind limnisch.

Die limnische Lebensweise muss. wenigstens in Bezug auf die terricole, als die ursprünglichere angesehen werden; denn die niedersten Familien. die *Aeolosomatidae* und *Naididae*. sind ganz oder zum überwiegenden Theil d. i. mit Ausnahme einzelner mariner Formen — limnisch. Was die Formen aus höheren Familien anbetrifft. so liegt hier wahrscheinlich eine secundäre Anpassung an das Leben im Wasser vor: denn vielfach sind ganz nahe Verwandte wie die Hauptmasse der höheren Formen terricol. **Marine Oligochaeten** bilden ein seltenes Vorkommen; kennen wir doch nur vier Arten, die sicher rein marin, im offenen Meer in mehreren Metern Tiefe vorkommen, *Phallodrilus parthenopaeus* PIERANTONI, *Heterodrilus arenicolus* PIERANTONI, *Tubifex Benedeni* (UDEK.) und *Michaelsena macrochaeta* (PIERANTONI). Ob auch *Amphichaeta sannio* KALLSTENIUS marin ist, kann ich aus der unklaren Fundortsangabe nicht sicher erkennen. Da diese marinen Formen nur in geringen Tiefen von Randmeeren leben, und da ihre nächsten Verwandten littoral oder limnisch, bezw. terricol sind, so ist ersichtlich, dass es sich hier um eine verhältnissmässig junge Anpassung an das Leben im Meere handelt. Es sind vereinzelte Fälle einer Einwanderung aus der littoralen Region in die Meerestiefe. Dass diese Fälle so selten sind, liegt wohl nicht daran, dass die Oligochaeten den Salzgehalt des Meeres scheuten: müssen doch die verhältnissmässig zahlreichen Oligochaeten des Gezeitenstrandes zeitweilig, bei Fluth, den gleichen Salzgehalt erdulden wie die rein marinen Thiere. Es liegt wohl hauptsächlich daran, dass die in Betracht kommenden Familien, sei es nun am Meere oder am Süsswasser, die Uferzone bevorzugen. Auch im Süsswasser steigen nur ganz vereinzelte Arten der Tubificiden und Enchytraeiden in grössere Tiefen hinab.

Was die Ausbreitung und Verbreitung dieser wenigen marinen Oligochaeten anbetrifft, so können sie füglich den littoralen Oligochaeten, zu denen sie ihrem Wesen nach gehören, angegliedert werden.

Die **amphibischen Oligochaeten** bilden keine besonders charakteristische Abtheilung, die sich in ihren Ausbreitungsverhältnissen von den angrenzenden extremen Abtheilungen, der limnischen und der terricolen, scharf scheiden liesse. Sie setzt sich zusammen aus Formen, die ihrer Verwandtschaft nach zu den limnischen gerechnet werden müssen, z. B. manche Ocnerodrilinen, und solchen, die ihrer Verwandtschaft nach zu den terricolen gehören, einzelne Arten oder grössere Abtheilungen der Enchytraeiden und höherer Familien. Eine Sonderung dieser Abtheilung ist schon aus technischen Gründen unmöglich. In den wenigsten Fällen genügen hierzu die Angaben über den Charakter des Fundorts.

Es ist anzunehmen, dass amphibische Formen in Bezug auf Ausbreitung günstiger gestellt sind als rein terricole. Die Fähigkeit, die verschiedensten Grade der Feuchtigkeit zu ertragen, muss ihnen bei den Wechselfällen der Wanderung nützlich sein. Es mag sein, dass manche Weitwanderer, wie etwa *Eiseniella tetraeda* (SAV.), dieser Fähigkeit ihre weite Verbreitung verdanken.

Die **littoralen Oligochaeten** bilden für unsere Erörterungen eine der wesentlicheren Gruppen. Der Meeresstrand bietet der Thierwelt eigenartige Lebensbedingungen. Dem grossen Reichthum an Nahrungsstoffen, von den Meereswogen ausgeworfene Pflanzenmassen und Thierleichen, steht eine grosse Variabilität im Salzgehalt gegenüber. Während jede höhere Fluth den Strand und den darauf abgelagerten Strandwall, den Hauptaufenthaltsort für littorale Thiere, mit Seewasser von normal hohem Salzgehalt durchtränkt, laugt ein etwas anhaltender Regen bei Niedrigwasser den ganzen Salzgehalt wieder aus. Es werden also an die littoralen Thiere, die Thiere des Gezeitenstrandes, die weitgehendsten Anforderungen in Bezug auf Anpassungsfähigkeit an den wechselnden Salzgehalt des umgebenden Mediums gestellt. Hier gedeihen nur Thiere, die im höchsten Grade euryhalin sind. Diese aber finden hier im Uebrigen sehr günstige Lebensverhältnisse, reiche Nahrung bei geringer Konkurrenz. So gering die Zahl der hier auftretenden Thierformen, so gross ist die Individuenzahl.

Manche littorale Oligochaeten sind durchaus auf den Meeresstrand angewiesen, rein littoral, wie die Arten der Megascoleciden-Gattung *Pontodrilus*. Andere, die sich zwar auch durch ihr massenhaftes und weit verbreitetes Auftreten in der littoralen Region als echte Meeresstrands-Oligochaeten legitimiren, sind auch weit entfernt von der Küste in rein terrestrischen Oertlichkeiten angetroffen worden. So findet sich der echte, über die Küstenlinien von Sibirien, Novaja Semlja und Grönland bis Feuerland und den Kerguelen verbreitete Meeresstrands-Enchytraeide *Enchytraeus albidus* HENLE in vereinzelten, aber nicht gerade seltenen Fällen in Blumentöpfen oder in Düngerhaufen bei Hamburg, in Böhmen und in der Schweiz. Derartige Formen können nur als vorwiegend littoral bezeichnet werden. Es sind ursprünglich terricole Formen, die durch ihre euryhaline Natur befähigt sind, in der wenig umstrittenen, nahrungsreichen littoralen Region zu leben, und die hier zu viel üppigerer Entwicklung gelangen als in jenen terrestrischen Localitäten, wo eine bei weitem grössere Zahl von Arten derselben Gattung und Familie ihnen Platz und Nahrung streitig macht. An diese vorwiegend-littoralen schliessen sich solche an, die vorwiegend terrestrisch sind, jedoch ausnahmsweise auch am Meeresstrande angetroffen werden; sie mögen als hospitirend-littoral bezeichnet werden. Als Beispiel für diese Gruppe mag *Microscolex dubius* (FLETCHER) angeführt werden, ein Regenwurm, den man nach vielfachen Funden in rein terrestrischen Localitäten für rein terricol halten musste, bis ich am Ebbestrande bei Montevideo unter Steinen, die noch im Bereich der Spritzwellen lagen, einige sich anscheinend ganz wohl befindende Stücke dieser Art vorfand. Dieser Fall ist sehr lehrreich. Die Verbreitung des *M. dubius* gehörte zu den schwer erklärbaren, die sich nicht in den Rahmen der typischen Terricolen-Verbreitung einfügen liess. Wenn man jedoch dieser Art die Verbreitungsbedingungen der littoralen Oligochaeten zuerkennt, so schwindet die Schwierigkeit sofort.

Die Ausbreitungsbedingungen der littoralen Oligochaeten sind sehr günstige. Die Thiere legen ihre Cocons meist unter und zwischen den Detritusmassen des Strandes ab, dieselben manchmal fest mit denselben verklebend, wie ich es manchmal bei den Cocons von *Enchytraeus albidus* HENLE und *Lumbricillus lineatus* (MÜLL.) beobachtet habe. Wenn bei höheren Fluthen diese Detritusmassen wieder ins Meer zurückgerissen werden, so können sie von Strömungen erfasst, weit fortgetrieben und sammt den mitgeführten Cocons an weit entfernt liegenden Punkten an den Strand geworfen werden. Auf diese Weise mögen sich littorale Oligochaeten nicht allein an kontinuirlichen Küstenlinien entlang, sondern auch über weitere Meeresstrecken hinweg ausbreiten. Wahrscheinlich tragen auch Strandvögel durch Verschleppung der zufällig an ihren Füssen haftenden Cocons zur Verbreitung bei. Dass eine derartige überseeische Ausbreitung littoraler Oligochaeten thatsächlich ist, kann man daraus ersehen, dass geologisch jüngere isolirte oceanische Inseln, die — abgesehen von nachweislich durch den Menschen eingeschleppten Formen — keine terricolen Oligochaeten beherbergen, von littoralen Oligochaeten besiedelt sind, wie z. B. die kleine Korallen-Insel Laysan des Hawayischen Archipels von einer *Pontodrilus*-Art.

Als Thatsache kann angenommen werden, dass die littoralen Oligochaeten vielfach eine ungemein weite Verbreitung der Gattung oder selbst der Art aufweisen. Die weite Verbreitung des vorwiegend littoralen *Enchytraeus albidus* ist schon oben skizzirt worden; fast dieselbe weite Verbreitung zeigt die vorwiegend littorale Gattung *Lumbricillus*. Die rein littorale Gattung *Pontodrilus* ist anscheinend über die Küsten sämmtlicher wärmeren Meere verbreitet. Es ist einleuchtend, dass sich ein mit charakteristischen Zügen ausgestattetes Bild der geographischen Verbreitungen nicht ergeben kann, wenn man bei der Skizzirung diese speziellen Arten der Lebensweise und der Ausbreitungsverhältnisse unbeachtet lässt.

Für die **Brackwasser-Oligochaeten** gilt dasselbe, was für die marinen Formen festgestellt wurde. Die geringe Zahl der Vorkommnisse, die kein selbständiges Charakterbild aufweisen und sich eng an die littorale und limnische Abtheilung anschliessen, macht eine besondere Erörterung unnöthig.

Klima und Ausbreitung.

In dem Kapitel über „Lebensweise und Ausbreitung" haben wir gesehen, wie klimatische Verhältnisse zur Bildung von absoluten Ausbreitungsschranken, wie sie z. B. durch Wüstenstrecken oder zusammenhängende Eisbedeckung gebildet werden, führen können. Aber auch relative Ausbreitungsschranken, solche, die für verschiedene Formen verschiedene Bedeutung besitzen, werden durch das Klima bedingt. Gewisse Formen bedürfen eines feucht-warmen Tropenklimas, während andere ein gemässigtes Klima verlangen; noch anderen scheinen diese allgemeinen klimatischen Verhältnisse gleichgültig zu sein. In der praekulturellen Verbreitung kommt ein Einfluss dieser allgemeinen klimatischen Verhältnisse nicht deutlich zum Ausdruck, und das ist auch kaum zu erwarten, wenn man daran denkt, welch' grosse Zeiträume hier in Rechnung zu ziehen sind, Zeiträume, in denen die weitest gehenden Anpassungen stattfinden konnten, wenn man daran denkt, wie langsam die praekulturelle Ausbreitung, und wie langsam dabei auch die Aenderung der allgemeinen klimatischen Verhältnisse vor sich ging. Sehr scharf kommen diese allgemeinen klimatischen Verhältnisse dagegen bei der Ausbreitung in Folge von Verschleppung zum Ausdruck. Zu einer Anpassung an ungewohnte und den Lebensbedingungen der betreffenden Form nicht entsprechende — wenn auch anderen Formengruppen durchaus zuträgliche — Verhältnisse bleibt hier keine Zeit. Die Verschleppung kann also nur dann eine erfolgreiche sein, wenn sie die Formen nach Gebieten bringt, deren klimatische Verhältnisse denen der Heimath jener Formen ähneln. Die Verschleppung führt in Folge dieser klimatischen Beschränkung zur Bildung zonaler Verbreitungsgebiete, die in annähernd symmetrischer Anordnung parallel dem Aequator verlaufen, und auf beiden Hemisphaeren annähernd in gleicher Entfernung vom Aequator ihre aequatoriale und polare Grenze finden.[1]

Konkurrenz zwischen verschiedenen Formen.

Die Zugänglichkeit der mit dem Entstehungsgebiet zusammenhängenden oder später in Zusammenhang gebrachten Gebiete ist nicht der einzige Faktor, von dem die Verbreitungsmöglichkeit einer Formengruppe abhängt. Ist ein neu zugänglich gemachtes Gebiet von alt eingesessenen Formen besetzt, so

---

[1] Eine speziellere Erörterung dieser Ausbreitung in Folge von Verschleppung findet sich in dem Kapitel „Verschleppung durch den Menschen", Abschnitt: „Ziele der Verschleppung". Vergl. auch Karte 1!

ist es die Frage, ob die Eindringlinge neben den letzteren noch genügend Raum finden, oder ob es ihnen gelingt, sich denselben durch theilweise oder vollständige Verdrängung der Ureinwohner zu erkämpfen. Dass eine derartige, bis zur theilweisen Ausrottung einer Formengruppe führende Konkurrenz zwischen verschiedenen Formengruppen thatsächlich stattgefunden hat, ist nicht zu bezweifeln; sind doch verschiedene in das Gebiet jüngerer Formen eingestreute, weit von einander getrennte Vorkommnisse älterer Formen nicht wohl anders zu erklären, als dass man sie als Relikte eines ursprünglich viel weiteren, zusammenhängenden Reiches anspricht, das durch Vordringen neuer, jüngerer Formen verkleinert und in zum Theil weit von einander getrennte Sondergebiete aufgelöst worden ist. Findet ja selbst vor unseren Augen ein solcher Kampf statt, jener Vernichtungskampf nämlich, den die vom Menschen eingeschleppten europäischen Formen der jüngeren, verbreitungskräftigen Familie der *Lumbricidae* gegen die schwächeren Glieder der Familie *Megascolecidae* führen. (Vergl. das Kapitel „Verschleppung durch den Menschen“, Abschnitt: „Verdrängung der endemischen Regenwürmer durch eingeschleppte“, unten p. 24.)

Mit welchen Waffen dieser Kampf ausgefochten wird, darüber können nur Vermuthungen ausgesprochen werden, da direkte Beobachtungen meines Wissens nicht vorliegen. An einen direkten Kampf zwischen Individuen der verschiedenen Gruppen ist hierbei wohl nicht zu denken. Eher mag schon der Wettbewerb um die vorhandene Nahrung eine Rolle spielen. Ein wesentliches Moment ist zweifellos auch die Veränderung im Charakter der Oertlichkeit durch gewisse Formen. Es ist nachgewiesen, dass durch die Thätigkeit gewisser Regenwürmer eine bedeutsame chemische Veränderung des Bodens hervorgebracht wird. Alle Formen, denen diese Veränderung schädlich ist, müssen in dem Bereich jener in hervorragendem Maasse chemisch wirksamen Regenwürmer zu Grunde gehen. Auch eine Veränderung in der Konsistenz des Bodens und in seiner Durchlässigkeit für Wasser wird durch gewisse Formen in sehr hohem Grade bewerkstelligt. Stark arbeitende, viele und tiefe Röhren grabende Formen werden den Boden stark lockern, das Eindringen von Wasser befördern und damit den Feuchtigkeitsgehalt des Bodens stärker ändern, als anderen Formen zuträglich ist. Nachweislich sind gewisse Formen sehr empfindlich in Bezug auf den Feuchtigkeitsgrad ihres Wohnortes, wie daraus erhellt, dass sie bei stärkerem Regen ihre Wohnröhren verlassen — daher ja der Name „Regenwurm“. (Bekannt ist das Experiment, dass man gewisse Arten durch starkes Begiessen des Bodens zum Verlassen ihres Aufenthaltsortes veranlasst.) Auch eine direkte Beschädigung der Wohnröhren empfindlicherer Formen mag durch stark arbeitende kräftigere Formen verübt werden. Eine Form, die in geringer Tiefe unter der Oberfläche wagerechte Gänge zu machen pflegt, wird durch die Nachbarschaft von senkrecht und tiefer grabenden Formen geschädigt. Die senkrechten Gänge der letzteren schaffen, jene wagerechten kreuzend, neue Zugänge zu denselben und stören dadurch jene empfindlicheren Formen, indem sie die Zugänglichkeit für Wasser oder für Feinde der Regenwürmer (z. B. Tausendfüsser) zu deren Wohnräumen verstärken. Auch das numerische Verhältniss der Nachkommenschaft mag bei der Ausbreitung und Unterdrückung verschiedener Formen maassgebend werden. Wenn ein bestimmtes Areal eine bestimmte Anzahl von Individuen beherbergen und ernähren kann, so wird bei Ueberproduktion von Nachkommenschaft und bei prozentual gleicher Eliminirung dieser Ueberproduktion, soweit nicht andere Faktoren hinzukommen, allmählich diejenige Form die Oberhand gewinnen, deren Nachkommenschaft ein numerisches Uebergewicht hat.

Nach Maassgabe des Erfolges in dem Kampf um das Gebiet können wir verschiedene Gebietsformen unterscheiden. Da sind zunächst die verbreitungskräftigen aufstrebenden Formen mit weitem, zusammenhängenden Gebiet, welches alle vom Verbreitungsherd zugänglichen Länder umfasst, Formen mit Expansionsgebiet. Dann haben wir die älteren Formen, deren Verbreitungskraft, in früheren Perioden vielleicht hervorragend, gegen die der jüngeren Formen zurücksteht, Formen mit reducirtem oder zersprengtem Gebiet. Ist das reducirte Gebiet sehr stark zusammengeschrumpft, so kann man es auch als Reliktengebiet bezeichnen. Manche Formengruppen scheinen niemals eine bedeutende Verbreitungskraft besessen zu haben; sie finden sich lediglich in einem kleinen Gebiet, ohne dass irgend welche Anzeichen, etwa Relikte in anderen Gebieten, auf ein früher weiteres Gebiet hindeuten. Formen mit beschränktem Gebiet. Schliesslich sind noch Formengruppen vorhanden, denen niemals die Möglichkeit geboten wurde, sich weiter auszubreiten, deren Entstehungsherd seit ihrem Ursprung durch unüberwindliche Schranken umgrenzt war. Formen mit isolirtem Gebiet. Die verschiedenen Gebiete sind natürlich nicht immer scharf nach dem obigen Schema zu sondern.

Vermehrungsverhältnisse und Ausbreitung.

Für die geographische Verbreitung kommt nicht allein die Ausbreitungsfähigkeit der Individuen in Betracht. Von besonderer Wichtigkeit sind hierbei die Vermehrungsverhältnisse. Auf diesen beruht es hauptsächlich, ob die Ansiedelung einzelner Individuen in einem neuen Gebiet zur dauernden Besiedelung führt oder nicht.

Besonders günstig sind in dieser Hinsicht diejenigen Oligochaeten gestellt, bei denen eine ungeschlechtliche Vermehrung vorkommt. Bei diesen genügt zur Kolonie-Bildung die Uebertragung eines einzelnen Individuums, sei es eines ausgebildeten Thieres oder, was wohl der häufigere, wenn nicht allein in Rechnung zu ziehende Fall ist, eines einzigen Cocons. Durch fortgesetzte Theilung kann ein einziges in ein neues Gebiet, sei es in ein neues Flusssystem oder in einen neuen See, übertragenes Individuum eine kleine Kolonie aus sich hervorgehen lassen und somit dieses Gebiet dauernd erobern. Dadurch erklärt es sich, dass bei diesen Thieren die Verschleppung von Cocons durch Wasservögel — es kommen nur limnische Formen. Aeolosomatiden und Naididen, in Betracht — eine bedeutende Rolle spielt. Nur so ist es zu erklären, dass man häufig individuenreiche Kolonien dieser Formen in vollkommen abgeschlossenen Tümpeln findet, ja manchmal selbst in Wassertrögen, die nur für die Dauer eines Sommers bewohnbar sind.

Es ist fraglich, ob auch die Vermehrung durch Regeneration gewaltsam zerstückelter Individuen zu einer ähnlichen erfolgreichen Ausbreitung beiträgt: vielleicht bei Formen, wie *Lumbriculus variegatus* (MÜLL.), bei denen eine derartige Zerstückelung besonders leicht eintritt, und die zugleich eine hervorragende Regenerationsfähigkeit besitzen.

Ein zweites für die erfolgreiche Ausbreitung besonders wichtiges Moment ist die Zahl der Jungen, die aus einem einzigen Cocon hervorgehen. Ob die Uebertragung von Cocons überhaupt zu einem Ausbreitungs-Erfolg führt, hängt — abgesehen von den Formen mit ungeschlechtlicher Vermehrung und von allen Fällen, wo eine Verschleppung grösseren Materials durch den Menschen vorliegt — wohl fast ausschliesslich von diesem Moment ab,

denn es ist wohl kaum anzunehmen, dass auf natürlichem Wege die gleichzeitige Uebertragung einer Anzahl von Cocons nach einem von dem Ursprungsort weit entfernten und durch sonst unüberwindliche Schranken (für terricole
Formen etwa eine Meeresstrecke) getrenntes Gebiet stattfindet. Bei Formen
mit vielen Jungen in einem Cocon kann die Uebertragung eines einzigen
Cocons zur Kolonie-Bildung und dauernden Besetzung eines neuen Gebietes
führen. Bemerkenswerth ist, dass gewisse Formen mit grosser Zahl von
Jungen in einem Cocon, wie z. B. *Tubifex tubifex* (MÜLL.), *Lumbricillus
lineatus* (MÜLL.) und *Enchytraeus albidus* HENLE (ich zählte 17 Eier in
einem Cocon dieser letzteren Art), eine ungemein weite Verbreitung aufweisen,
die wohl nicht zum wenigsten durch den eben erörterten Umstand hervorgerufen ist. Bei den Oligochaeten der höheren Familien geht, soweit bekannt,
meist nur ein einziges Individuum, höchstens eine sehr geringe Zahl von
Individuen aus einem Cocon hervor. Ein einziges übertragenes Cocon, ja
selbst die gleichzeitige Uebertragung einer geringen Zahl von Cocons, kann
bei diesen Thieren nicht zur Bildung einer neuen Kolonie führen.

Für die durchschnittlich grösseren Formen der höheren Familien ist
ein anderer Umstand noch ungünstig, nämlich die Dauer des Jugend-
stadiums. Der langen Zeit, die bis zur Erlangung der Geschlechtsreife
und damit zur Möglichkeit der Vermehrung und dauernden Kolonie-Bildung
vergeht, entspricht die Grösse der Lebensgefahr, denen die sich entwickelnden
Thiere ausgesetzt sind; zugleich auch wächst mit dieser Zeit die Wahrscheinlichkeit, dass sich die geringe Zahl der übertragenen Individuen auf
Nimmerwiederfinden zerstreut.

Thatsächlich braucht bei diesen höheren terricolen Oligochaeten, den
Regenwürmern, mit einer sprungweisen Ausbreitung durch Verschleppung von
Cocons auf natürlichem Wege nicht gerechnet zu werden. Wäre eine derartige Ausbreitung häufiger vorgekommen, so hätten sich nicht so scharfe
Faunen-Scheidungen herausbilden können, wie sie thatsächlich durch verhältnissmässig schmale Schranken hervorgerufen worden sind, wie etwa die
durch die Strasse von Mosambique bedingte Scheidung zwischen der madagassischen und der südafrikanischen Fauna.

Verschleppung durch den Menschen.

Eine Verschleppung von Regenwürmern durch den Menschen und damit
eine Besiedelung von Gebieten, die bis dahin frei von den betreffenden Arten
waren, hat wohl stattgefunden seit dem Zeitpunkt, da der Mensch die Fähigkeit
ausgiebiger Ortsveränderung unter Mitführung seines Hausrates, vor allem
gewisser Hausthiere und Pflanzen, erlangte. Wir müssen, um den Beginn
dieser Verbreitungsweise festzustellen, jedenfalls weit in die praehistorischen
Zeiten zurückgehen. Wenn aber auch die Dauer dieser Verbreitungsweise
nach Jahrhunderten oder Jahrtausenden gemessen recht beträchtlich erscheint,
so ist sie doch in Hinsicht langer geologischer Perioden als gering zu bezeichnen.
Bevor sie in Wirksamkeit trat, hatte sich eine Verbreitung der Oligochaeten
herausgebildet, bei der die Konfiguration der Festländer und Meere in den
vorhergehenden geologischen Perioden eines der hauptsächlichsten Faktoren
bildete. In diese praekulturelle Verbreitung brachte die Verschleppung
durch den Menschen ein ganz neues Moment. Oligochaeten-Gruppen, für
die das Meer früher ein unüberschreitbares Hinderniss war, wurden über
weite Meeresstrecken getragen. Formen, die ursprünglich in höheren Breiten
der nördlichen Hemisphaere beheimathet waren, traten in höheren Breiten

der südlichen Hemisphaere auf. Tropische Formen verbreiteten sich von einem Kontinent aus über den ganzen Tropengürtel. Aber die Verschleppung durch den Menschen ist noch nicht lange genug wirksam gewesen, um das Bild der praekulturellen Oligochaeten-Verbreitung unkenntlich zu machen. Sie stellt sich nur als eine Verschleierung dieses Bildes dar. Auch in den Resultaten der Verschleppung lässt sich ein gewisses System erkennen, und es ist nicht uninteressant, dieses System klar zu stellen, die Bahnen nachzuweisen, auf denen die Verschleppung hauptsächlich vor sich ging, das Material zu charakterisiren, welches hauptsächlich von der Verschleppung betroffen wurde.

Für beide Zwecke, sowohl für die Feststellung der praekulturellen Verbreitung und die hiermit verbundene Gewinnung eines werthvollen Materials für erdgeschichtliche Probleme, sowie auch für die Klarstellung der Verschleppungsresultate, ist es erforderlich Merkmale herauszufinden, nach denen ursprüngliche Vorkommnisse und Verschleppungsvorkommnisse unterschieden werden können.

Die **direkte Beobachtung** lässt uns hier fast ganz im Stich, wenigstens finden sich in der Litteratur höchstens sehr spärliche Angaben. Die zahlreichen Mittheilungen BEDDARD's über Einführung von Oligochaeten mit Pflanzen in die Kew gardens sind für unsere Zwecke nicht wohl verwerthbar. Hierbei handelt es sich meist um rein wissenschaftliche Sammlungen, die zum Theil in den abgelegensten Gebieten erbeutet sind. Diese liefern ein ganz anderes Material als z. B. die seit Jahrhunderten wirksame Verschleppung durch den kommerziellen und speziell den gärtnerischen Verkehr. Dazu kommt, dass BEDDARD nur neue Arten angiebt und die altbekannten, die sicherlich in grosser Zahl darunter waren, nicht erwähnt. Gerade auf diese letzten kommt es uns aber an, denn unter ihnen finden sich die vielfach verschleppten Formen. Verschleppt werden hauptsächlich solche Oligochaeten, denen die gärtnerische Kultur nicht nachträglich ist, und das sind zugleich jene in Gärten und kultivirtem Boden lebenden Formen, die dem Zoologen mit am frühesten zugänglich waren. Um eine richtigere Anschauung von der oligochaetologischen Verschleppungsfauna zu gewinnen, habe ich seit Jahren direkte Beobachtungen angestellt. Ich bin daher in der Lage, eine kleine Liste von lebend mit Pflanzen in Hamburg eingeschleppten Oligochaeten darzubieten.[1] So klein diese Liste ist — sie enthält jedenfalls nur einen geringen Theil der thatsächlich in dieser Zeit lebend eingeführten Oligochaeten — so ist sie doch in mancher Hinsicht interessant und für unsere Zwecke werthvoll. Sie enthält sämmtliche zu meiner Kenntniss gelangten Fälle, ist also in Bezug auf das mehr oder weniger grosse systematische Interesse der verschiedenen Oligochaeten durchaus unparteiisch, nicht verzerrt durch Fortlassung der gewöhnlicheren Arten. Sie enthält nur Formen, die auf dem gewöhnlichen Wege des gärtnerischen Verkehrs eingeschleppt wurden; in keinem Falle sind die betreffenden von Oligochaeten bewohnten Pflanzenballen durch wissenschaftliche Sammler erbeutet worden. In Bezug auf die Herkunft der Objekte ist die Liste ziemlich einseitig, die Sendungen stammen fast durchweg aus Amerika. Das ist für unsere Erörterung belanglos; denn es handelt sich, wie wir sehen werden, hauptsächlich um weitverbreitete, meist fast kosmopolitische Arten.

[1] Für Zustellung derartigen Einschleppungsmateriales bin ich den Herren Direktoren und Beamten des „Botanischen Gartens" und der „Station für Pflanzenschutz" in Hamburg zu besonderem Danke verpflichtet.

Liste der lebend mit Pflanzen in Hamburg eingeschleppten Oligochaeten:

Fridericia bulbosa (Rosa)	von Brasilien
Fridericia striata (Levins.)	„ „
Fridericia Leydigi (Vejd.)	„ „
Fridericia sp.	Westindien
Enchytraeide	Japan
Microscolex phosphoreus (Ant. Dug.)	„ Südamerika
Pheretima hawayana (Rosa)	„ Brasilien (zweimal)
Pheretima heterochaeta (Michlsn.)	„ Westindien
„ „ „	?
Pheretima roderivensis (Grube)	Westindien
Pheretima sp.	„ Brasilien
Dichogaster Bolani (Michlsn.)	„ Westindien
Ocnerodrilus sp. α	„ „
Ocnerodrilus sp. β	„ „
Eudrilus Eugeniae (Kinb.)	„ „
Hesperoscolex sp.	„ „
Onychochaeta Windlei (Beddard)	„ „
Pontoscolex corethrurus (Fr. Müll.)	„ „
„ „ „	Nicaragua
„ „ „	?
Glossoscolex peregrinus (Michlsn.)	„ Westindien?
Eisenia sp. (*carolinensis* Michlsn. Ms.)	„ Nord-Carolina
Eisenia foetida (Sav.)	„ Nordamerika
Helodrilus caliginosus (Sav.)	„ „
„ „ „	„ Vermont
„ „ „	„ Boston
„ „ „	„ Kawana in Nord-Carolina
„ „ „	„ England
Helodrilus chloroticus (Sav.)	„ Nordamerika
„ „ „	„ England
Octolasium cyaneum (Sav.)	„ Amerika?
Octolasium complanatum (Ant. Dug.)	„ Lissabon.

Der Werth dieser Liste ist nicht darin zu sehen, dass sie uns eine Anzahl von Arten als verschleppbar nachweist; vergrössert sie doch kaum die Zahl der schon früher als verschleppbar verdächtigten Arten. Ihre Hauptbedeutung liegt darin, dass sie uns eine Thatsachen-Probe auf die hypothetische Feststellung über die Verschleppungs-Oligochaeten liefert, eine Probe, die ein wirklich überraschend günstiges Zeugniss über jene hypothetische Feststellung ablegt. Der grösste Theil der in jener Liste enthaltenen Arten sind ja solche, die ich aus Gründen ihrer Verbreitung als verschleppte Formen bezeichnete, lange bevor ich sie hier in flagranti ertappte, so jene *Pheretima*-Arten, deren Heimath ich seit langem auf den malayischen Archipel und einige ihm nahe liegende Länder und Inselgruppen beschränkt wissen wollte, und die, wie ich auseinander setzte, nur durch Verschleppung ihre weitere Verbreitung erlangen konnten, so auch den tropisch-afrikanischen *Eudrilus Eugeniae* und den tropisch-amerikanischen *Pontoscolex corethrurus*, die ebenfalls nur durch Verschleppung über den ganzen Tropengürtel verbreitet sein sollten.

Recht charakteristisch an der Liste ist die grosse Zahl der altbekannten Formen, waren doch unter den 18 der Art nach bestimmbaren

Nummern nur zwei neue Arten, nämlich *Eisenia* sp. *(carolinensis)* und *Glossoscolex peregrinus*, während andererseits das Zusammentreffen der ältesten Autoren für Oligochaeten-Arten (SAVIGNY, ANTON DUGÈS, FRITZ MÜLLER, KINBERG und GRUBE) auffallen muss. Der Grund für diesen Charakter der Verschleppungsfauna ist schon oben angedeutet. Er beruht darauf, dass besonders leicht jene in Gärten und kultivirten Ländereien lebenden Formen verschleppt werden, die auch dem Zoologen am frühesten in die Hände geriethen.

Ferner fällt in jener Liste auf, dass die darin enthaltenen Arten ein so wenig zutreffendes Bild von dem faunistischen Charakter des Gebietes darstellen, aus dem sie stammen sollen. Unter den vielen Arten von Westindien und dem tropischen Südamerika findet sich z. B. keine, die sicher für dieses Gebiet charakteristisch ist. Nur für drei, *Hesperoscolex* sp., *Onychochaeta Windlei* (BEDD.) und *Glossoscolex peregrinus* (MICHLSN.), ist es wahrscheinlich. Grösser ist die Zahl der Arten, die sicher nicht ursprünglich in diesem Gebiet beheimathet waren; das sind die *Pheretima*-Arten, *Microscolex phosphoreus* (ANT. DUG.) und *Eudrilus Eugeniae* (KINB). Für die übrigen Arten ist es entweder sehr fraglich (die *Ocnerodrilus*- und die *Fridericia*-Arten, für die letzten ist es sehr unwahrscheinlich), oder sie sind durch Verschleppung bereits so weit verbreitet, dass sie nicht mehr für dieses Gebiet allein charakteristisch sind (*Pontoscolex corethrurus* (FR. MÜLL.) und *Dichogaster Bolaui* (MICHLSN.)). Es ist eine bunt zusammengewürfelte internationale Gesellschaft, in der die Kosmopoliten entschieden das Uebergewicht haben.

Da die direkte Beobachtung versagt, so müssen wir auf anderem Wege die auf Verschleppung beruhenden Vorkommnisse zu ermitteln suchen. Wir müssen die **Merkmale** feststellen, **durch die sich endemische Vorkommnisse von Verschleppungsvorkommnissen unterscheiden.**

Als verschleppbar können zunächst nur solche Formen angesehen werden, die im Bereich der gärtnerischen oder agrestischen Kultur zu leben vermögen. Das sind hauptsächlich rein terrestrische Formen, wie unsere Acker-Regenwürmer, aber auch amphibische, die zeitweise in rein terrestrischen Oertlichkeiten leben können, wie *Eiseniella tetraedra* (SAV.). Das Vorkommen von *Branchiura Sowerbyi* BEDDARD im *Victoria regia*-Bassin zu London zeigt jedoch, dass gelegentlich unter der Flagge wissenschaftlicher Importe auch Süsswasser-Formen eingeschleppt werden mögen. Andererseits müssen wir bei Formen, die jener Kultur fern stehen, wie etwa die lediglich am Meeresstrand lebenden *Pontodrilus*-Arten, annehmen, dass ihre Verbreitung nicht durch Verschleppung beeinflusst wurde.

Verschleppbar sind hauptsächlich kleinere Formen, aber auch mittelgrosse, von der Statur unserer deutschen Ackerwürmer. Als Maximum der Grösse, bei welcher noch Verschleppbarkeit angenommen werden darf, glaube ich etwa die unseres europäischen *Lumbricus terrestris* L., MÜLL. oder des mediterranen *Octolasium complanatum* (ANT. DUG.) — beide bis 180 mm lang — feststellen zu müssen. Grössere Formen, so vor allem die Riesen ihres Geschlechtes, werden nicht verschleppt. Diese Feststellung beruht nicht lediglich auf Spekulation: es liegen ihr ziemlich sichere Thatsachen zu Grunde: Keines der vielen Vorkommnisse grösserer und riesiger Oligochaeten zeigt eines der unten geschilderten Merkmale der Verschleppung; diese grösseren und riesigen Formen treten stets in Gebieten auf, die als die ursprünglichen (praekulturellen) Heimathsgebiete der betreffenden Gattung, Unterfamilie oder Familie angesehen werden müssen, sei es, weil

die betreffende Gruppe durch ihr Auftreten in grosser Artenzahl und in
Reihen von Varietäten ihre Heimathsberechtigung dokumentirt, oder weil
andere Umstände dafür sprechen. Suchen wir nach einer Erklärung für diese
Thatsache, so drängt sich zunächst der Gedanke auf, dass grösseren Formen
in gewöhnlichen Pflanzensendungen, denen meist wohl nur wenig mehr als
die durchaus nothwendige Quantität Erde mitgegeben wird, nicht der genügende
Raum zur Verfügung steht; selbst in grösseren Erdkübeln würden nur wenige
Exemplare einer solchen Form Unterkunft finden. Eine Hauptbedingung für
eine erfolgreiche, zur dauernden Neubesiedelung führenden Verschleppung ist
aber, dass mehrere, mindestens jedenfalls zwei, Exemplare überführt werden.
Sicher ist auch, dass grössere Formen viel mehr unter den Unbilden einer
solchen Ueberführung zu leiden haben, als kleinere. Soweit die Beobachtung
reicht[1], sind grosse Regenwürmer durchaus hülflos und dem Tode ver-
fallen, so bald sie gezwungen werden, ihre Gänge zu verlassen. Nun könnte
aber vielleicht eine Anzahl von Cocons solcher grösseren Formen verschleppt
werden und zur Bildung einer Kolonie in neubesiedeltem Gebiete führen?
Auch hierfür sind die Chancen so gering, dass das thatsächliche Nichteintreten
einer derartigen erfolgreichen Verschleppung genügend erklärt erscheint. Diese
Chancen werden nämlich um so geringer, je grösser die Zeitdauer ist, die
die Entwicklung des Thieres bis zur vollständigen Geschlechtsreife beansprucht,
und wenn ich auch keine auf Beobachtung beruhende zahlenmässige Angaben
machen kann, so darf doch wohl angenommen werden, dass diese Zeitdauer
im Allgemeinen um so beträchtlicher ist, je grösser die geschlechtsreifen
Thiere sind. Wie vielen Gefahren sind diese grossen Thiere in der langen
Dauer ihrer Entwicklung bis zur Geschlechtsreife ausgesetzt, und, wenn
wirklich einige Exemplare dieses Ziel erreichen, wie gering ist die Chance,
dass sie auch räumlich vereint bleiben, dass sie nicht durch selbstthätige
Wanderung oder zwangsweise getrennt werden? Dazu kommt, dass der
Bestand einer neuen Kolonie erst durch mehrfache Cocon-Ablage gesichert
wird, denn da jedem Cocon dieser grösseren Formen in der Regel nur ein
junges Thier entschlüpft, so könnte nur so eine Vermehrung der ursprünglich
jedenfalls sehr geringen Kopfzahl stattfinden.

Aus der Thatsache, dass grössere und riesige Formen nicht verschleppbar
sind, entsteht uns ein wichtiger Hülfssatz zur Feststellung des Charakters
gewisser Vorkommnisse: Tritt eine Oligochaeten-Gruppe, die neben
kleinen Formen auch zahlreiche grosse und riesige Formen enthält,
in einem Sondergebiet lediglich in sehr kleinen Formen auf, so
liegt der Verdacht nahe, dass diese kleinen Formen durch Verschleppung in dieses Sondergebiet gelangt sind: für's erste allerdings
nur ein Verdacht, denn es ist nicht ausgeschlossen, dass die Lebensbedingungen
in jenem Sondergebiete Einfluss auf die Grösse der Formen gehabt haben.
Erörtern wir diesen Hülfssatz an einem konkreten Beispiel: Das tropische
Afrika ist das Hauptquartier der Gattung *Dichogaster*; von den 84 Arten
dieser Gattung kommen hier 63 vor, also gerade $\frac{3}{4}$ Theil sämmtlicher Arten.
Daraus geht unzweifelhaft hervor, dass das tropische Afrika auch zum ursprünglichen praekulturellen Gebiet dieser Gattung gehört, während es von den
übrigen Ländern, in denen Dichogastren vorkommen, für's Erste noch zweifelhaft ist. Als solche zweifelhafte Gebiete kommen in Betracht: Westindien
mit 7, Centralamerika einschliesslich Mexico mit 7, Californien mit 3, Süd-

---

[1] Vergl. J. J. FLETCHER: Notes on Australien Earthworms, Part. I; in: Proc.
Linn. Soc. N. S. Wales, 2. Ser. Vol. I p. 532.

amerika mit 3 Arten, andererseits Ostindien mit 2, das Malayische Gebiet mit 7 und die Inseln der Südsee mit 2 Arten. Viele dieser Arten, und zwar ein verhältnissmässig grosser Prozentsatz der nicht-afrikanischen, sind durch ihre weite Verbreitung oder andere Umstände als Verschleppungsformen erkennbar; viele aber sind nur von einem kleinen Gebiet bekannt, also anscheinend daselbst endemisch. Solcher anscheinend endemischer Formen beherbergt das tropische Afrika 57, Westindien 5, Centralamerika mit Mexico 5, Ostindien 1, das Malayische Gebiet 6 und die Inseln der Südsee 2 (1 davon mit verdächtiger, durch einen Händler übermittelter Fundortsangabe). Vergleichen wir die Grössenverhältnisse der anscheinend endemischen Formen dieser verschiedenen Gebiete, so ergiebt sich ein überraschendes Resultat.

Die tropisch-afrikanischen Arten zunächst zeigen die verschiedensten Grössen-Verhältnisse. Neben Pygmaeenformen von 16 mm Länge finden sich grössere und riesige Formen von mehreren Decimeter Länge bis zur Länge von ³⁄₄ m. (Zwecks einheitlicher Betrachtung berücksichtige ich bei Arten, deren Grösse als variabel angegeben ist, stets nur die Maximal-Angabe.) Diese verschiedenen Grössen sind in folgender Anzahl unter den endemischen tropisch-afrikanischen Arten vertreten:

Pygmaeenformen bis zu 40 mm Länge: 14
kleine Formen von 41—90 mm Länge: 18
mittelgrosse Formen von 91—180 mm Länge: 10
grössere Formen von 181—360 mm Länge: 9
Riesenformen über 360 mm Länge: 6.

Als Durchschnitt ergiebt sich eine Länge von 172 mm für diese 53 endemischen tropisch-afrikanischen Dichogastren.

Die Grössenverhältnisse der ausser-afrikanischen Formen weichen in bedeutendem Maasse hiervon ab. Riesenformen dieser Gattung kommen in keinem dieser Gebiete vor, grössere Formen nur noch in Westindien, mittelgrosse nur noch in Westindien und Mexico [sowie eine Art mit verdächtiger Fundortsangabe (*Dichogaster Damonis* Bedd.) fraglicherweise auf den Viti-Inseln]. Die 10 Arten des westindisch-centralamerikanischen Gebietes vertheilen sich wie folgt auf die Längen-Kategorien:

Pygmaeenformen bis zu 40 mm Länge: 6
kleinere Formen von 41—90 mm Länge: 1
mittelgrosse Formen von 91—180 mm Länge: 2
grössere Formen von 181—360 mm Länge: 1.

Der Durchschnitt der Länge dieser 10 Arten beträgt 76 mm. Es liesse sich vielleicht rechtfertigen, wenn man das westindisch-centralamerikanische Gebiet der ursprünglichen, praekulturellen Heimath dieser Gattung zurechnet, wenngleich das Fehlen von Riesenformen und die dadurch herabgedrückte Durchschnittslänge dagegen spricht. Eine Form von 240 mm Länge wie *Dichogaster Kriteli* Michlsn. von Haiti verlangt Heimathsberechtigung für ihren Fundort. Dazu kommt, dass dieses Gebiet zweifellos die Heimath der nahe verwandten Gattung *Trigaster* ist. Nach gleicher Ueberlegung könnte vielleicht Ostindien, die Heimath der Trigastrinen-Gattung *Eudichogaster*, mit einer einzigen, mässig kleinen, 75 mm langen *Dichogaster*-Form zum eigentlichen Gebiet dieser Gattung gezogen werden; doch wird diese Zuordnung schon sehr unsicher.

Anders verhält es sich mit den übrigen Gebieten, in denen keine besondere Trigastrinen-Gattung auftritt, mit dem malayischen Gebiet und der Südsee. Von den 7 *Dichogaster*-Arten dieser Gebiete — von der durch

einen Händler übermittelten, also verdächtigen, ca. 100 mm langen *D. Damonis*
von den Viti-Inseln sehe ich ab — überschreitet nicht eine einzige die Länge
von 50 mm: es sind darunter:

Pygmaeenformen bis zu 40 mm Länge: 4
kleine Formen von 41—90 mm Länge: 3
(mittelgrosse Formen von 91—180 mm Länge: 1, mit verdächtiger
Fundortsangabe!)

Die Durchschnittslänge der 7 Formen, deren Fundortsangabe unverdächtig
ist, beträgt nur 37 mm (bei Einrechnung der verdächtigten Angabe über den
Fundort von *D. Damonis* würde sie auf 45 anwachsen); das ist gegenüber
der Durchschnittslänge der afrikanischen Dichogastren (172 mm) eine so
geringe Grösse, dass sich die Frage nach dem Grunde dieses Verhältnisses
aufdrängt. Sind vielleicht die Lebensbedingungen in diesem ausserafrikanischen
Gebiet nicht derartig, dass sie grösseren Oligochaeten-Formen zusagten?
Doch wohl, sehen wir doch andere Megascoleciden sich hier zu ganz enormen
Formen entwickeln. Es sei nur an *Pheretima halmaherae* subsp. *jampeana*
(BENH.) und *bonthainensis* (BENH.) von Djampeha und Celebes, die bis 420 mm
lang werden, und an *Ph. aeruginosa* forma *musica* (HORST) von Java, die
jene mit einer Maximallänge von 570 mm noch übertrifft, erinnert. Der
Grund muss ein anderer sein. Wir werden später sehen, dass andere
Umstände für die Wahrscheinlichkeit der Verschleppung sprechen. Von den
in ihrer Urheimath in den verschiedensten Grössenverhältnissen auftretenden
Dichogastren sind nur die kleinen und kleinsten Formen verschleppt worden,
vielleicht zuerst nach Buitenzorg auf Java, dem bedeutsamen Zentrum
gärtnerischer Kultur, um sich von hier aus über das ganze malayische und
polynesische Inselgebiet zu verbreiten. Aehnlich wird es sich mit den übrigen
ausserhalb des ursprünglichen Gebietes gefundenen Dichogastren verhalten,
so mit den kalifornischen und den südamerikanischen, sämmtlich Pygmaeenformen oder doch kleine Formen.

Das hauptsächlichste Merkmal für Verschleppungsfälle bei
Regenwürmern ist eine sehr weite, und zumal auch eine sprung-
weise Verbreitung übersee, sowie auch das sporadische Auftreten
weit entfernt von dem Gebiet, das als das Hauptquartier der
betreffenden Gattung anzusehen ist. Wie wir oben gesehen haben,
können für die Regenwürmer[1]) andere Methoden der Verbreitung übersee
nicht in Betracht kommen. Bei kleineren limicolen oder terricolen Oligochaeten der niederen Familien, z. B. bei Naididen und Enchytraeiden, mag
z. B. eine Verschleppung von Cocons über weite Meeresstrecken vorkommen;
bei den Regenwürmern kann eine überseeische Ansiedelung auf diese Weise
nicht gegründet werden (siehe oben p. 10). Wenn wir z. B. *Pheretima
montana* KINB. auf den Philippinen und den verschiedensten Inselgruppen
der Südsee, bis zu den Viti- und den Gesellschaftsinseln hin, auftreten sehen,
oder *Ph. hawayana* (ROSA) zugleich auf dem Hawaiischen Archipel, in China,
in Brasilien und auf den Bermudas, so können wir als sicher annehmen,
dass sie durch den Menschen verschleppt worden sind. Ebenso sicher ist
die Erklärung z. B. bei *Eudrilus Eugeniae* (KINB.) zutreffend. Als praekulturelle Heimath seiner Gruppe, der Unterfamilie *Eudrilinae*, ist lediglich

---

[1]) Als „Regenwürmer" bezeichne ich terricole oder amphibische (zeitweilig
terricole) Oligochaeten der höheren, früher als Terricolen zusammengefassten Familien,
der *Moniligastridae*, *Megascolecidae*, *Glossoscolecidae* und *Lumbricidae*

das tropische Afrika anzusehen. Jene Art ist die einzige ihrer Gruppe, die nicht nur in Afrika vorkommt, sondern auch über den ganzen Tropengürtel zerstreut auftritt.

Sehr schwer ist die Entscheidung darüber, ob eine Verschleppung durch den Menschen vorliegt, bei einer **weiten Verbreitung überland**. Zweifellos hat eine derartige Verschleppung ebenfalls vielfach stattgefunden; es fehlt uns aber ein sicheres Anzeichen dafür. Ueberland kann auch eine natürliche Ausbreitung der Regenwürmer zu einer sehr weiten Verbreitung führen, weit flussabwärts etwa bei Verschleppung durch treibende Baumstämme, von Flussgebiet zu Flussgebiet bei Verschleppung von Cocons durch wandernde Wiederkäuer-Herden. Betrachten wir z. B. die Verbreitung der *Eisenia Nordenskiöldi* (EISEN). Dieser Lumbricide ist über ganz Sibirien verbreitet, vom Gebiet des Anadyr im äussersten Osten bis zur Insel Waigatsch im Westen, südlich bis in das Gebiet des Baikal-Sees, südwestlich bis zur Krim im südlichen europäischen Russland (ein fraglicher Fundort ist ausserdem Schweden). Dürfen wir eine derartige Verbreitung als Folge der Verschleppung durch den Menschen erklären? Wahrscheinlich würde ja eine derartige Erklärung zutreffend sein; aber irgend welche Sicherheit hierfür haben wir nicht. Für unsere Erörterungen ist übrigens eine sichere Entscheidung über die Ursache einer derartig weiten Verbreitung überland von geringer Bedeutung, da die in Frage kommenden erdgeschichtlichen Probleme eine Aussonderung auch der auf natürlichem Wege zu auffallend weiter Verbreitung gelangten Arten verlangen. Es steht uns ja zweifellos die Fragestellung frei. (Ich bezeichnete deshalb Arten mit derartig weiten Verbreitung überland, einerlei ob Verschleppung durch den Menschen oder Ausbreitung auf natürlichem Wege vorliegt, als „Weitwanderer" und vereinigte sie unter der Bezeichnung „peregrine Formen" mit den sicher Verschleppten.)

Als ein Merkmal für Verschleppungsvorkommnisse ist schliesslich noch das **überwiegende Auftreten in den Zentren des Handelsverkehrs**, zumal des gärtnerischen, in den grösseren Hafen- und Handelsstädten sowie in Städten mit grossen gärtnerischen Versuchsstationen, und andererseits ihr Zurücktreten und Fehlen in den dieser Kultur ferner liegenden Oertlichkeiten anzusehen. Eine eingehende Erörterung über diesen Punkt schliesse ich weiter unten (p. 24) an die Besprechung der „Besiedelung durch eingeschleppte Regenwürmer" an.

Betrachten wir jetzt das in Rede stehende Problem vom entgegengesetzten Standpunkte und suchen die **Merkmale für endemische Vorkommnisse**, so erkennen wir zunächst, dass eine einfache Umkehrung der oben für die Erkennung der Verschleppungsfälle gewonnenen Sätze keinen Zweck hat. Wohl können wir den Satz aufstellen: „**Eine Art, die lediglich in einem eng begrenzten Gebiet vorkommt, ist als endemisch in demselben anzusehen**". Wie kann ich aber bei der noch so lückenhaften Kenntniss von den verschiedenen Oligochaeten-Faunen sicher aussagen, dass eine Art nur in dem engen Gebiet vorkomme, in dem sie bis jetzt gefunden ist? Beruhen doch die meisten Arten auf einzelnen Funden. Hier kann nur das Gesetz der grossen Zahl eine gewisse Sicherheit in unsere Ueberlegungen bringen. Wir können den Satz, um ihn für unsere Zwecke brauchbar zu machen, demnach folgendermaassen nahe formuliren: **Eine Anzahl nahe verwandte Arten, die lediglich in einem eng begrenzten Gebiet vorgefunden wurden, sind als endemisch in demselben anzusehen**. So muss z. B. Ceylon zum ursprünglichen, praekulturellen Gebiet der Gattung *Megascolex* TEMPLET. gerechnet werden; denn die meisten ceylonischen

Megascolex-Arten sind nur auf Ceylon gefunden worden. Dass ausser diesen auch noch eine über die sämmtlichen Küsten des indischen Ozeans verbreitete *Megascolex*-Art, *M. mauritii* (KINB.), auf Ceylon vorkommt, ändert an dieser Sachlage nichts. Anders ist es, wenn sich das Zahlenverhältniss umkehrt. So finden sich in Südamerika mehrere *Pheretima*-Arten, die eine sehr weite und sprunghafte Verbreitung aufweisen und sicherlich durch den Menschen eingeschleppt wurden. Neben diesen kommt eine einzige *Pheretima*-Art vor. *P. elongata* (PERR.), die bisher nur in Südamerika gefunden wurde. Diese ist natürlich auch als eingeschleppt zu betrachten. Sie ist in ihrem Heimathsgebiet, ausserhalb Südamerikas, nur noch nicht aufgefunden worden.

Weit anschaulicher wird die Heimathsberechtigung noch, wenn es sich nicht um eine Anzahl nahe verwandter Arten, sondern um Varietäten-Reihen oder -Gruppen einer einzigen weit umfassenden Art handelt. Es finden sich manchmal Arten, die anscheinend in einer vielfachen Spaltung begriffen sind. Sie zeigen sich ungemein variabel in Hinsicht gewisser Charaktere, die sonst örtlich mehr oder weniger konstant sind. In einem kleinen Gebiet treten zahlreiche derartige Varietäten auf, die man anfangs, bei Kenntniss nur weniger und extrem ausgebildeter Exemplare, für verschiedene Arten zu halten geneigt ist, bis sich die Zahl derartiger Varietäten häuft, und die aufgefundenen Zwischenglieder eine scharfe Sonderung unmöglich machen. Eine derartige Art ist z. B. *Pheretima Halmaherae* (MICHLSN.) (= *Perichaeta Halmaherae* MICHLSN. + *P. jampeana* BENHAM + *P. digitata* BENHAM + *P. banthainensis* BENHAM + *P. purpurea* BENHAM) von Halmahera und Celebes und ihren kleinen Nebeninseln, ferner *Pheretima divergens* (MICHLSN.) von Japan und *Ph. Stelleri* (MICHLSN.) von Nord-Celebes, Sangir und Borneo. Solche Arten oder vielmehr Unterarten- bezw. Varietäten-Gruppen zeugen am lautesten für die Heimathsberechtigung ihrer Art und damit ihrer Gattung in dem betreffenden Gebiet. Die Verschleppung durch den Menschen würde aus einer derartigen Formenmannigfaltigkeit eine einzelne Form herausgreifen und durch Inzucht, die bei einer Neubesiedelung durch Verschleppung wohl stets auftritt, fest machen.

Wir haben nun den **phyletischen Charakter, die Herkunft und die Ziele des erfolgreich verschleppten Materials** zu prüfen. Es kommen für diese Erörterung nur die eigentlichen Regenwürmer in Frage, die terricolen Mitglieder der Familien *Moniligastridae, Megascolecidae, Glossoscolecidae* und *Lumbricidae*. Das bei weitem überwiegende Verschleppungsmaterial gehört der Fam. *Lumbricidae* und gewissen Gattungen der Fam. *Megascolecidae*, den Gattungen *Pheretima* und *Dichogaster*, an. Während bei diesen Gruppen eine grosse Zahl Arten an der Verschleppung betheiligt sind, zeigen sich bei den übrig bleibenden Gruppen immer nur eine einzige oder einige wenige Arten als erfolgreich verschleppt. Das Zahlenverhältniss, in dem die verschiedenen Gruppen an der erfolgreichen Verschleppung betheiligt sind, mag durch folgende Tabelle erläutert werden.

	Zahl der Arten	Zahl der peregrinen Arten	Bemerkungen
Moniligastridae . .	24	1 (2?)	*Drawida bahamensis* (BEDD.) nach den Bahama-Ins. verschleppt? Fundortsangabe verdächtig!

	Zahl der Arten	Zahl der peregrinen Arten	Bemerkungen
Megascolecidae			
Acanthodrilinae .	95	4	
Megascolecinae			(excl. littorale Gattung *Ponto-drilus*)
Plutellus . . .	46	—	
Fletcherodrilus .	1	—	
Diporochaeta .	34	(2?)	*D. intermedia* (BEDD.) u. *D. chatamensis* BENH. peregrin?
Perionyx . . .	6(7?)	3(4?)	*P. saltans* BOURNE mit *P. sansibaricus* MICHLSN. zu vereinen? peregrin?
Megascolides .	4		
Trinephrus . .	8	—	
Notoscolex . .	26	—	
Digaster . . .	6	—	
Perissogaster .	3	—	
Didymogaster .	1	1	
Megascolex .	59	1	
Plionogaster .	4	—	
Pheretima . .	119	22(27?)	*P. exsulata* (BEDD.), *P. Godeffroyi* (MICHLSN.). *P. queenslandica* (FLETCH.), *P. taitensis* (GRUBE) u. *P. travancorensis* (FEDARB) peregrin?
Octochaetinae . . .	13	1(?)	*Eutyphoeus levis* (ROSA) peregrin?
Diplocardiinae . .	11	—	
Trigastrinae			
Trigaster	2	—	
Eutrichogaster . .	4	—	
Dichogaster . . .	75	13(15?)	*D. Damonis* BEDD. u. *D. saliens* (BEDD.) mit verdächtiger Fundortsangabe peregrin?
Ocnerodrilinae . . .	47	1(2?)	*Ocnerodrilus africanus* (BEDD.) mit verdächtiger Fundortsangabe peregrin?
Eudrilinae	74	1	
Glossoscolecidae			(excl. limnische *Criodrilinae* und Microchaetinen - Gattungen *Callidrilus* u. *Glyphidrilus*)
Glossoscolecinae .	53	2	
Hormogastrinae .	2	—	
Microchaetinae . .	24	—	
Lumbricidae			
Eiseniella . . .	1	1	
Eisenia	13	5	
Helodrilus			
Allolobophora .	16	5	

2*

	Zahl der Arten	Zahl der peregrinen Arten	Bemerkungen
Dendrobaena .	20	3	
Eophila . . .	16	—	
Bimastus . .	11	5	
Octolasium .	12	4	
Lumbricus . .	8	6	

Suchen wir nach einem gemeinsamen Charakter der drei Kulminations-
punkte in dieser Liste. Die Gattung *Pheretima* zunächst repräsentirt den
höchst entwickelten Zweig der Megascoleciden-Unterfamilie *Megascolecinae*,
die eine ziemlich gerade aufsteigende Reihe darstellt und, wie die sämmtlichen Megascoleciden-Reihen, aus der Acanthodrilinen-Urform (als deren
nur wenig oder gar nicht modifizirten Vertreter ich die recente Gattung
Notiodrilus ansehe) hervorgegangen ist. Die Gattung *Dichogaster*, der zweite
Kulminationspunkt, ist der höchst entwickelte Zweig einer zweiten Megas-
coleciden-Reihe, der Reihe Acanthodrilinen-Urform (aff. *Notiodrilus*)-*Octochaetinae* (oder *Diplocardiinae?*)-*Eudichogaster* (oder *Trigaster?*)-*Dichogaster*. Dass in diesem Falle der Weg, auf dem sich die Gatt. *Dichogaster*,
die höchste der Unterfamilie *Trigastrinae*, aus der Acanthodrilinen-Urform
entwickelt hat, nicht ganz klar ist.[1]) ist belanglos: jedenfalls ist sie jünger
als die sämmtlichen übrigen Hauptglieder und Nebenzweige ihrer Reihe.
Die Fam. *Lumbricidae*, der dritte Kulminationspunkt, stellt meiner Ansicht nach überhaupt den jüngsten Zweig der Oligochaeten dar, jedenfalls
einen Zweig, der, aus Glossoscoleciden-artigen Formen hervorgegangen, jünger
als die ihm zunächst verwandte Fam. *Glossoscolecidae* ist. Wir sehen also,
dass die Gruppen, aus denen sich hauptsächlich das erfolgreich
verschleppte Material rekrutirt, die jüngsten Zweige gewisser
Entwicklungsreihen sind, während die Grund- und Mittelglieder
jener Reihen nicht oder nur sehr spärlich an der Verschleppung
betheiligt sind. Am auffallendsten ist dieses Verhältniss bei der Megascolecinen-Reihe, bei der die älteren Gattungen, darunter die sehr artenreichen
Gattungen *Plutellus*, *Notoscolex* und *Megascolex*, zusammen nur 5(11?)
peregrine Formen — ca. 3(6?)% — aufweisen, während die jüngste Gattung
dieser Unterfamilie, die Gattung *Pheretima* mit 119 Arten, 22(27?) —
ca. 19(25?)% — an der Verschleppung erfolgreich theilnehmen lässt. Die
Ursache dieses Verhältnisses ist wohl darin zu sehen, dass die jüngeren
Formen viel verbreitungskräftiger sind, als die älteren, die bis zu dem
Zeitpunkt, da die Verschleppung durch Menschen einsetzte, durch trennende
Meere oder Wüstengebiete vor der Ueberschwemmung vonseiten jener
kräftigeren Formen geschützt und einer Konkurrenz mit jenen überhoben
waren. Wie wir oben (p. 8) sehen, findet thatsächlich ein Kampf dieser
jungen Eindringlinge gegen die Ureinwohner statt, ein Kampf, der stellenweise
bis zur völligen Vernichtung der letzteren geführt hat.

Das praekulturelle Heimathsgebiet des erfolgreich verschleppten Materials gehört fast ausschliesslich der nördlich-
gemässigten Zone und den Tropen an. Das gemässigte Eurasien (und

---

[1]) Vergleiche unten die Erörterung über die Systematik der Gruppe Trigastrinen und Verwandte.

östliche Nordamerika?) liefert die zahlreichen Lumbriciden, das tropische Afrika mit Anschluss des westindisch-zentralamerikanischen Gebietes die *Dichogaster*-, das indo-malayische Gebiet die *Pheretima*-Arten. Die übrigen nördlich-gemässigten und tropischen Gebiete entsenden nur wenige Verschleppungs-Formen. Das tropische Südamerika stellt die einzige, allerdings fast über den ganzen Tropengürtel verschleppte Form *Pontoscolex corethrurus* (Fr. Müll.), Ceylon oder Australien den über die sämmtlichen Küsten und Inseln des Indischen Ozeans und über Südost-Asien verschleppten *Megascolex mauritii* (Kinb.) Noch spärlicher wird der Beitrag zur Verschleppungs-fauna, wenn wir noch weiter nach Süden gehen. Dass Australien eine oder zwei Formen (*Didymogaster sylvatica* Fletch. und ? *Diporochaeta intermedia* (Bedd.)) nach Neuseeland versandt hat, ist jedenfalls von sehr geringem Belang. Wenn nicht etwa der oben erwähnte *Megascolex mauritii* australischen Ursprunges ist, oder falls nicht etwa die beiden weit verschleppten *Microscolex*-Arten, *M. dubius* (Fletch.) und *M. phosphoreus* (Ant. Dug.), neuseeländischen Ursprunges sind, so findet sich unter den zahlreichen australischen und neuseeländischen Formen nicht eine einzige weit verschleppte; ebenso wenig unter denen des madagassischen Gebietes. Was die Südspitzen der Kontinente Afrika und Amerika anbetrifft, so ist nur ein einziger Fall bekannt, der auf Verschleppung aus einem dieser beiden Gebiete — fraglich aus welchem? — hindeutet, nämlich das Auftreten des *Chilota eræi* (Rosa) auf den Kap-Verdeschen Inseln. Die verschiedene Betheiligung an der Lieferung der Verschleppungs-Formen beruht zweifellos auf dem Charakter der betreffenden Oligochaeten-Faunen. Die meist durch Meere, hohe Gebirgsketten oder Wüstengebiete mehr oder weniger frühzeitig abgetrennten südlichen Ausläufer der grossen Kontinentalmassen bilden den letzten Zufluchtsort der ältesten und älteren, nicht besonders verbreitungskräftigen Formengruppen, während die verbreitungskräftigen jüngeren und jüngsten Formengruppen in den grossen nördlichen Landmassen entstanden. So weit sie sich ausbreiten konnten, verdrängten sie ihre schwächeren Konkurrenten; aber erst durch Vermittlung des Menschen konnten sie auch die bisher für sie unüberschreitbaren Hindernisse, das Meer und die Wüste, überspringen.

Diese letzte Erörterung führt uns zu den Zielen der Verschleppung. Diese Ziele sind vornehmlich jene von schwächeren Konkurrenten bewohnten Gebiete und alle Gebiete, die in praekulturellen Zeiten einer Regenwurm-Fauna ganz und gar entbehrten, die ozeanischen Inseln, die von jeher von den Kontinentalmassen durch weite Meeresstrecken getrennt waren und zum Theil überhaupt erst in jüngerer Periode entstanden sind, und alle anderen Gebiete ohne endemische Terricolen. Bis zu einem gewissen Grade ist für die verschiedenen Verschleppungsgruppen bei der Bildung neuer Kolonien das Klima der ursprünglichen Heimath maassgebend.

Die Formen der nördlichen gemässigten Zone, die Lumbriciden Eurasiens (und des östlichen Nordamerika?) verbreiteten sich durch Verschleppung zunächst über die ganze Zone ihres Heimathsgebietes; sie besiedelten die ozeanischen Inseln, die Azoren, Madeira und die Kanarischen Inseln, sowie die Bermuda-Inseln, überschwemmten ganz Nord-Eurasien und Nordamerika (welch letzteres in den östlichen Theilen allerdings schon vordem zu ihrem Gebiete gehörte, jedoch wohl nur wenige Arten beherbergte), und sprangen, nachdem sie die Kordilleren hinter sich fanden, auch nach dem Hawaïschen Archipel über. Südwärts drangen sie bis in das Herz der Tropen; finden sie sich doch in einer oder mehreren Arten z. B. in Kolumbien, Bolivien, auf der Insel do Principe und auf den Nikobaren.

Aber das Klima oder die Kulturverhältnisse der Tropen sagten ihnen anscheinend nicht zu, oder waren doch ihrer weiteren Ausbreitung nicht besonders förderlich. Sie treten hier nur sporadisch auf, sich meist, wenn auch nicht ausschliesslich, im Bereich der menschlichen Kultur, vorzüglich in Gärtnereien, aufhaltend. Erst in den gemässigten Gebieten der Südhemisphaere treten sie, die Tropen überspringend, wieder als Eroberer auf, die die schwächeren Eingeborenen widerstandslos verdrängen. Es läuft wohl keine Oligochaeten-Sendung aus Chile, aus den La Plata-Staaten, von Kapstadt und den anderen Hafenstädten des Kaplandes, sowie von den grösseren Handelsplätzen Australiens und Neuseelands ein, die, wenn nicht ausschliesslich, doch zum Theil aus diesen ursprünglich europäischen Kolonisten besteht (Karte I r. u.).

Die tropischen Verschleppungsformen andererseits bürgern sich fast ausschliesslich in neuen tropischen oder subtropischen Gebieten ein. Nur unter besonders günstigen, Tropen-artigen Verhältnissen finden wir sie auch in gemässigten Zonen eingebürgert, so z. B. *Dichogaster Bolaui* (MICHLSN.) in der heissen Lohe (der sogenannten brennenden Lohe) einer Gerberei in Bergedorf bei Hamburg und verschiedene *Pheretima*-Arten in Gärtnereien bei Nizza, sowie in Warmhäusern mittel- und west-europäischer Städte. Diese lokal aufs Engste beschränkten Verschleppungsvorkommnisse können aber für die allgemeinen Verschleppungsgebiete der betreffenden Formen nicht in Betracht kommen. Diese erstrecken sich vorwiegend in zonaler Richtung meist um die ganze Erde herum. Die *Pheretima*-Formen, von dem indo-malayischen Gebiet ausgehend, besiedelten zunächst, wohl schon in praehistorischen Zeiten, die ozeanischen Inseln des Pazifischen Meeres; sie wurden ferner sporadisch in den australischen Kontinent eingeführt, sowie nach den Theilen Süd- und Südost-Asiens, die nicht zu ihrem eigentlichen Gebiet mehr gehören. Sie wurden weiter nach den grösseren und kleineren Inseln des Indischen und des Atlantischen Ozeans verschleppt und schliesslich über die ganzen wärmeren Partien Amerikas, von Florida und Kalifornien bis Zentral-Chile und Süd-Brasilien (Karte I l. o.). Die dritte und letzte der hauptsächlichsten Verschleppungsgruppen, der Gattung *Dichogaster* angehörig, ging vom tropischen Afrika mit Anschluss des zentralamerikanisch-westindischen Gebietes aus. Diese verschleppten *Dichogaster*-Arten finden sich ausserhalb ihres eigentlichen Gebietes zerstreut über Vorderindien und den ganzen Malayischen Archipel sowie die Südsee-Inseln, auf Madagaskar und auf dem amerikanischen Festlande, etwa von San Francisco in Kalifornien bis nach dem nördlichen Argentinien und Paraguay. Aehnliche Verschleppungswege zeigen auch die einzelnen vielfach verschleppten Formen aus den anderen tropischen Regenwurm-Gruppen, der westafrikanische *Eudrilus Eugeniae* (KINB.) (Karte I l. u.) und der tropisch-südamerikanische *Pontoscolex corethrurus* (FR. MÜLL.) (Karte I r. o.).

Als Beispiel von südlicheren Verschleppungs-Formen sind vielleicht zwei Arten der Gattung *Microscolex* anzuführen, *M. phosphoreus* (ANT. DUGÈS) und *M. dubius* (FLETCHER), vorkommend in Neuseeland, Süd-Australien (bis Sidney nordwärts), Kapland, Argentinien, Uruguay, Paraguay und Zentral-Chile, sowie andererseits in Süd-Europa und Algier, auf Madeira und den Kanarischen Inseln, in Florida, Nord-Karolina und Kalifornien.

In der soeben dargebotenen gedrängten Uebersicht über die Ziele der Verschleppung ist eines auffällend, nämlich die Verschiedenheit der sich gegenüberstehenden Gebiete in der Fähigkeit, die eingeschleppten Formen zurückzuweisen. Es ist einleuchtend, dass zuvor herrenlose

Gebiete, die in prаckulturellen Zeiten einer Regenwurm-Fauna entbehrenden weit isolierten ozeanischen Inseln und andere Gebiete ohne endemische Terricolen, am intensivsten von den Einschleppungs-Formen überschwemmt wurden; es ist ferner einleuchtend, dass das in gemässigten Zonen ohne bedeutende Konkurrenz dastehende Herren-Volk der Lumbriciden in seinem eigentlichen Gebiet, dem gemässigten Eurasien und dem östlichen Nordamerika, keine bedeutende Ansiedelung eingeschleppter Formen aufkommen liess (wohl nur die beiden *Microscolex*-Arten *M. dubius* und *M. phosphoreus* und in den südlicheren Grenzgebieten einige *Pheretima*-Arten), während es andererseits in alle anderen gemässigten Gebiete der Nord- und Südhemisphaere eingeschleppt wurde; nicht so leicht erklärlich aber ist der Gegensatz zwischen den drei tropischen Kontinentalgebieten. Das tropische Südamerika ist von Einschleppungs-Formen nicht nur in den Küsten-Distrikten, sondern bis in das tiefe Innere durchsetzt (*Pheretima*-Arten in Brasilien bis Manaos am Amazonas vorgedrungen). Australien hat sich im Inneren anscheinend noch frei gehalten von derartigen Eindringlingen, die seine Küsten-Distrikte schon stark besiedelt haben. (Das nicht ganz 300 km landeinwärts gelegene Wagga Wagga am Murraybridge-River ist, so weit zu meiner Kenntniss gekommen, der am weitesten von der Küste entfernt gelegene Fundort einer in Australien eingeschleppten Regenwurm-Art, des Lumbriciden *Helodrilus caliginosus* (Sav.)). Dem gegenüber steht das tropische Afrika. Die Wege der tropischen Verschleppungs-Formen umgehen Afrika oder streifen es an seinen äussersten, der gemässigten Zone angehörenden Theilen. Die dem afrikanischen Kontinent vorgelagerten Inselgruppen, sowohl die der atlantischen wie die der indischen Seite, zeigen noch zahlreiche Einschleppungs-Fälle; selbst von den kleinen, dem Kontinent sehr nahe liegenden Inseln Sansibar und J. de Principe sind solche Fälle bekannt (*Megascolex mauritii* (Kinb.) und *Perionyx sansibaricus* Michlsn. auf ersterer, *Octolasium complanatum* (Ant. Dugès) auf letzterer). Nur der Kontinent selbst hat sich in der tropischen Zone zwischen den beiden Wendekreisen fast ganz frei gehalten; von diesem Gebiet ist nur ein einziger Fall von Einschleppung gemeldet worden (*Pheretima rodericensis* (Grube) von Lagos in Ober-Guinea). Worauf beruht dieser Unterschied zwischen den verschiedenen tropischen Kontinentalmassen, besonders zwischen der afrikanischen und der südamerikanischen, die sich doch im allgemeinen Umriss und in der Lage so sehr ähneln? Wie kommt es, dass z. B. die verbreitungskräftigen *Pheretima*-Formen in den südamerikanischen Kontinent bis weit ins Innere vorgedrungen sind, während sie auf dem afrikanischen kaum im Randgebiet Fuss fassen konnten? An Gelegenheit zum Herangeschlepptwerden fehlte es ihnen sicherlich nicht; sind doch die Handelsbeziehungen, wenigstens die indirekten, zwischen dem Malayischen Archipel und Sansibar Jahrtausende alt, während andererseits der südamerikanische Kontinent diesen Malayischen Formen doch erst seit einigen Jahrhunderten zugänglich ist. Zweifellos spielen bei der Einschleppung die Kulturverhältnisse eine Hauptrolle. Die Durchdringung der tropischen Kontinentalmassen durch Einschleppungs-Formen scheint ziemlich genau in Proportion zu der Durchdringung von Seiten der modernen Kulturvölker zu stehen. Der den europäischen Kulturvölkern zunächst gelegene und am längsten bekannte tropische Kontinent, Mittel-Afrika, ist ihnen am spätesten, erst vor wenigen Decennien, eigentlich erschlossen worden; Südamerika, von ihnen am spätesten entdeckt, ist schon seit Jahrhunderten bis ins tiefe Innere hinein von Europäern besiedelt.

Die Feststellung des vorigen Abschnittes steht zu dem Satz, mit dem ich das Verschleppungs-Kapitel einleitete, dem Satz, dass die Verschleppung seit praehistorischen Zeiten wirksam ist, keineswegs in Widerspruch. Es muss nur unterschieden werden zwischen dem antiken und dem modernen Verkehr in Hinsicht auf Wirkungsweise und Resultate der Verschleppung. Der antike Verkehr brachte die Verschleppungs-Formen wohl ab und zu von Küste zu Küste, von Insel zu Insel, aber er inficirte immer nur die Küsten-Distrikte mit Einschleppungs-Formen; überland sind wohl durch den antiken Verkehr keine Regenwürmer verschleppt worden. Der moderne Verkehr dagegen wirkt nicht nur sehr viel intensiver, sondern trägt auch im Anschluss an den umfangreichen Plantagen- und Ackerbau-Betrieb mit den Objekten dieser Betriebe die daran haftenden Regenwürmer weit überland.

Wir haben noch die **Besiedelung durch eingeschleppte Regenwürmer**, die Art und Weise, wie diese sich in den neuen Gebieten heimisch machen und weiter ausbreiten, zu besprechen. Die erfolgreiche Einschleppung wird zunächst zur Bildung einer kleinen, lokal sehr beschränkten Kolonie führen. Sind die Lebensverhältnisse in der neuen Heimath den Eingeschleppten günstig, sagt ihnen Klima und sonstiger Charakter der betreffenden Oertlichkeit zu, und sind sie der Konkurrenz von Seiten der endemischen Regenwürmer gewachsen, so wird sich die Kolonie vergrössern und selbstthätig ausbreiten. Da die gärtnerische und landwirthschaftliche Ummodelung des Bodens in den verschiedensten Gebieten der Erde gleiche Oertlichkeiten (Garten- und Ackerland) erzeugt, wie sie den verschleppten Regenwürmern in ihrer alten Heimath zu Gebote standen — es werden ja in erster Linie Garten- und Ackerregenwürmer verschleppt — so wird die erste Bedingung für die gedeihliche Entwicklung einer Kolonie von Eingeschleppten vielfach erfüllt sein. So günstig die gärtnerische und landwirthschaftliche Bodenkultur für die eingeschleppten Regenwürmer ist, so ungünstig ist sie wenigstens in den meisten Fällen für die endemischen Regenwürmer eines bisher unkultivirten Landes. Die Bodenkultur beeinflusst sicher in den meisten Fällen den Kampf der eingeschleppten gegen die endemischen Regenwürmer zu Ungunsten dieser letzteren. Die Folge ist leicht ersichtlich und kann durch zahlreiche Beispiele demonstrirt werden: die Folge ist eine Verdrängung der endemischen Regenwürmer durch eingeschleppte und, bei genügend langer Dauer des Kampfes, eine vollständige Ausrottung der ersteren. In vielen chilenischen Städten habe ich diese Verhältnisse durch eigene Anschauung studiren können [1]. In der Hauptstadt Santiago konnte ich z. B. trotz eifrigen Suchens an verschiedenen Stellen der „Quinta normal" und des durch Anlagen geschmückten Hügels „Santa Lucia" nicht einen einzigen endemischen Regenwurm finden. Tausende von eingeschleppten Lumbriciden gingen hier durch meine Hände und, ein geringer Ansporn für den allmählich erschlaffenden Sammeleifer, ein einziges Exemplar der *Pheretima hawayana* (Rosa), ein Wurm, der zwar auch zu den eingeschleppten gehört, mir aber als Tropenform nicht ganz so uninteressant war wie jene Lumbriciden, die ich ebenso gut in den Hamburger Wall-Anlagen hätte sammeln können. Von den typischen chilenischen Gattungen *Chilota*, *Yagansia* und *Notiodrilus* schien in Santiago keine Spur mehr auffindbar. Fast ebenso lagen die Verhältnisse in Valparaiso: doch glückte es mir hier, in einem winzigen Eucalyptushain ein oasenartiges Vorkommen der endemischen *Yagansia grisea* (Bedd.) zu entdecken und in einem Garten zwei nicht

---

[1] W. Michaelsen: Regenwürmer; in: Deutsch-Ost-Afrika, Bd. IV, 1895, p. 39.

näher bestimmbare, ebenfalls endemische *Kerria*-Exemplare zu finden. Günstiger gestaltete sich das Sammeln chilenischer Regenwürmer in den kleineren Küstenstädten, Talcahuano, Coronel und Lota, aber auch in diesen waren die eingeschleppten Lumbriciden noch entschieden vorwiegend. In dem kleinen Corral, dem vom Urwald eng umfassten Seehafen Valdivias, in den kleinen Städten und Ansiedelungen des Inneren, San José de Mariquina, Putabla etc. schlug das Verhältniss zu Gunsten der endemischen Formen um. Die gleichen Verhältnisse stellten SPENCER (als Erster)[1] für Australien[1] und EISEN für Kalifornien[2] fest. Diese Erfahrungen lassen sich zu folgendem Satz formuliren: In einem Gebiet des Kampfes zwischen stärkeren eingeschleppten und schwächeren, unterliegenden endemischen Regenwürmern entspricht das Häufigkeitsverhältniss zwischen den ersteren und den letzteren annähernd der Bedeutung des betreffenden Platzes in kommerziell-landwirthschaftlicher Beziehung.

Die eingeschleppten Formen beschränken sich aber nicht auf eine Besiedelung des Einschleppungsplatzes. Mit Hülfe des Menschen oder selbstthätig breiten sie sich weiter aus über die nähere und fernere Umgegend. Häufig findet man solche Einschleppungs-Formen in Oertlichkeiten, die sicherlich niemals mit der ursprünglichen Heimath jenes Regenwurmes in direkter Verbindung gestanden haben. So fand ich z. B. den eurasisch-nordamerikanischen Lumbriciden *Helodrilus rubidus* (SAV.) var. *subrubicunda* (EISEN) bei der nur aus wenigen Häusern bestehenden argentinischen Station Uschuaia an der weltentlegenen Südküste Feuerlands. Es wird niemand annehmen wollen, dass er direkt von seiner Urheimath hierher verschleppt worden sei. Er ist zweifellos irgendwie von der nahe gelegenen englischen Missionsstation hierher gerathen; nach der Missionstation aber gelangte er wahrscheinlich mit den nachweislich von den Falkland-Inseln importirten Rindern. Auf den Falkland-Inseln ist diese Form nämlich sehr häufig. Sie ist hierher vielleicht direkt von der Urheimath, vielleicht aber auch über noch weitere Zwischenstationen, eingeschleppt. Nur in den seltensten Fällen wird sich eine derartige Kette von näheren Beziehungen verfolgen lassen. Es muss deshalb dringend davor gewarnt werden, dass solche Vorkommnisse wegen Mangels eines sicheren Verschleppungs-Nachweises als endemisch in Anspruch genommen werden. So kann ich EISEN nicht zustimmen, wenn er seine *Benhamia palmicola* für eine in Kalifornien endemische Art hält, weil er sie bei Miraflores, einer Oertlichkeit fand, „to which plants of any kind have rarely if ever been introduced directly from foreign countries".[3] Miraflores liegt nach EISEN „some 40 miles", also ca. 60 Kilometer, nördlich von der Hafenstadt San José del Cabo; das ist eine Entfernung, die ein Vaquero bequem in einem Tage, ein Carretero mit einer ganzen Fuhre Pflanzen — der Name Miraflores deutet ja auf einen intensiven gärtnerischen Betrieb — in zwei Tagen absolvirt. Es bedarf nicht der Jahrhunderte, die uns für die Verschleppungsannahme zur Verfügung stehen, um eine Gelegenheit zur Verschleppung jenes kleinen Regenwurmes nach der Hafenstadt San José del Cabo und von hier aus nach Miraflores erklärlich erscheinen zu lassen.

---

[1] Briefliche Mittheilung, erwähnt in F. E. BEDDARD: A Monograph of the Order of Oligochaeta, Oxford 1895, p. 150.

[2] G. EISEN: Researches in American Oligochaeta, with Especial Reference to those of the Pacific Coast and Adjacent Islands, in: Proc. Calif. Acad., 3. Ser. Vol. II, p. 249.

[3] EISEN: Pacific Coast Oligochaeta II; in Mem. Calif. Acad., Vol. II p. 124.

Man könnte es eher verwunderlich finden, dass die Verschleppung kombinirt mit weiterer selbstthätiger Ausbreitung im Laufe der Jahrhunderte und — für gewisse Gebiete der alten Welt — der Jahrtausende nicht schon grössere Erfolge aufzuweisen hat, dass es überhaupt noch grosse Gebiete giebt, die sich ganz frei von jeglicher Einschleppung gehalten haben. Bis jetzt giebt es keinen wirklichen Kosmopoliten unter den Regenwürmern und nur wenige Formen, die über eine ganze Zone verbreitet worden sind.

Werfen wir zum Schluss einen **Blick in die Zukunft**, so stellt sich uns ein ziemlich trübes Bild dar. Es ist zweifellos, dass die Verschleppung durch den Menschen mit der Kultur immer mehr zunehmen und immer weitere Gebiete und Formen in ihren Bereich ziehen wird. Zumal die jetzt noch ziemlich jungen und seltenen botanischen Versuchs-stationen in tropischen Gebieten werden mit zunehmender Zahl und zu-nehmender Wirksamkeit einen ganz hervorragenden Einfluss auf die Verbreitung gewisser kulturliebender Formen gewinnen. Hat nicht das zur Zeit grösste derartige Institut, der botanische Garten von Buitenzorg, schon jetzt erkennbaren Einfluss auf die Regenwurm-Fauna seines Gebietes gehabt? Ist nicht das Vorkommen der kleinen *Dichogaster*-Arten auf verschiedenen Sunda-Inseln diesem Institut auf's Konto zu setzen? Bis jetzt sind derartige botanische Versuchsstationen wohl mehr empfangend: sie vereinen in ihrem Bezirk die Floren verschiedener Gebiete und damit auch die diesen Floren anhaftenden Verschleppungs-Formen. Es ist aber anzunehmen, dass sie sich in Zukunft noch mehr in den Dienst der Landwirthschaft stellen, auch austheilend bethätigen und durch Versendung von Pflanzen die in ihrem Bezirk zusammengebrachte Verschleppungs-Fauna wieder weiter verbreiten werden. Derartige Institute sind meiner Ansicht nach als die Pioniere zu betrachten, die die Verschleppungs-Formen zuerst auch in Gebiete einführen, die sich bis jetzt noch freigehalten haben. Es ist wohl nur eine Frage der Zeit, dass auch das jetzt noch jung-fräuliche Zentralafrika sich der landwirthschaftlichen Kultur erschliessen und wie Südamerika von Verschleppungs-Formen durchdrungen werden wird; damit wäre auch im Bereich der Tropen der Verschleppungskreis geschlossen.

Aber nicht nur durch Einbeziehung weiterer Gebiete und Formen, auch durch Zunahme der Intensität wird die Verschleppungs-Fauna der Zukunft sich auszeichnen. Die Kulturfreunde werden sich mehr und mehr breit machen, die kulturfremden endemischen Formen werden mehr und mehr zurückgedrängt, zum Theil ganz ausgerottet werden. Der Oligochaetologe der Zukunft wird noch mehr als schon der der Jetztzeit entlegenere und kulturfremdere Oertlichkeiten als Sammelgebiet wählen müssen.

Das Resultat mag eine zonale Verbreitung verhältnissmässig weniger Arten sein, gewisser Lumbriciden in den kalten und gemässigten Gebieten der Nord- und Südhemisphaere, gewisser *Pheretima*- und *Dicho-gaster*-Arten, sowie einiger Arten anderer Gruppen (*Eudrilus Eugeniae* (KINB.) und *Pontoscolex corethrurus* (FR. MÜLL.)) in den tropischen und subtropischen Gebieten, daneben eine an Zahl stark reduzirte Fauna endemischer Formen mit geringerer Verbreitungsweite. (Ich bin nicht pessimistisch genug um anzunehmen, dass es je, und sei es nach Jahrtausenden, zu einer voll-ständigen Ausrottung der kulturfremden Formen kommen wird.) Jedenfalls werden viele Formen überall dort auftreten, wo sie nach Maassgabe der klimatischen Verhältnisse leben können, und das Bild der praekulturellen Verbreitung, in dem die Konfiguration der Festländer und Meere in früheren geologischen Perioden eine so grosse Rolle spielt, wird mehr und mehr verschleiert werden.

Kritik der Fundortsangaben.

Es ist dem Zoogeographen schmerzlich, wenn ihm, etwa aus alten Sammlungsvorräthen, ein interessantes Objekt in die Hände fällt, dem jegliche Fundortsangabe fehlt. Unvergleichlich viel peinlicher aber ist es ihm, wenn er erfahren muss, dass er sich durch eine falsche Fundortsangabe hat täuschen lassen.

Im Jahre 1891 erhielt ich von einem Händler, der mit dem Museum Godeffroy zu Hamburg in Verbindung stand, einen Wurm, der sich als eine Varietät des australischen *Fletcherodrilus unicus* (Fletch.) erwies. Der betreffende Händler gab mir die feste Versicherung, dass der Wurm von den Pelew-Inseln stamme; ich bezeichnete ihn deshalb als „var. *pelewensis*"[1]). In einer späteren Erörterung über die Beziehungen der Terricolenfaunen Australiens und des nördlich davon gelegenen Inselgebietes[2]) liess sich diese Form nicht in den Rahmen der *Fletcherodrilus*-Verbreitung einfügen. Ich gab in Folge dessen der Vermuthung Ausdruck, dass sie von dem australischen Kontinent nach den Pelew-(Palau-)Inseln verschleppt sein möge, falls jene Fundortsangabe nicht gar auf einem Irrthum beruhe. Bald darauf fand ich unter alten Vorräthen des Museum Godeffroy genau die gleiche Varietät des *F. unicus* mit der Original-Fundortsangabe: „Nordaustralien, Kap York". Diese Entdeckung machte die Vermuthung von der Falschheit der Fundortsangabe „Pelew-Inseln" fast zur Gewissheit, und der betreffende Händler, darob zur Rede gestellt, musste zugeben, dass jenes Original der var. *pelewensis* wohl nur ein Dublett der Kollektion von Kap York sei. Das Endresultat war bei der Zusammenstellung der Fundorte des *F. unicus* var. *fasciatus* (Fletch.) (mit der ich die var. *pelewensis* vereinte)[3]) die Anfügung der Notiz: „Michaelsen's Angabe (1891): Pelew-Inseln, ist irrthümlich!" Es muss als glücklicher Zufall bezeichnet werden, dass sich hier die Unrichtigkeit der Fundortsangabe aufdecken liess. Manche ähnliche Unrichtigkeit mag unerkannt in unsere Verbreitungs-Listen übergegangen sein. Jedenfalls haftet einer von einem Händler übermittelten Fundortsangabe ein gewisser Verdacht an. Der Händler, der wohl nur in seltenen Fällen eine wissenschaftliche Vorbildung genossen hat, ist sich meist der Tragweite einer falschen Angabe über die Herkunft der Objekte nicht bewusst; sehr wohl aber weiss er, dass seine Objekte durch eine präzise Fundortsangabe im Preise steigen und so ist er um eine Angabe nicht verlegen. Ich meinerseits habe es noch nicht erlebt, dass ein Händler an Stelle des Fundorts ein Fragezeichen setzte.

Die Fälle, dass ein Oligochaetologe von Händlern Material erhält, sind jedoch ziemlich selten. Oligochaeten sind -- soll ich sagen „leider" oder „glücklicherweise"? — keine Marktwaare. Viel häufiger fliessen im Falle der Oligochaeten die Irrthümer aus einer anderen Quelle: Das sind die Ursprungsatteste, die den mit Pflanzen aus exotischen Gebieten eingeführten Oligochaeten von Seiten der betreffenden gärtnerischen Institute beigegeben werden. Diese Irrthümer sind um so gefährlicher, als hier das Moment leichtfertiger Angabe - es handelt sich meist um wissenschaftlich geleitete Institute — nicht in Frage kommt, und deshalb den Angaben leicht ein grösseres Vertrauen entgegengebracht wird, als gerechtfertigt ist. Selbst bei

---

[1]) W. Michaelsen: Oligochaeten des naturhistorischen Museums in Hamburg IV; in: Mt. Mus. Hamburg VIII, p. 336.

[2]) W. Michaelsen: Weiterer Beitrag zur Systematik der Regenwürmer; in Verh. Ver. Hamburg, III F. c. 1 p. 12.

[3]) W. Michaelsen: Oligochaeta; in: Das Tierreich, Lief. 10 p. 179.

grosser Vorsicht können hier Irrthümer unterlaufen. Gleich bei Ankunft der
Pflanzen füllt der sorgsame Gärtner vielleicht etwas Erde auf, um einem
etwaigen Mangel abzuhelfen und die Wurzeln der ausgepackten Pflanzen
vor dem Vertrocknen zu bewahren, oder er setzt sie zu gleichem Zweck in
andere, passendere Töpfe. War die nachgefüllte Erde ganz frei von Regenwürmern? War der neue Blumentopf ganz rein? Aber selbst wenn diese
Quelle der Irrthümer ausgeschlossen ist, kann eine Infizirung der eingeführten
Pflanzenballen mit fremden Regenwürmern statthaben. Viele Regenwürmer
verlassen bekanntlich nachts ihre Schlupfwinkel und kriechen umher. Nun
stehen in einem Gewächshaus Pflanzen von den verschiedensten Erdgebieten
nebeneinander. Der Regenwurm hat nicht weit zu kriechen, um von einem
afrikanischen Topf zu einem australischen oder amerikanischen zu gelangen.
Wenn am nächsten Morgen der Oligochaetologe in der Gärtnerei vorspricht, um
die angekündigten Pflanzenbündel auf Regenwürmer zu untersuchen, so deutet
nichts auf diese nächtlichen Wanderungen hin, und er vermeint im afrikanischen
Pflanzenbündel auch afrikanische Regenwürmer zu finden. Zwei Beispiele mögen
zeigen, dass es sich bei dieser Auseinandersetzung nicht um leere Vermuthung
handelt, sondern dass derartige Irrthümer thatsächlich vorgekommen sind. Der
amerikanische Oligochaetologe G. EISEN erhielt aus einer Station in San Francisco
eine Anzahl von Oligochaeten, die mit Pflanzen eingeführt sein sollten[1]). Es waren:

1. *Ocnerodrilus occidentalis* EISEN var. nov. *sinensis*, angeblich von China
2. *Ocnerodrilus mexicanus* EISEN var nov. *hawaiiensis*   „   „   Honolulu
3. *Microscolex Horsti* n. sp.   „   „   Honolulu
4. *Benhamia Bolaui* MICHAELSEN var. nov. *pacifica*   „   „   Honolulu
5. *Benhamia papillata* EISEN var. nov. *hawaiiensis*   „   „   Honolulu
                                                              und Samoa
6. *Dichogaster Craui* n. sp.   „   Honolulu.

In China ist bisher keine Art der Gattung *Ocnerodrilus*, in dem gut
durchforschten Hawaiischen Archipel bisher keine Art der Gattungen *Ocnerodrilus*, *Microscolex* und *Dichogaster* (*Benhamia* + *Dichogaster* EISEN)
aufgefunden worden. Alle diese Gattungen sind dagegen in Kalifornien
weit verbreitet und durch viele Arten vertreten. Dazu kommt, dass die
typischen Formen der neuen Varietäten sämmtlich in Kalifornien oder
Mexiko vorkommen. Von diesen typischen Formen sind die angeblich nicht-
amerikanischen Varietäten kaum oder garnicht zu unterscheiden. Die var.
sinensis des kalifornischen *Ocnerodrilus occidentalis* ist als besondere
Varietät überhaupt nur aufgestellt, weil sie aus China stammen soll („The
variations from the type which characterize this variety are slight, but as
the specimens come from China it seems best to describe them as a distinct
variety" — l. c. p. 115). In Samoa ist die Gattung *Dichogaster* (*Benhamia*
EISEN) bereits früher aufgefunden worden. Die Form aber, die nach EISEN von
Samoa ausgeführt sein soll, ist identisch mit einer Form, die zugleich aus
Honolulu herüber gekommen sein soll und die sich von der typischen, in Mexiko
vorkommenden Form kaum unterscheidet. Ist in dem hier erörterten Falle überhaupt noch von einem Verdacht zu reden? Meiner Ansicht nach kann man als
feststehend annehmen, dass diese sämmtlichen angeblich importirten Oligochaeten erst in der Station des Herrn ALEXANDER CRAW zu San Francisco in
die betreffenden Pflanzenbündel oder Blumentöpfe von China, Honolulu und
Samoa hineingekrochen sind. — Ein anderes Beispiel mag darthun, dass selbst

---

[1]) G. EISEN: Researches in American Oligochaeta, with Especial Reference to
those of the Pacific Coast and Adjacent Islands; in: Pr. Calif. Ac., (3)II p. 85 ff.

ein wissenschaftlich geleitetes Institut wie die „Royal gardens at Kiew" keine
Gewähr für die Richtigkeit solcher Fundortsangaben bietet. In einer Abhandlung
über einige neue Regenwürmer beschreibt BEDDARD[1]) unter anderem 6 Arten,
deren Originale er von den Kiew gardens erhielt. Es waren:

1. *Benhamia crassa* n. sp.,   angeblich von Lagos
2. *Microdrilus saliens* n. sp.   „   „   Singapore, Java u. Penang
3. *Moniligaster bahamensis* n. sp.   „   den Bahamas
4. *Eudriloides durbanensis* n. sp.   „   Durban
5. *Trichochaeta barbadensis* n. sp.   „   Barbadoes
6. *Hyogenia africana* n. sp.   „   „   Durban.

An dem 1. und 5. Fall ist nichts auszusetzen. *Dichogaster* (*Benhamia*
BEDDARD) *crassa* kann sehr wohl aus Westafrika, *Hesperoscolex* (*Trichochaeta* BEDDARD) *barbadensis* sehr wohl von Barbadoes stammen. Bei dem
2. Fall ist es lediglich verwunderlich, dass die betreffende Art gleichzeitig
von drei verschiedenen, ziemlich weit von einander entfernt liegenden Fund-
orten einläuft. *Dichogaster* (*Microdrilus* BEDDARD) *saliens* gehört nicht zu
den häufigen, weit verbreiteten Formen, die vielfach in Pflanzensendungen
mitgeführt werden. Sie ist 1892 zum ersten Mal erwähnt, und, soweit zu
unserer Kenntniss gekommen, seither niemals wieder aufgefunden worden.
Da andere *Dichogaster*-Arten in dem weiteren Gebiet der drei angeblichen
Fundorte mehrfach angetroffen wurden, so würde, falls lediglich einer der
drei Fundorte angegeben wäre, überhaupt kein Verdacht aufgekommen sein.
D. saliens könnte von jedem der drei Fundorte stammen. Der 3. Fall,
Drawida (*Moniligaster* BEDDARD) *bahamensis* von den Bahamas, enthält
meiner Ansicht nach eine Unmöglichkeit. Die Familie der Moniligastriden ist,
soweit wir wissen, auf Vorder- und Hinterindien, Ceylon, die Sunda-Inseln,
die Philippinen und Japan beschränkt. Ein Moniligastride kann ebenso
wenig wie etwa ein Schnabelthier als auf den Bahamas endemisch angesehen
werden. Sie könnte allerdings durch den gärtnerischen Verkehr dort eingeführt sein — durch diese Annahme suchte ich in der Zusammenstellung
der Fundorte (Oligochaeta, Thierreich Lief. 10 p. 114, 118) die sonderbare
Fundortsangabe zu erklären —; aber auch diese Anschauung ist nicht befriedigend.
Es kommt ja vielfach eine weite Verschleppung von Regenwürmern vor;
aber ein Moniligastride war, von dem vorliegenden Fall abgesehen, nie dabei
betheiligt. Der 4. Fall, *Eudriloides durbanensis* von Durban, ist nicht wohl
anfechtbar. Wenngleich der Fundort ausserhalb des bis dahin bekannten
Gebietes der Eudrilinen liegt, so schliesst er sich doch ziemlich eng an dasselbe an. Die Eudrilinen sind tropisch-afrikanisch; die Gattung *Eudriloides*
speziell ist ostafrikanisch. Das Gebiet der Eudrilinen und mit ihm das der
Gattung *Eudriloides* erstreckte sich nach unserer sonstigen Kenntniss bis
Mosambique (Quilimane) nach Süden. Die Fundortsangabe Durban würde
die südliche Grenze in ziemlich beträchtlicher, aber nicht unwahrscheinlicher
Weise ausweiten. Der 6. Fall. *Ocnerodrilus* (*Hyogenia* BEDDARD) *africanus*
von Durban, ist schliesslich wieder höchst unwahrscheinlich. Die Gattung
Ocnerodrilus ist neuweltlich, in vielen Arten sowohl im wärmeren Südamerika wie im wärmeren Nordamerika angetroffen worden. Der in Rede
stehende *O. africanus* ist überdies dem mexikanischen *O. tepicensis* EISEN
besonders nahe verwandt, so nahe, dass beide Arten thatsächlich nur durch
eine geringfügige Verschiedenheit in der Erstreckung des Gürtels aus einander

---

[1]) F. E. BEDDARD: On some new Species of Earthworms from Various Parts of
the World; in: Pr. Zool. Soc. London, 1892 p. 666 ff.

gehalten werden können. Ziehen wir die Schlussfolgerung aus der Betrachtung
dieser Einzelfälle: Wenn jeder einzelne der beanstandeten Fälle allein für sich
zur Noth noch erklärt werden kann — mit der Verschleppungshypothese lässt sich
schliesslich jeder einzelne Fall, der nicht in den Rahmen der Verbreitung hinein-
passt, ausdeuten — so spricht doch die Häufung der Unwahrscheinlichkeiten —
3 von 6 Fällen — dafür, dass hier ein verwirrendes Moment hinzugekommen
sein muss, und das ist meiner Ansicht nach zweifellos die oben geschilderte
unkontrollirbare Infizirung der Pflanzen durch fremde Regenwürmer. (Durch die
Bezeichnung dieser Infizirung als unkontrollirbar möchte ich zugleich andeuten,
dass ich den betreffenden Instituten, denen wir Oligochaetologen die Kenntniss
so mancher Art verdanken, nicht etwa irgend einen Vorwurf machen will.)

Was ergiebt sich aus den obigen Erörterungen für den Zoogeographen?
Es ist selbstverständlich, dass er für die Feststellung der Verbreitung die
direkt beanstandeten Fundortsangaben unberücksichtigt lässt. Nun aber finden
sich daneben auch Angaben, die nicht zu beanstanden sind. Diese letzteren
beziehen sich entweder auf Fundorte, die mitten in dem bereits anderweitig
bekannt gewordenen Gebiet der betreffenden Gattung liegen (z. B. in der
Liste der Kew gardens-Oligochaeten Nr. 1), oder sie bedeuten eine Erweiterung
dieses Gebietes (z. B. Nr. 4 jener Liste). Jene sind für unsere Zwecke
belanglos — sie bringen nichts Neues —, diese würden eine sehr willkommene
Erweiterung unserer Kenntniss bilden, wenn wir uns auf sie verlassen könnten.
Hier aber liegt der bedenkliche Punkt. Wenn von 6 Fällen um bei
dem letzten Beispiel zu bleiben — 3 beanstandet werden müssen, soll ich
dann auf den vierten eine bedeutungsvolle Erweiterung des Gebietes bauen?
Kann nicht auch diese Fundortsangabe irrthümlich sein? Kann nicht das
Pflanzenbündel von Durban, in dem sich der betreffende Wurm, *Eudriloides
durbanensis*, fand, vielleicht schon an Bord des Transportschiffes, vielleicht
in den Kew gardens, mit Pflanzen von Sansibar in Berührung gekommen
sein? Eine Sicherheit über das endemische Vorkommen der Gattung *Eudriloides* in Natal würden wir erst erhalten, wenn weitere Funde eine Bestätigung
jener Angabe brächten, und dann brauchten wir wohl kaum noch jene erste
fragliche Angabe zur Feststellung des Gebietes. Wenn eine gewisse Sicherheit
in der Feststellung des Vorkommens erstrebt werden soll — und das ist
unerlässlich, denn auf unsicherem Thatsachen-Material können wir nicht
weiter bauen —, so bleibt uns also von all jenen Fundortsangaben, die uns
von den Kew gardens übermittelt sind, nicht ein einziger zur Verwerthung
bei geographischen Problemen übrig. Gehen wir von den erörterten speziellen
Fällen wieder zum Allgemeinen über, so stellt sich die Schlussfolgerung aus
den obigen Erörterungen als folgende Regel dar:

„Als unsicher sind zu bezeichnen alle Fundortsangaben, die
„von Naturalienhändlern übermittelt sind, und solche, die in
„Gärtnereien festgestellt wurden nach der Herkunft importirter
„Pflanzen, an denen sich die betreffenden Thiere fanden.“

In den unten zusammengestellten Listen sind diese unsicheren Fundortsangaben durch Notizen gekennzeichnet. Bei unseren Feststellungen der Verbreitung der Arten, Gattungen, Unterfamilien etc., und hauptsächlich auch
bei den Schlussfolgerungen, die wir aus diesen Feststellungen ziehen, sollen
diese verdächtigten Angaben unberücksichtigt bleiben. Wir verlieren durch
dieses scharfe Vorgehen allerdings einen nicht ganz unbeträchtlichen Theil
des vorliegenden Thatsachen-Materials, gewinnen dafür aber ganz unverhältniss-
mässig an der Qualität des übrigbleibenden Materials und damit an Sicherheit
bei den auf diesem Material beruhenden Schlussfolgerungen.

Spezieller Theil.

Das System der Oligochaeten.

Schon in der Einleitung wurde betont, wie bedeutsam das System bei zoogeographischen Erörterungen ist. Es mag deshalb der Erörterung des Systems ein verhältnissmässig grosser Platz eingeräumt werden.

Ein ideales, vollkommen natürliches System, ein solches, welches die verwandtschaftlichen Beziehungen bis in die feinsten Einzelheiten zur Darstellung bringt, wird niemals erreicht werden. Die Forschung wird sich bemühen, durch Kombination morphologischer, entwicklungsgeschichtlicher, geographischer und vielleicht auch biologischer Verhältnisse möglichst nahe an jenes Ideal heranzukommen; aber diese Annäherung wird eine hyperbolische sein. Zumal bei einer Thiergruppe, bei der paläontologische Stützpunkte so gut wie ganz fehlen, wird stets eine klaffende Lücke zwischen dem Erreichten und dem zu erstrebenden Ziele bleiben. Diese Unvollkommenheit in unserer Kenntniss des idealen natürlichen Systems bedingt keinenfalls einen Verzicht auf geographische Erörterungen, die über rein statistische Feststellungen hinausgehen. Wohl aber müssen wir diese Unvollkommenheit stets im Auge behalten, und uns in jedem einzelnen Falle Rechenschaft ablegen über den Werth der systematischen Basis, auf der die betreffende Folgerung beruht.

Wenden wir diesen allgemeinen Satz auf den Plan der folgenden Ausführungen an, so ergiebt sich, dass ich den geographischen Erörterungen nicht ohne weiteres das von mir aufgestellte und befürwortete System zu Grunde legen darf. Es bedarf einer eingehenden Erörterung und Kritik der verschiedenen in diesem System zum Ausdruck gebrachten Verwandtschaftsverhältnisse.

Das in der vorliegenden Abhandlung angenommene System schliesst sich eng an das System meiner kürzlich veröffentlichten Zusammenstellung der „Oligochaeta"[1]) an, deckt sich jedoch nicht mehr vollständig mit demselben. Die jüngsten Erweiterungen unserer Kenntnisse zwangen mich, jenes System, das ich von jeher nur als ein Momentbild des stetig sich auswachsenden Systems betrachtet wissen wollte, bald nach seiner Veröffentlichung in geringem Maasse abzuändern und weiter auszubauen. Schon aus diesem Grunde ist eine Erörterung und Begründung der systematischen Verhältnisse (die übrigens selbst für viele Punkte jenes ohne weitere Erörterungen publizirten Systems noch ausstehen) nothwendig.

Die Ordnung *Oligochaeta* besteht aus einer Anzahl Familien, die meist scharf umgrenzt sind und keine deutlichen Uebergänge zwischen sich auffinden lassen. Wenn dieser Umstand einerseits einen Zweifel an der Familien-

---

[1]) W. MICHAELSEN: Oligochaeta, in Thierreich, Lief. 10, 1900.

38

zugehörigkeit einzelner Gattungen und Gattungsgruppen ausschliesst, so erschwert er andererseits die Feststellung näherer **verwandtschaftlicher Beziehungen zwischen diesen Familien.**

Im Allgemeinen werden die Familien der Oligochaeten nach der anscheinenden Höhe ihrer Organisation, nach der mehr oder weniger weit vorgeschrittenen Differenzirung ihrer Organsysteme an einander gereiht. An das untere Ende pflegt man die einfacheren Formen, die stets auch nur eine geringe Grösse erreichen, zu stellen, an das obere Ende die höher differenzirten, zumeist auch grösseren, zum Theil riesigen Formen. Diese Reihe würde dem natürlichen System entsprechen, falls die Einfachheit in der Organisation der betreffenden Formen direkt von den Vorfahren ererbt wäre, wenn diese einfacheren Formen wirklich unveränderte oder verhältnissmässig wenig veränderte phyletisch alte und älteste Bildungen repräsentirten. Vielleicht aber haben wir in dieser Einfachheit nur eine Rückbildung zu sehen? Das wird sich schwer entscheiden lassen. Ich meinerseits neige der Ansicht zu, dass wohl die Einfachheit mancher Organsysteme in einzelnen Fällen als Rückbildung anzusehen ist, dass aber eine allgemeine Rückbildung nicht ohne festere Anhaltspunkte angenommen werden kann, dass wir im Allgemeinen die einfacheren Formen als die ursprünglicheren ansehen müssen, solange nicht erwiesen ist, dass hier eine allgemeine Rückbildung stattgefunden hat.

Ein Charakter, der sich meist innerhalb der grössten Gruppen verhältnissmässig konstant erweist, beruht auf der Anordnung der Gonaden. Diese Anordnung ist in der Regel für ganze Familien, zum Theil für Familien-Gruppen charakteristisch. Abweichungen von der für die betreffende Gruppe als normal erkennbaren Anordnung kommen allerdings vor, lassen sich aber meist leicht als Abweichungen erkennen. Es wird z. B. niemand im Zweifel sein, dass *Buchholzia appendiculata* (Brenn.) ein Enchytraeide ist, trotzdem diese Art von der überwiegenden Mehrzahl der Enchytraeiden, unter anderem auch von ihrem Gattungsgenossen *B. fallax* Michlsn., in der Anordnung der Gonaden abweicht. Diese Abweichungen, Verschiebungen, Anfügungen oder theilweiser Wegfall, haben anfangs nur die Bedeutung von Abnormitäten, können aber in der Ueberzahl auftreten und auch für Arten, ja selbst für höhere systematische Kategorien, Gattungen und Gattungs-Gruppen, konstant werden.

Nach der Anordnung der Gonaden kann man zunächst eine grosse Verwandtschaftsgruppe der Oligochaeten abtrennen. Für die 4 Familien, die die höchsten Stufen in unserem System einnehmen, die Familien *Lumbricidae, Glossoscolecidae, Megascolecidae* und *Moniligastridae*, erscheint folgende Anordnung charakteristisch: 1 Paar Ovarien im 13. Segment, 2 Paar Hoden im 10. und 11. Segment oder nach Reduktion 1 Paar in einem derselben. Bei den Moniligastriden findet sich jedoch diese Anordnung nur in den wenigsten Fällen, nur bei der Gattung *Desmogaster*. Die innige Verwandtschaft der Moniligastriden mit den anderen drei höheren Familien ist deshalb lange verkannt worden. Beddard[1] stellt die Moniligastriden sogar direkt hinter die anscheinend niedrigste Familie, zwischen die *Aeolosomatidae* und die *Lumbriculidae*. Rosa[2] wies zuerst nach, dass bei den Moniligastriden verschiedenartige Reduktionen und Verschiebungen gewisser

---

[1] F. E. Beddard: A. Monograph of the order of Oligochaeta, Oxford 1895.
[2] D. Rosa: I Lombrichi raccolti a Sumatra dall Dott. Elio Modigliani; in: Ann. Mus. Genova. Ser. 2. Vol. XVI (XXXVI) p. 506.

Geschlechtsorgane (und anderer Organe, z. B. der letzten Herzen) stattgefunden haben, die sämmtlich auf die Gattung *Desmogaster*, als die ursprünglichere, zurückzuführen sind. Die Gattung *Desmogaster* stimmt aber in der
Lage der Gonaden und der Samentaschen so genau mit der acanthodrilinen
Urform der Familie *Megascolecidae* überein, dass ein gleicher Ursprung
beider nicht von der Hand gewiesen werden kann. Sie unterscheidet sich
jedoch in einem Punkte wesentlich von derselben: Bei *Desmogaster* bleiben
die Samenleiter der beiden Paare vollständig von einander getrennt und
münden nur eine Segmentlänge hinter den Dissepimenten der Samentrichter,
auf Intersegmentalfurche $^{11}/_{12}$ und $^{12}/_{13}$, aus; bei der acanthodrilinen Urform
der Megascoleciden verschmelzen die beiden Samenleiter einer Seite distal
und münden gemeinsam am 18. Segment, weit hinter den Dissepimenten
der Samentrichter, aus.

Suchen wir die gemeinsame Wurzel dieser vier höheren Familien,
so können wir uns durch folgende Ueberlegung leiten lassen: Die charakteristische
Anordnung der Gonaden — Ovarien im 13., Hoden im 10. und 11. Segment
(oder einem von beiden) — stellt sich schon als eine Reduktion dar: denn
zwischen Ovarien- und Hoden-Segmenten liegt ein Gonaden-freies Segment,
während bei den niederen Familien eine direkte Aufeinanderfolge von Hoden-
und Ovarien-Segmenten statt hat. Denken wir uns das Gonaden-freie 12. Segment
durch ein Gonadenpaar besetzt, und zwar mit Ovarien, so erhalten wir die
Gonaden-Anordnung der Haplotaxiden-Gattung *Haplotaxis*. Da sich die
Haplotaxiden auch in anderen wesentlichen Organisationsverhältnissen, vor
allem in den Borstenverhältnissen, an die höheren Familien anschliessen, so
dürfen wir den Ursprung dieser letzteren als einer *Haplotaxis*-Form annehmen.

Die Gonaden-Anordnung ist bedeutungsvoll genug, um eine eingehendere
Erörterung und die Aufstellung einer festen Nomenclatur zu verlangen.
Bei den niedersten Oligochaeten treten die männlichen wie die weiblichen
Gonaden stets in je einem Paar und in zwei direkt auf einander folgenden
Segmenten auf. Die eigenthümliche Verdoppelung der beiden Gonaden-Paare,
wie sie für die Haplotaxiden-Gattung *Haplotaxis* charakteristisch ist, und
die den Ausgangspunkt für die sämmtlichen Anordnungsweisen bei höheren
Oligochaeten bildet, tritt nicht zuerst bei *Haplotaxis* auf. Schon bei der
nächst niedrigeren Familie, den Lumbriculiden, findet sich vielfach eine Ver-
mehrung, nicht allein eine Verdoppelung, sondern, soweit die männlichen
Gonaden in Betracht kommen, sogar manchmal eine Verdreifachung oder
Vervierfachung der Gonaden-Paare (*Lamprodrilus satyriscus* MICHLSN.).
Das Schwankende dieser Erscheinung bei den Lumbriculiden einerseits und
die Festigkeit des Grundzuges bei sämmtlichen höheren Familien einschliesslich
der Haplotaxiden andererseits rechtfertigt es, wenn wir hier von den
Lumbriculiden absehen und uns bei der Feststellung der Nomenclatur über
die speziellere Gonaden-Anordnung auf die höheren Oligochaeten von den
Haplotaxiden aufwärts beschränken. Wir bezeichnen als „hologynaudrisch"
den Zustand, wie ihn die Gattung *Haplotaxis* repräsentirt, bei der sich vier
Gonaden-Paare in vier auf einander folgenden Segmenten, dem 10. bis 13.,
finden, zwei Paar männliche im 10. und 11., zwei Paar weibliche im 12. und
13. Segment; „hologyn" sind dementsprechend die Formen zu nennen, bei
denen die weiblichen Gonaden vollzählig ausgebildet sind (soweit bekannt
lediglich Gattung *Haplotaxis*), „holoandrisch" diejenigen, bei denen die
männlichen Gonaden in zwei Paaren vorhanden sind (viele Arten und
Gattungen der höheren Familien). Der Gegensatz hierzu — nur ein einziges
Paar weiblicher bezw. männlicher Gonaden ausgebildet — sei als „merogyn"

40

bezw. „meroandrisch" bezeichnet. Diese letzteren Ordnungen zerfallen aber in zwei systematisch hochbedeutsame Unterordnungen, insofern das vordere oder das hintere Paar der weiblichen bezw. männlichen Gonaden rückgebildet sein kann. Eine Zurückbildung des hinteren Ovarien-Paares kommt, soweit bekannt, nur bei der Haplotaxiden-Gattung *Pelodrilus* und bei der auf einer einzigen Art beruhenden Fam. *Alluroididae* vor — diese Formen sind „progyn" —. Eine Rückbildung des vorderen weiblichen Gonaden-Paares findet sich bei sämmtlichen Gliedern der vier höchsten Familien — alle *Moniligastridae*, *Megascolecidae*, *Glossoscolecidae* und *Lumbricidae* sind „metagyn" —. Die Formen mit Rückbildung der hinteren männlichen Gonaden — „proandrische" Formen — sind ziemlich häufig (z. B. Gattungen *Chilota* und *Yagansia*). Etwas seltener sind die Formen mit Rückbildung des vorderen Hoden-Paares — „metandrische" Formen — (z. B. Gattung *Maheina* und einzelne *Notoscolex*-Arten).

Was die Verwandtschaft der vier höchsten Familien zu einander und zu dem gemeinsamen Ursprung, der Familie *Haplotaxidae*, anbetrifft, so lassen sich folgende Beziehungen feststellen: Die Familie *Moniligastridae* mit ihrer Wurzelgattung *Desmogaster* steht den Haplotaxiden am nächsten, einentheils wegen der Lage der männlichen Poren (nur eine Segmentlänge hinter der Intersegmentalfurche des betreffenden Samentrichter-Dissepimentes), anderentheils wegen des vollständig getrennten Verlaufes und der gesonderten Ausmündung der beiden Samenleiter einer Seite bei der Gattung, die noch zwei Paar Samenleiter aufweist, nämlich bei der Gattung *Desmogaster*. Der Wurzelast der Familie *Moniligastridae* verlief noch eine kurze Strecke gemeinsam mit dem der Familie *Megascolecidae*, wie aus der gemeinsamen Anordnung der Samentaschen-Poren — bei den Wurzelformen auf Intersegmentalfurche $^7/_8$ und $^8/_9$ — hervorgeht. Diesen beiden unter sich näher verwandten Familien stehen die beiden unter sich ebenfalls näher verwandten Familien *Glossoscolecidae* und *Lumbricidae* gegenüber. Diese beiden Familien sind zweifellos bedeutend jünger als die beiden anderen. Dafür spricht ihr Hauptcharakter, die Lage des Gürtels[1]. Als das ursprüngliche muss ein kurzer, sich über ein oder wenige Segmente erstreckender, den Ort der weiblichen Poren in sich einschliessender Gürtel angesehen werden. Bei den Moniligastriden und Megascoleciden nun beginnt der Gürtel (von einigen seltenen Ausnahmen abgesehen?) so weit vorn, dass er die weiblichen Poren umfasst, sodass die aus dem Eileiter hervorkommenden Eier direkt unter den vom Gürtel abgesonderten Cocon gerathen, ehe das Thier mit dem Abstreifen desselben begonnen hat. Bei den Glossoscoleciden beginnt der Gürtel meist, bei den Lumbriciden stets hinter den weiblichen Poren, sodass die Eier erst in dem Moment, wo der abgleitende Cocon diese Poren passirt, unter denselben abgelegt werden können. Die Lumbriciden sind mit den Glossoscoleciden durch Uebergangsformen, die *Criodrilinae*, speziell die Gattung *Criodrilus*, verbunden. Die Familienzugehörigkeit dieser Uebergangsformen war, solange nur die Gattung *Criodrilus* näher bekannt war, zweifelhaft. Die Einen stellten die Gattung *Criodrilus* zu den Lumbriciden, die Anderen sonderten sie von denselben ab. Die mit *Criodrilus* nahe verwandten und mit dieser Gattung zusammen die Unterfamilie *Criodrilinae*

---

[1] Es ist hier zu unterscheiden zwischen Hauptcharakter und Hauptmerkmal. In der Gürtellage liegt zweifellos ein Hauptcharakter dieser Familien. Derselbe lässt sich aber nicht gut als hauptsächlichstes systematisches Merkmal verwerthen, da manche Ausnahmen die Bestimmungstabelle zu komplizirt machen würden.

bildenden Gattungen *Alma* und *Sparganophilus*, die erst neuerdings entdeckt oder näher bekannt geworden sind, sprechen für die Angliederung an die Glossoscoleciden. Aus Criodriliuinen-ähnlichen Formen sind — das kann als ziemlich sicher angenommen werden — sowohl die übrigen Glosso-scoleciden-Unterfamilien wie auch die Lumbriciden entsprossen. Diese letzteren repräsentiren den jüngsten Zweig des ganzen Oligochaeten-Stammbaumes.

Nachdem wir die Sprossung der höheren Familien klar gestellt haben, müssen wir den betreffenden Ast nach unten verfolgen. Hierbei können wir uns sowohl von den Verhältnissen der Gonaden-Anordnung, wie auch von den Borstenverhältnissen leiten lassen. Die höheren Familien sind charakterisirt durch den Besitz von je vier Paar Hakenborsten an einem Segment[1]. Abweichungen von dieser Norm sind leicht als Reduktionen je eine Borste an Stelle eines Paares z. B. bei *Haplotaxis gordioides* (G. L. HARTM.) — oder sekundäre Vermehrungen — perichaetine[2]) Borsten-anordnung bei den höheren Megascoleciuen - erklärbar. Von den niederen Oligochaeten-Familien zeigen nur die Familien *Lumbriculidae* und *Allu-roididae* konstant eine lumbricine Borsten-Anordnung. Diese beiden Familien schliessen sich auch in der Gonaden-Anordnung an die höheren Familien an.

Bei der Familie *Alluroididae* mit der einzigen Gattung *Alluroides* und der einzigen Art *A. Pordagei* BEDD. findet sich ein Paar Hoden im 10. und ein Paar Ovarien im 12. Segment. Diese Anordnung (progyn und proandrisch) liesse sich aus der für die Haplotaxiden, speziell für die progyne Gattung *Pelodrilus* charakteristischen durch Annahme einer Reduktion — Wegfall des zweiten Hoden-Paares — ableiten; ebenso nahe aber liegt eine Ableitung von gewissen Lumbriculiden. Die Stellung dieser auf einer einzigen Art beruhenden Familie ist aber unklar. Manche Verhältnisse, so der Besitz verdickter Dissepimente sowie die mehr als eine Segmentlänge betragende Entfernung der männlichen Poren von der Intersegmentalfurche des Samentrichter-Dissepiments, sprechen für eine nähere Verwandtschaft mit höheren Formen. Andere Verhältnisse, so die Struktur des Gürtels und die Grösse der Eier, weisen auf eine Beziehung zu niederen Formen hin. Ob hier Rückschlags-erscheinungen vorliegen, ist wohl schwer festzustellen, solange nicht verwandte, verbindende Formen aufgefunden sind.

Bei der Familie *Lumbriculidae* ist die Anordnung der Gonaden sehr schwankend, und zwar nicht nur in Betreff der Lage, sondern auch in Betreff der Zahl. Während wir bei allen niederen Familien konstant je ein einziges Paar Hoden und Ovarien in zwei auf einander folgenden Segmenten finden, eine Anordnung, die bei keiner höheren Familie von den Haplotaxiden und Alluroididen an wieder auftritt (wenn hier die Zahl der Hoden- und Ovarien-Paare auch sekundär häufig auf je eins reduzirt wird, so liegen sie doch nicht in direkt aufeinander folgenden Segmenten), tritt bei den Lumbriculiden neben dieser Anordnung zuerst eine Vermehrung der Gonadenzahl auf, und zwar nicht nur eine Verdoppelung, sondern manchmal auch eine Vervielfachung, wie sie sonst bei keiner Oligochaeten-Gruppe wieder gefunden wird (*Lamprodrilus*

---

[1] Ich bezeichne eine derartige Anordnung als lumbricine Borsten-An-ordnung.

[2] Als perichaetine Borsten-Anordnung bezeichne ich diejenige, bei der eine grössere Anzahl von Borsten mehr oder weniger gleichmässig vertheilt und höchstens dorsalmedian und ventralmedian durch einen grösseren Zwischenraum unterbrochen in einer Zone der Segmente stehen, wie es für die Gattung *Pheretima* (früher *Perichaeta* genannt) charakteristisch ist.

3*

subgriseus MICHLSN. mit drei oder vier Paar Hoden, bei anderen Lumbriculiden, z. B. *Lumbriculus variegatus* (MÜLL.), auch mehr als ein Paar Ovarien). Gerade eine solche Gruppe, bei der der alte, für alle älteren Familien feste Charakter so sehr ins Schwanken gerieth, musste den Ausgangspunkt für das neue Prinzip gebildet haben. Zwischen dem für die älteren Familien charakteristischen Zustand der Einzahl und dem für die Wurzelglieder der jüngeren Familien charakteristischen Zustand der Zweizahl der Gonaden-Paare, aus dem sich später die getrennte Anordnung entwickelte, muss ein Zustand der Schwankung gelegen haben, wie ihn die Familie *Lumbriculidae* repräsentirt. Auch die Lage der Gonaden so weit hinten, wie es für die höheren Familien charakteristisch ist, findet sich bei vielen Lumbriculiden: stimmen doch einzelne Arten in der Gonaden-Anordnung ganz mit einer der höheren Formen, dem Haplotaxiden *Pelodrilus violaceus* BEDDARD, überein. Die Familie *Lumbriculidae* vermittelt in so wesentlicher Beziehung zwischen den höheren und den niederen Familien, dass wir den Ausgangspunkt der ersteren in dieser Familie suchen müssen.

Es erübrigt noch die Verwandtschaftsbeziehungen der niederen Oligochaeten-Familien untereinander und zu den Lumbriculiden klar zu stellen. Als vermittelndes Glied zwischen diesen verschiedenen Familien stellt sich die Familie *Phreodrilidae* mit der einzigen Gattung *Phreodrilus* dar. Diese kleine Familie vereinigt in sich Charaktere der sämmtlichen anderen niederen Familien einschliesslich der Lumbriculiden. Was die Gonaden-Anordnung anbetrifft, so weist sie noch die Einzahl und direkte Aufeinanderfolge der Hoden- und Ovarien-Paare auf, die in der Lage speziell mit der bei der Familie *Enchytraeidae* übereinstimmen. In den Borstenverhältnissen erinnert sie einerseits an die Lumbriculiden, andererseits an die Tubificiden und Naididen. Die ventralen Hakenborsten, einfach-spitzige, wie bei den Enchytraeiden und einem Theil der Lumbriculiden, oder gabelspitzig, wie bei den Naididen, Tubificiden und dem anderen Theil der Lumbriculiden, stehen konstant zu zweien im Bündel, wie bei den Lumbriculiden und den höheren Oligochaeten. Die dorsalen Bündel enthalten Nadel- und Haarborsten, wie bei den meisten Tubificiden und den Naididen. An diese letztere Familie erinnert auch die bei verschiedenen Phreodriliden auftretende Cephalisation, auf dem Fehlen der dorsalen Borsten am dritten Segment beruhend. Das Blutgefässsystem der Phreodriliden scheint dem mancher Tubificiden, das Nervensystem besonders dem der Enchytraeiden zu ähneln. Die Lage der Samentaschen-Poren hinter den männlichen Poren findet sich, von den höchsten Oligochaeten-Familien abgesehen, sonst nur bei einigen Lumbriculiden. Ich glaube nicht fehl zu gehen, wenn ich die Familie *Phreodrilidae* als ein vermittelndes Glied zwischen den Familien *Naididae*, *Tubificidae*, *Enchytraeidae* und *Lumbriculidae* ansehe. Fraglich aber ist, ob diese vier Familien sämmtlich aus den Phreodriliden entsprossen sind, oder ob diese letzteren, aus einer jener vier Familien entsprossen, nur die übrigen drei aus sich hervorgehen liessen. Die oben dargestellten Verwandtschaftsbeziehungen würden beiden Annahmen gleicherweise entsprechen.

Als etwaige Ahnenfamilie der Phreodriliden kann wohl nur die Familie *Naididae* in Betracht kommen, die entschieden niedriger organisirt erscheint, theils wegen der Kleinheit der Thiere und der Einfachheit mancher Organsysteme, theils wegen der Lage der Gonaden, die sich hier weiter vorn finden, als bei irgend einer der besprochenen Familien. Auch das Vorherrschen der ungeschlechtlichen Vermehrung durch Theilung ist vielleicht als ein Anzeichen niedrigerer Organisation aufzufassen. Diese Anschauung wird noch

gestützt, wenn wir die zweifellos nahe Verwandtschaft der Naididen mit
der Familie *Aeolosomatidae*, dokumentirt durch die Uebereinstimmung in
der Gonaden-Anordnung und in anderen Verhältnissen, in Rücksicht ziehen.
Die Aeolosomatiden sind die niedrigst organisirten bekannten Oligochaeten.
Die Hypodermis trägt stellenweise einen Besatz von Flimmerwimpern, eine
Sonderung der inneren Segmente durch Dissepimente ist meist noch garnicht
vorhanden. das Gehirn bleibt in dauerndem Zusammenhange mit der Hypodermis,
Schlundkommissuren und meist auch das Bauchmark fehlen, Transversal-
gefässe sind nicht vorhanden. alles Anzeichen einer sehr niedrigen Organisation.
Es liegt nahe, diese niedrigst organisirten Oligochaeten zum Ausgangspunkt
der ganzen Ordnung zu nehmen, aus ihnen die Naididen, aus diesen die
Phreodriliden u. s. f. abzuleiten. Wollte man andererseits die Phreodriliden
als die Wurzel der ganzen Ordnung annehmen, so müsste man, um aus
ihnen die Naididen und aus diesen die Aeolosomatiden herzuleiten, eine sehr
weitgehende Rückbildung in ziemlich langer Linie voraussetzen. Ich bin
nicht in der Lage, eine Entscheidung in dieser Frage zu treffen, neige mich
aber der Ansicht zu, dass die Aeolosomatiden als die Repräsentanten der
ältesten, im Laufe der geologischen Perioden am wenigsten veränderten Form
aufzufassen sind, dass die ganze Ordnung der Oligochaeten von Aeolosomatiden-
artigen Thieren abstammt. Ich weise übrigens noch einmal darauf hin, dass
der phyletische Zusammenhang der niederen Familien etwa von
den Lumbriculiden abwärts noch sehr unklar und die diesbezüglichen
Hypothesen sehr unsicher sind, so unsicher, dass wir weitergehende Schlussfolgerungen aus denselben nicht ziehen dürfen. Die folgende Skizze mag
die obigen, zum Theil sicher begründeten, zum Theil fraglichen verwandtschaftlichen Beziehungen zwischen den Oligochaeten-Familien illustriren.

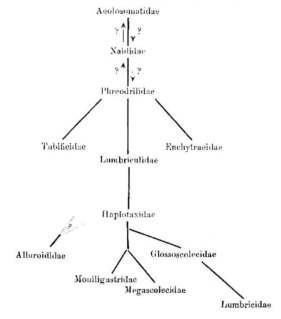

Es muss dahingestellt bleiben, in wieweit diese Skizze, die zunächst nur die verwandtschaftlichen Beziehungen zwischen den recenten Familien darstellt, auch als Stammbaum der Oligochaeten-Familien aufzufassen ist. Da palaeontologische Stützpunkte fehlen, so können wir die Charaktere der Ahnen-Familien nur durch Kombination feststellen. Es bleibt aber zweifelhaft, ob wir diese Ahnen-Familien mit recenten Familien identifiziren dürfen. Es lässt sich z. B. durch Kombination feststellen, dass die höheren recenten Familien von den Moniligastriden aufwärts von Ahnen abstammen, die unter anderem durch folgende Gonaden-Anordnung charakterisirt waren: zwei Paar Hoden im 10. und 11., zwei Paar Ovarien im 12. und 13. Segment. Diese Gonaden-Anordnung finden wir innerhalb der recenten Familie *Haplotaxidae* unverändert erhalten. Dürfen wir nun die betreffenden Ahnen der Familie *Haplotaxidae* zuordnen und sagen, dass die höheren Familien von Haplotaxiden abstammen? Es können jene Ahnen bei einer Uebereinstimmung in der Gonaden-Anordnung in anderen Organsystemen Sonder-Charaktere besessen haben, die eine Vereinigung mit der recenten Familie *Haplotaxidae* ausschlössen. Für die gemeinsamen Wurzelglieder der höheren Familien ist das wohl kaum anzunehmen. Es würde wahrscheinlich keiner bedeutsamen Erweiterung der Haplotaxiden-Diagnose bedürfen, um jene Ahnen der höheren recenten Familien in die Familie *Haplotaxidae* aufnehmen zu können. Zwar wissen wir nicht, nach welcher Richtung hin etwa die Diagnose zu diesem Zwecke erweitert werden müsste. Das ist aber belanglos. Halten wir uns die etwaige Nothwendigkeit einer derartigen wahrscheinlich wenig bedeutsamen Erweiterung vor Augen, so dürfen wir jene Ahnen als Haplotaxiden bezeichnen. Wir gewinnen dadurch eine bedeutende Vereinfachung der Ausdrucksweise. Wie die Verwandtschaftsverhältnisse der niederen Oligochaeten-Familien von den Haplotaxiden abwärts unsicher werden, so auch die Feststellung über die Charaktere der gemeinschaftlichen Ahnen. Wir können wohl mit mehr oder weniger grosser Sicherheit einzelne Charaktere derselben angeben, aber diese genügen nicht zur Diagnoszirung. Es lässt sich demnach auch jene für die höheren Familien verwendbare Methode der Zusammenfassung der Ahnen mit den recenten Familien nicht mit Sicherheit auf die niederen Familien übertragen.

Schon die Verwandtschaftsbeziehungen zwischen den höheren Familien liefern Material für geographische Sonderungen. Ein weit reicheres Material gewinnen wir jedoch durch Berücksichtigung der **Verwandtschaftsverhältnisse innerhalb dieser Familien**. Leider fehlt noch manches an einer vollständigen Uebersicht über dieselben. Der Systematiker liefert uns zwar ein vollständiges, bis in alle Einzelheiten gegliedertes System. Aus demselben ist aber nicht ersichtlich, auf welchen Grundlagen die einzelnen Gliederungen und Angliederungen desselben beruhen. Häufig sind diese Grundlagen sehr unsicher. Wo sichere Anhaltspunkte für die Feststellung der Verwandtschaft fehlen, da hält er sich an Merkmale, deren Bedeutung zweifelhaft ist. Der Systematiker muss eben für jede Gattung und Gattungsgruppe einen Platz in seinem System finden. Er findet ihn auch. An Stelle der unbekannten natürlichen Angliederung tritt — ein Surrogat — die künstliche, die nur als provisorisch anzusehen ist. Für unsere Erörterungen können nur sichere Verwandtschaftsbeziehungen in Betracht kommen. Wir haben also das System der Familien daraufhin zu prüfen. Da nun diese Feststellungen mit der Erörterung der geographischen Verbreitung der betreffenden Familie Hand in Hand gehen müssen, so lasse ich sie nicht hier folgen, sondern schliesse sie an die einzelnen Kapitel des nächsten Abschnittes an.

Geographische Verbreitung der einzelnen Oligochaeten-Gruppen.

Anordnung des Stoffes: Im Folgenden soll die geographische Verbreitung der verschiedenen Oligochaeten-Gruppen und ihre Beziehung zu der Verbreitung verwandter Gruppen dargelegt werden. Bei der Gliederung des Stoffes habe ich mich nicht an eine gleichmässige Eintheilung nach bestimmten systematischen Kategorien, etwa nach Familien oder Unterfamilien, gehalten, sondern unter Berücksichtigung der geographischen Verhältnisse — zwecks Gewinnung abgerundeter Themata — Verwandtschaftsgruppen verschiedenen Umfanges gebildet, zum Theil einzelne Familien, zum Theil Unterfamilien, manchmal aber auch kleine Gruppen von Familien oder Unterfamilien umfassend.

Entsprechend dem Schlusssatze des vorigen Abschnittes beginne ich jedes der folgenden Kapitel mit einer Erörterung der Systematik, der verwandtschaftlichen Verhältnisse innerhalb der zu besprechenden Gruppe. An diese systematische Erörterung füge ich eine nach dem System geordnete und gegliederte Tabelle der zu der betreffenden Gruppe gehörenden Arten, Gattungen etc., sammt Angabe der Lebensweise und der Fundorte, soweit diese Verhältnisse bekannt sind, und mit etwaigen kritischen Bemerkungen über die Sicherheit der diesbezüglichen Angaben.

Erläuterungen zu den Tabellen: Die erste Kolumne stellt eine nach meinen jetzigen Anschauungen geordnete und gegliederte systematische Liste der Familien (Unterfamilien), Gattungen und Arten dar.

Die zweite Kolumne enthält die Angaben über die Lebensweise, und zwar bedeutet:

amph = amphibisch	mr = marin
lm = limnisch	sl = salin
br = brackig	tr = terricol
lt = littoral	

Soweit sich diese Angaben auf Gattungen oder noch höhere systematische Kategorien beziehen, sind sie **fett** gedruckt, soweit sie sich auf Arten beziehen, sind sie in gewöhnlicher Antiqua gedruckt. Leider ist nur bei den wenigsten Arten eine Notiz über den Charakter der Fundstelle, bezw. über die Lebensweise gegeben. Das ist insofern belanglos, als diese Verhältnisse bis auf kleine, unbedeutendere Feinheiten — wie etwa Grad der Feuchtigkeit — in der Regel für grössere systematische Kategorien, meist für ganze Familien oder deren überwiegend grösseren Theil, gleichartig sind. Es kann deshalb, ohne dass viele Irrthümer zu fürchten wären, von den in dieser Hinsicht bekannten Arten auf die ganze Gruppe, Gattung, Unterfamilie oder Familie, geschlossen werden. Man wird von vorn herein von einem aus dem Binnenlande stammenden Tubificiden oder Lumbriculiden annehmen dürfen, dass er limnisch sei, von einem derartigen Lumbriciden, dass er zu der terricolen Abtheilung gehöre. Einzelne Fehler in Bezug auf terricole, amphibische oder limnische Lebensweise sind auch deshalb von geringem Belang, weil es sich, falls eine Art in dieser Hinsicht von ihren nächsten Verwandten abweicht, voraussichtlich um verhältnissmässig junge sekundäre Anpassung handelt, die für die geographische Verbreitung noch nicht bedeutsam werden konnte. Die für die Ausbreitung und damit auch für die geographische Verbreitung wichtigere Anpassung an marine Lebensverhältnisse, in erster Linie die littoralen Vorkommnisse, sind in der Regel

genauer charakterisirt, da diese exzeptionellen Fälle den Sammlern meist
auffallend und erwähnenswerth erschienen. Es sind also gerade in dieser
wichtigeren Abtheilung weniger Irrthümer zu befürchten. Es ist aber
nicht ausser Acht zu lassen und besonders zu betonen, dass es sich bei
den Zuordnungen, die in der dritten Kolumne durch modifizirten Druck
zum Ausdruck kommen, der grösseren Zahl nach um freie Muthmaassung
handelt, nur bei einer verhältnissmässig geringen Zahl um dokumentirte
Feststellungen. Diese Zusammenstellungen dürfen deshalb keinenfalls als
Quelle für unsere Kenntniss in Bezug auf den Charakter der Fundstellen
und der Lebensweise angesehen werden.

Die dritte Kolumne enthält die Fundortsangaben — die Angabe
des Gebietes der Art und, falls es sich um einzelne oder wenige Notizen
handelt, die Angabe der spezielleren Fundorte in runden Klammern dahinter
gestellt —. Bei weit verbreiteten und an vielen Orten angetroffenen Formen
ist auf Angabe der spezielleren Fundorte verzichtet worden. Alle Angaben,
die sich nicht auf Freiland-Funde, sondern auf Gewächshaus-Funde und
ähnliche beziehen, sind in eckige Klammern gestellt. Bei der Angabe der
Gebiete sind gewisse Besonderheiten der Vorkommnisse durch besondere
Druckform hervorgehoben worden. Die sicher endemischen terricolen Vorkommnisse sind durch **geraden Fettdruck** ausgezeichnet. Terricole Vorkommnisse, die sich auf peregrine Formen beziehen, seien es nachweislich
Verschleppte oder Weitwanderer, sowie alle Vorkommnisse, denen irgend
welche Unsicherheit anhaftet, seien es Zweifel über die Verlässlichkeit der
Uebermittler (besonders von Händlern) oder ein Verdacht in Bezug auf
Irrthümer bei der Feststellung der Herkunft (besonders bei Thieren, die
mit Pflanzen eingeschleppt sind), sind in gewöhnlicher Druckschrift gehalten.
Littorale Vorkommnisse sind durch *kursiven Fettdruck*. Limnische Vorkommnisse
durch gesperrten Druck ausgezeichnet. Bei diesen Abtheilungen ist eine
Differenzirung endemischer und peregriner Formen nicht für praktisch
befunden worden, wohl aber sind auch hier die unsicheren Angaben in
gewöhnlicher Druckschrift gegeben. Bei den Formen, die im Allgemeinen
terricol, unter Umständen aber littoral vorkommen, ist das Gebiet durch
kursiv-fetten Anfangsbuchstaben und im Uebrigen geraden Fettdruck hervorgehoben worden. Formen dagegen, die im Wesentlichen, aber nicht ausschliesslich, littoral sind, ist der Anfangsbuchstabe des engeren Gebietes
in geradem Fettdruck, das Uebrige kursiv-fett gegeben. Ich weise auch an
dieser Stelle auf die oben (bei der Erläuterung der zweiten Kolumne) näher
charakterisirte Unsicherheit bei der Einordnung in diese biologischen Abtheilungen hin.

Die vierte Kolumne schliesslich bringt eine etwaige Kritik der
Fundortsangaben.

Fam. Aeolosomatiden.

Systematik: Ueber eine systematische Gliederung dieser kleinen, aller
Wahrscheinlichkeit nach an der Wurzel des ganzen Oligochaeten-Stammes
stehenden Familie lässt sich nichts Sicheres aussagen, so lange die Arten
der VAILLANT'schen Gattung *Pleurophleps* sämmtlich als „inquirendae" zu
bezeichnen sind. Die fragliche Ausstattung dieser Formen mit seitlichen
Längsgefässen würde, falls sie sich bestätigen sollte, dieser Gattung eine
höhere Stellung sichern als der anscheinend einfacher organisirten Hauptgattung *Aeolosoma*.

Fam. Aeolosomatidae.

Gen. Aeolosoma . . . . lm	
A. Beddardi Michlsn.. .	England.
A. Headleyi Bedd. . .	England, Russland.
A. Hemprichi Ehrbg.. .	England, Frankreich, Dänemark, Deutschland, Böhmen, Schweiz, Italien, Zentral- und Süd-Russland; Nubien (Dongoia); Illinois.
A. niveum Leydig	Deutschland,Schweiz, Zentral-Russland.
A. quaternarium Vejd.. .	England, Deutschland, Süd-Russland.
A. tenebrarum Vejd.	England, Böhmen; Illinois.
A. variegatum Vejd.	Irland, Deutschland, Böhmen.
A. sp. div. inquirendae . .	Frankreich, Italien, Nord- und Zentral-Russland; Vorderindien; Pennsylvanien; Columbien, Argentinien.
Gen. Pleurophleps . . . . lm	
P. macrogaster (Schmarda), sp. inquir.	Nicaragua (San Juan del Norte).
P. ternaria (Schmarda), sp. inquir.	Ceylon (Galle).

Geographische Verbreitung: Die rein limnische Familie *Aeolosomatidae* weist eine ungemein weite Verbreitung auf; vielleicht ist sie als kosmopolitisch zu bezeichnen. Dass bisher von sehr grossen Gebieten nur spärliche, bezw. gar keine Fundortsangaben vorliegen, beruht wahrscheinlich auf der Kleinheit dieser Thiere, die sich schwer konserviren und selbst an gut konservirtem Material schwer systematisch feststellen lassen. Das Ueberwiegen der europäischen Fundangaben beruht sicher lediglich hierauf. Auch die einzelne Art umspannt in einem Falle, bei *Aeolosoma Hemprichi* Ehrbg., ein grosses Gebiet, Europa, das nördliche Afrika und Nordamerika. Die Zahl der Amerika und Europa gemeinsamen Arten wird wahrscheinlich beträchtlich grösser werden, wenn erst die nordamerikanischen Formen, die bisher fast nur spec. inquir. repräsentiren, genauer untersucht sind.

Fam. Naididen.

Systematik: Die verwandtschaftlichen Beziehungen zwischen den verschiedenen Naididen-Gattungen sind noch durchaus unklar; ist es doch selbst bei einzelnen Gattungen noch fraglich, ob sie natürlich sind (Gattungen

Naidium. Pristina. Slavina). Die Systematik der Naiden beruht bisher
fast lediglich auf den Borsten-Verhältnissen, ist also viel zu einseitig durch-
gearbeitet, um eine Gewähr dafür zu bieten, dass sie natürlich ist, d. h. den
Verwandtschaftsbeziehungen entspricht. Der Grund für diese Einseitigkeit
in der Gattungs-Charakteristik liegt darin, dass bei dieser Familie das für
die Verwandtschaftsbeziehungen der Oligochaeten so wichtige Organsystem,
der Geschlechtsapparat, bei den meisten Formen unbekannt ist. Diese sich
hauptsächlich ungeschlechtlich durch Theilung vermehrenden Thiere werden
nur sehr selten geschlechtsreif angetroffen. Der Systematiker sah sich
daher gezwungen, wollte er nicht auf eine Gliederung dieser Familie ganz
verzichten, sich bei der Charakteristik der Gattungen an Merkmale zu halten,
die auch an ungeschlechtlichen Thieren erkennbar sind. Der Geograph kann
aber mit diesen zum Theil wenigstens künstlichen Gattungen nichts anfangen.

Zur speziellen Systematik ist zu erwähnen, dass ich den VEJDOVSKY-
schen Gattungsnamen „*Bohemilla*", der bereits früher von BARRANDE an
eine Gattung der Trilobiten vergeben war, eliminirt und durch den Namen
„*Vejdovskyella*" ersetzt habe.

Fam. Naididae.

Gen. **Paranais**	**sl,lm,**	
	lt	
P. litoralis (Müll.), (Oerst.)	lm, lt	*England. Dänemark,* Deutschland, **Süd-Russland.**
P. naidina (Bretsch.) . .	lm	Schweiz (Zürich).
P. uncinata (Oerst.). . .	lm,sl. lt	*Dänemark.* Deutschland, Schweiz, **Süd-Russland.**
Gen. **Schmardaella** . . .	lm	
S. filiformis (Schmarda), (Bedd.)		Chile (Valdivia).
S. sp. inquirenda		Ecuador (Cuenca).
Gen. **Amphichaeta**	lm, mr?	
A. sannio Kallst. . . .	?lm, ?mr	Schweden (Småland).
A. sp. inquirenda	lm	Dänemark (Lade-gaardsoa).
Gen. **Chaetogaster** . . .	lm	
C. crystallinus Vejd. . . .		Belgien, Deutschland, Böhmen, Schweiz, Zentral-Russland; Süd-Sibirien (Baikal-See).
C. diaphanus (Gruith.) . .		England, Belgien, Dänemark, Deutschland, Böhmen, Schweiz, Russland.

C. diastrophus (GRUITH.) .		Belgien, Dänemark, Deutschl., Böhmen, Schweiz, Zentral-Russland; Illinois.
C. Langi BRETSCH. . . .		Schweiz.
C. limnaei K. BAER . . .		Grossbritannien, Belgien, Dänemark, Deutschl., Böhmen, Schweiz, Zentral-Russland: Illinois.
C. sp. div. inquirendae . .		England, Belgien.
Gen. **Ophidonais**	lm	
O. Beckei FLOERICKE . .		Deutschland.
O. serpentina (MÜLL.) . .		Grossbritannien, Frankreich, Belgien, Deutschland, Dänemark, Böhmen, Schweiz, Russland; Illinois.
Gen. **Naidium**	lm	
N. breviseta (BOURNE) . .		Vorderindien(Madras).
N. luteum O. SCHM. . . .		Deutschland,Böhmen.
N. uniseta BRETSCH. . . .		Schweiz.
Gen. **Branchiodrilus** . . .	lm	
B. Semperi (BOURNE) . .		Vorderindien(Madras).
Gen. **Nais**	lm	
N. Bretscheri MICHLSN. . .		Schweiz.
N. elinguis MÜLL., OERST.		Frankreich, Belgien, Dänemark, Deutschland, Böhmen, Schweiz, Nord-Italien, Zentral-Kerguelen, Russland; Feuerland, Uruguay; Illinois.
N. heterochaeta BENH. . .		England (Oxford).
N. Josinae VEJD.		Böhmen, Schweiz.
N. obtusa (GERV.) . . .		Frankreich, Belgien, Dänemark, Deutschland, Böhmen, Schweiz, Zentral-Russland; Süd-Sibirien (Baikal-See).
N. sp. div. inquirendae . .		Schottland; Vorderindien (Bombay); Pennsylvanien (Philadelphia).
Gen. **Dero**	lm	

D. Borellii Michlsn. . .		Brasilien (Carandasinho in Matto Grosso).
D. digitata (Müll.) . . .		Dänemark, Deutschl., Böhmen, Schweiz.
D. dorsale Ferron. . . .		Frankreich (Nantes).
D. furcata Ok., Bousf. . .		England, Deutschland, Schweiz: Illinois: Westindien (Trinidad).
D. incisa Michlsn. . . .		Deutschland (Hamburg).
D. latissima Bousf. . . .		England.
D. limosa Leidy		England, Deutschl.; Philippinen; Pennsylvan., Illinois.
D. Mölleri Bousf. . . .		England (Birmingham).
D. multibranchiata Stieren		Westindien (Trinidad).
D. obtusa Udek.		England, Belgien, Dänemark, Deutschland, Schweiz, Zentr.-Russland; Illinois.
D. Perrieri Bousf. . . .		England, Schweiz.
D. Stahlmanni Stieren .		Deutsch-Ost-Afrika (Viktoria Nyansa).
D. tonkinensis Vejd. . . .		Tonkin (Kébao).
D. vaga (Leidy)		Pennsylvanien, Massachusetts, Illinois; Westindien (Trinidad).
D. sp. div. inquirendae . .		Belgien, Menorka, Dänemark: Deutsch-Ost-Afrika, Britisch-Ost-Afrika.
Gen. Vejdovskyella. . . .	Im	
V. comata (Vejd.) . . .		Grossbritannien, Frankreich, Deutschland, Böhmen, Zentr.-Russland.
Gen. Macrochaetina . . .	Im	
M. intermedia (Bretsch.) .		Schweiz.
Gen. Ripistes	Im	
R. macrochaeta (Bourne) .		England.
R. parasita (O. Schm.) . .		Süd-Sibirien (Baikal-See); Deutschl., Böhmen, Zentral-Russland.
Gen. Slavina	Im	
S. appendiculata (Udek.) .		England, Belgien, Deutschl., Böhmen, Schweiz, Zentral-Russland; Illinois.
S. gracilis (Leidy) . . .		Pennsylvanien.

Gen. **Stylaria**	lm	
S. lacustris (L.)		Süd-Sibirien (Baikal-See); England, Frankreich, Belgien, Dänemark, Deutschl., Böhmen, Schweiz, Italien, Russland: Pennsylvan., Illinois.
Gen. **Pristina**	lm	
P. aequiseta BOURNE . . .		England, Schweiz.
P. flagellum LEIDY . . .		Pennsylvanien, New Jersey, Illinois.
P. Leidyi FR. SMITH . .		Illinois (Havana).
P. longiseta EHRBG. . . .		England, Belgien, Dänemark,Deutschl., Böhmen, Schweiz, Zentral-Russland.
P. sp. div. inquirendae . .		Pennsylvanien (Philadelphia): Chile (Salto bei Valparaiso).
Gen. **Haemonais**	lm	
H. Waldvogeli BRETSCH. .		Schweiz (Lützelsee bei Hombrechtikan).
Genera et sp. div. inquir. .		England, Dänemark, Deutschland: Ceylon (Galle, Candy); Pennsylvanien, Carolina, Louisiana: Westindien (Cuba, Jamaica): Chile.

Geographische Verbreitung: Für diese Familie gilt dasselbe, was oben bei der Familie *Aeolosomatidae* angegeben ist. Sie ist wahrscheinlich kosmopolitisch, wenngleich aus ziemlich grossen Gebieten noch jegliche Fundangabe fehlt. Auch hier beruht das Ueberwiegen der europäischen Funde sicher auf der Kleinheit der nur lebend bequem zu untersuchenden Thiere, die in exotischen Sammelausbeuten meist vernachlässigt erscheinen.

Die Naididen sind fast durchweg limnisch; nur ganz vereinzelte Formen, zwei Arten der Gattung *Paranais* und vielleicht eine Art der Gattung *Amphichaeta*, finden sich ausschliesslich(?) oder zum Theil in salinen oder littoralen Oertlichkeiten.

Für die Naididen treffen zwei günstige Bedingungen für eine weite Verbreitung zusammen, die limnische Lebensweise und die ungeschlechtliche Vermehrung. So erscheint es erklärlich, dass die einzige grössere und zugleich sicher natürliche Gattung, *Dero*, fast (wenn nicht ganz) kosmopolitisch ist [in Europa, Tropisch-Afrika, Süd- und Ost-Asien, Nordamerika, Westindien und Tropisch-Südamerika angetroffen], und dass auch viele Arten eine ungemein weite, den Erdball umfassende Verbreitung aufweisen [*Dero limosa* LEIDY in Europa, auf den Philippinen und in Nordamerika angetroffen]. Bemerkenswerth ist die grosse Zahl der den beiden bestdurchforschten Gebieten, Europa und Nordamerika, gemeinsamen Arten (9). Die weitere Forschung wird voraussichtlich nicht nur die Zahl dieser Arten, sondern auch ihr bekanntes Verbreitungsgebiet vergrössern.

Zur Erklärung der weiten Verbreitung dieser Familie sowie ihrer Gattungen und Arten ist vielleicht auch das hohe geologische Alter derselben in Betracht zu ziehen.

Fam. Phreodriliden.

Systematik: Eine systematische Gliederung dieser kleinen Familie ist, abgesehen von der Gliederung in die verschiedenen Arten, nicht wohl angängig. Besonders betonen will ich nur, dass ich eine Gegenüberstellung der einen, mit Kiemen versehenen Art, *Phreodrilus branchiatus* (BEDD.), gegen die anderen, die der Kiemen entbehren, nicht für nöthig erachte. Auch bei anderen Oligochaeten-Gruppen (Gattungen *Branchiura* und *Alma*) erscheint die Ausstattung mit Kiemen als Charakter der Art, aber von keiner höheren systematischen Bedeutung, da kiementragende und kiemenlose Arten nahe verwandt miteinander erscheinen.

Fam. Phreodrilidae.

Gen. **Phreodrilus**	**Im**
P. albus (BEDD.)	Falkland Inseln (Port Stanley).
P. branchiatus (BEDD.) . .	Chile (Valdivia).
P. kerguelenensis MICHLSN.	Kerguelen.
P. niger (BEDD.) . . .	Falkland Inseln (Port Stanley).
P. subterraneus BEDD. . .	Neuseeland (Ashburton auf der Südinsel).

Geographische Verbreitung: Die kleine, eine einzige Gattung mit 5 Arten enthaltende Familie *Phreodrilidae* ist rein limnisch und schliesst sich in ihrer Ausbreitungsweise wohl eng an die nahe stehenden, überwiegend, bezw. rein limnischen Familien *Tubificidae* und *Lumbriculidae* an.

Die geographische Verbreitung der Phreodriliden ist sehr charakteristisch beschränkt. Sie finden sich auf Neuseeland, auf dem Kerguelen-Archipel und im magalhaensisch-chileuischen Gebiet, zeigen also eine subantarktisch-circumpolare Verbreitung. Es ist fraglich, ob diese Verbreitung als eine primäre oder als eine sekundäre anzusehen, ob sie durch Ausbreitung von einem der betreffenden Punkte direkt nach den übrigen hin oder aus einer ursprünglich allgemeineren, durch Ausmerzung der Phreodriliden in den verbindenden Gebieten entstanden ist. Nach Analogie mit den Tubificiden, die ähnlichen Ausbreitungsbedingungen unterworfen sind, dürfen wir sehr wohl eine weite direkte Ausbreitungsfähigkeit auch über weitere Meeresstrecken für diese ziemlich kleinen limnischen Oligochaeten annehmen. Wasservögel mögen, durch die im subantarktischen Gebiete vorherrschenden, häufig sehr stürmischen westlichen Winde verschlagen, an ihren Füssen Cocons dieser Phreodriliden über weite Meeresstrecken hinüber von Station zu Station getragen haben. Das Vorkommen auf dem weit isolirten Kerguelen-Archipel ist auch kaum auf andere Weise zu erklären, will man nicht annehmen, dass dieser Archipel der Ueberrest eines früheren grossen antarktischen Kontinents oder einer früheren viel weiteren Ausbreitung des afrikanischen Kontinents gegen Südosten ist. Es bedarf einer derartigen Hypothese für diesen Phreodriliden der Kerguelen-Inseln nicht, da die obige Ausbreitungs-Erklärung durchaus innerhalb der Grenzen des Annehmbaren liegt. (Vergleiche auch die Erörterung über die Verbreitung der Acanthrodrilinen-Gattung *Notiodrilus*, sowie der Enchytraeiden-Gattungen *Lumbricillus* und *Enchytraeus*.) Wenn einerseits auch nichts direkt gegen die primäre Natur der Verbreitung der Phreodriliden spricht, so fällt doch ein besonderer Umstand für die Annahme einer sekundären Natur dieser Verbreitung in die Wagschale. Die Gebiete der Phreodriliden und der Tubificiden scheinen sich gegenseitig auszuschliessen, ein Umstand, der auf eine nähere Beziehung zwischen diesen beiden Gruppen schliessen lässt. Wahrscheinlich haben die aus den Phreodriliden entsprossenen und phyletisch jüngeren, verbreitungskräftigeren Tubificiden ihre muthmaassliche Ahnenfamilie verdrängt und in den verbindenden nördlicheren Gebieten ausgerottet. Die Phreodriliden blieben schliesslich nur noch in den isolirten Vorkommnissen jener südlichsten Gebiete erhalten, die infolge frühzeitiger Abtrennung durch Meeresarme (Neuseeland), durch wasserarme Regionen (magalhaensisches Gebiet) oder durch hohe, übereiste Gebirgsketten (Chile) vor dem massenweisen Einwandern von Tubificiden geschützt waren. Für das magalhaensische Gebiet und Chile scheint nach meinen eigenen Forschungen, die hier das Vorkommen von drei Phreodriliden-Arten ergaben, das gänzliche Fehlen von Tubificiden angenommen werden zu müssen. Für Neuseeland lässt sich das nicht behaupten. Von diesem Gebiet sind zwei Tubificiden-Arten bekannt. Die eine ist der über ganz Europa verbreitete und auch in Nordamerika aufgefundene *Tubifex tubifex* (MÜLL.). Es handelt sich hier also höchst wahrscheinlich um einen Fall von Einschleppung durch den Menschen. Dieses Vorkommniss ist bei unserer Erörterung, die die präkulturelle Verbreitung betrifft, keinesfalls in Rechnung zu ziehen. Die zweite Art, nach einem unreifen, also unbestimmbaren Individuum aufgestellt, gehört wahrscheinlich der Gattung *Limnodrilus* (wenn nicht der Gattung *Clitellio*) an und wurde von BEDDARD als *Limnodrilus novaezelandiae* bezeichnet. Die Gattung *Limnodrilus* ist in vielen Arten über das gemässigte Gebiet Asiens (Japan, Baikal-See, Teleckoë-See), Europas und Nordamerikas (Illinois, Kalifornien, Mexiko) verbreitet. Es ist durchaus nicht ausgeschlossen, dass der fragliche *L. novaezelandiae* mit einer dieser Arten identisch, vielleicht wie *T. tubifex* durch den Menschen in Neuseeland eingeschleppt worden ist. Also auch dieses Vorkommniss ist wahrscheinlich nicht als endemisch anzusehen und kann auf die Beurtheilung der präkulturellen Oligochaeten-Fauna Neuseelands keinen Einfluss haben. Bei der gleichen Lebensweise der Tubificiden und Phreodriliden ist eine Konkurrenz, die zur Ausrottung des Schwächeren, der Phreodriliden, geführt haben soll, wohl annehmbar.

Fam. Tubificiden.

Systematik: Innerhalb der Fam. *Tubificidae* lassen sich zwar verschiedene verwandtschaftliche Gruppen unterscheiden, doch reicht unsere bisherige Kenntniss zur Aufstellung eines einigermaassen sicheren Stammbaumes nicht aus. Es lässt sich die ganze Familie zunächst in zwei Gruppen theilen, Tubificiden ohne gesonderte Prostaten, und solche mit jederseits einer oder mehreren gesonderten Prostaten. Ich halte die erstere Gruppe, zu der die Gattungen *Branchiura*, *Rhizodrilus*, *Heterodrilus* und *Clitellio* gehören. für die ursprünglichere, da sie nicht nur in der Ausbildung des männlichen Ausführungsapparates die einfachere Gestaltung repräsentirt, sondern auch wenigstens bei einigen Arten (*Branchiura coccinea* VEJD.) auch in anderen Organsystemen gewisse Anklänge an die wahrscheinlich ältere Familie der Naididen aufweist. Diese, wie die andere Gruppe, spaltet sich wiederum in Untergruppen mit verschiedenartig modifizirten Borsten (Gen. *Branchiura*) und mit mehr oder weniger genau gleichartigen Borsten (Gen. *Rhizodrilus*, *Heterodrilus* und *Clitellio*, die jedenfalls sehr nahe mit einander verwandt sind). In der zweiten Gruppe stehen zunächst die Gattungen *Telmatodrilus* mit vielen, und *Phallodrilus* mit zwei Prostaten an jedem männlichen Ausführungsgang den übrigen mit je einer Prostata gegenüber. Unter diesen letzteren nimmt wieder die Gattung *Bothrioneurum* durch die Gestaltung des Atriums (Prostata in ein Paratrium einmündend) und durch das Fehlen der Samentaschen eine Sonderstellung ein. Die übrig bleibenden, unter sich wohl näher verwandten Gattungen bilden wieder zwei engere Gruppen, die Gattungen *Tubifex*, *Ilyodrilus* und *Lophochaeta*, nur durch verhältnissmässig geringfügige Charaktere von einander unterschieden, mit mehr oder weniger stark modifizirten dorsalen Borsten, und die Gattungen *Limnodrilus* und *Lycodrilus* mit annähernd gleichartigen Borsten. Die Gattung *Lycodrilus* erinnert durch die Anordnung der Borsten in regelmässigen Längslinien und ihre bestimmte Anzahl — sie sind paarig oder einzeln — an die höheren Gattungen der Oligochaeten, zunächst an die Lumbriculiden und Haplotaxiden.

Zur speziellen Systematik ist zu bemerken, dass ich VEJDOVSKY'S Gattung *Potamothrix* zu *Ilyodrilus* stelle (Prostaten ganz geschwunden, wenn nicht etwa nur ihrer Kleinheit wegen übersehen).

Fam. Tubificidae.

Gen. **Branchiura**	Im	
B. coccinea (VEJD.) . . .	England, Frankreich, Belgien. Deutschland, Böhmen.	
B. Sowerbyi (BEDD.) .	[England (London)]	Im *Victoria regia-*Tank, wahrscheinlich mit Wasserpflanzen eingeschleppt.
Gen. **Rhizodrilus**	Im. It	
R. fluviatilis (FERRON.) . .	Im	Frankreich (Nantes).
R. lacteus FR. SMITH . .	Im	Illinois (Havana).
R. limosus (HATAI) . . .	Im	Japan (Tokio).
R. pilosus (GOODRICH) . .	It	*England* (Weymouth).
R. Glotini (FERRON) . .	It	*Frankreich* (Nantes).
Gen. **Clitellio**	It	
C. arenarius (MÜLL.) . .		*Island. Hebriden, Grossbritannien, Frankreich. Belgien, Dänemark. Deutschland, Ost-Schwed.*
Gen. **Heterodrilus**	mr	
H. arenicolus PIER. . . .		*Italien* (Neapel).
Gen. **Telmatodrilus** . .	Im	

T. Macgregori EISEN . .		Kalifornien.
T. Vejdovskyi EISEN . . .		Kalifornien.
Gen. **Phallodrilus**	mr	
P. parthenopaeus PIER. . .		*Italien* (Neapel).
Gen. **Limnodrilus**	lm	
L. alpestris EISEN		Kalifornien (Sierra Nevada).
L. baicalensis MICHLSN. . .		Süd-Sibirien(Baikal-S.).
L. claparèdeanus RATZ. .		Deutschland,Böhmen, Schweiz; Kalifornien, Illinois.
L. Dugèsi RYBKA		Mexiko.
L. Gotoi HATAI		Japan (Tokio).
L. Hoffmeisteri CLAP. . .		England, Frankreich, Deutschland, Schweiz, Böhmen, Zentral-Russland.
L. igneus (EISEN)		Kalifornien.
L. newcaensis MICHLSN. . .		Russland (Newa bei Petersburg).
L. ornatus EISEN		Kalifornien (San-Joaquin-Fluss).
L. Silvani EISEN		Kalifornien (San Francisco).
L. udekemianus CLAP. . .		Grossbritannien, Frankreich,Deutschland, Dänemark, Schweiz, Böhmen, Russland.
L. sp.		Süd-Sibirien(Teleckoë-See).
Gen. **Lycodrilus**	lm	
L. Dybowskii GRUBE . .		Süd-Sibirien(Baikal-S.).
L. schizochaeta (MICHLSN.)		Süd-Sibirien(Baikal-S.).
Gen. **Tubifex**		
T. Benedeni (UDEK.) . .	lt, mr	*Süd-England, Frankreich, Belgien, Nord-Deutschl.*
T. barbatus (GRUBE). . .	lm,br	Grossbritannien, Frankreich,Belgien, Deutschland, Schweiz, Böhmen, Istrien,Nord- u. Süd-Russland.
T. Blanchardi VEJD. . . .	lm	Algier (Biskra, Constantine).
T. rostatus (CLAP.) . . .	lt	*Südost-England, Nord- u. West-Frankreich.*
T. ferox (EISEN)	lm	Schweiz, Nord-Deutschland,Schweden, Russland.
T. filum MICHLSN.	lm	Nord-Deutschland (Hamburg).

Michaelsen, Geographische Verbreitung der Oligochaeten. 4

T. inflatus MICHLSN. . .	lm	Süd-Sibirien (Baikal-See).
T. insignis (EISEN) . . .	lm	Schweden (Motala-Fluss).
T. multisetosus (FRANK SM.)	lm	Illinois (Havana).
T. salinorum (FERRON.) .	sl	**West-Frankreich** (Nantes).
T. tubifex (MÜLL.) . . .	lm	England, Frankreich, Belgien, Deutschland. Dänemark. Schweiz, Böhmen, Zentral-Russland; Nordamerika: Neuseeland. Eingeschleppt?
T. relativus (GRUBE)	lm	Schweiz, Nord-Italien.
T. sp. div. inquirendae . .		Frankreich. Schwed.
Gen. **Ilyodrilus**	lm	
I. Cameranoi (de VISART) .		Nord-Italien.
I. fragilis EISEN		Kalifornien (Fresno County).
I. hammoniensis MICHLSN..		Deutschland.
I. moldaviensis (VEJD. u. MRAZ.)		Böhmen (Prag).
I. Perrieri EISEN		Kalifornien (Fresno County).
I. sodalis EISEN		Kalifornien (San Francisco).
Gen. **Lophochaeta**	lm	
L. albicola MICHLSN. . .		Nord-Deutschland (Hamb.,West-Preussen), Russland (Nowgorod).
L. ignota STOLC.		Böhmen.
Gen. **Bothrioneurum** . .	lm	
B. americanum BEDD. . .		Argentinien (Buenos-Aires).
B. iris BEDD.		Malayische Halbinsel.
B. rejdcovskyanum STOLC. .		Böhmen.
Sp. incert. gen.		England, Frankreich, Belgien, Deutschland.Dänemark,Norwegen,Schweiz,Russland. Kaspisches Meer: Tonkin: Lake Superior, Pennsylvanien, Massachusetts: Neuseeland.
Gen. dub. **Aulodrilus** . . .	lm	
A. limnobius BRETSCH. . .		Schweiz (Mürtschenalp).
Gen. dub. **Rhyacodrilus** . .	lm	
R. falcijormis BRETSCH. .		Schweiz (Fürstenalp).

Geographische Verbreitung: Die Tubificiden sind vorwiegend limnisch; doch finden sich manche Formen auch an littoralen Oertlichkeiten. Manche Arten scheinen rein marin oder littoral zu sein. Nach den obigen Zusammenstellungen scheint diese Familie fast ganz auf die gemässigte Zone der nördlichen Erdhälfte beschränkt; sind doch von den Tropen und von der gemässigten Zone der Südhemisphaere nur sehr wenige Vorkommnisse gemeldet worden. Das beruht wohl nicht nur auf geringerer Durchforschung jener südlicheren Gebiete. In dem eingehender durchforschten magalhaensischen Gebiet (incl. Falkland Inseln) scheint diese Familie thatsächlich zu fehlen. Sie scheint hier, sowie auf Punkten annähernd gleicher geographischer Breite durch die Familie *Phreodrilidae* vertreten zu sein. (Die Tubificiden von Neuseeland sind muthmaasslich sämmtlich eingeschleppt.)

Die Gebiete der grösseren Gattungen umspannen in der nördlichen gemässigten Zone die ganze Erde, so die der Gattungen *Rhizodrilus*, *Limnodrilus* und *Tubifex*; die Gattung *Ilyodrilus* ist Nordamerika und Europa gemeinsam; andere, kleine Gattungen zeigen eine noch stärkere Beschränkung. So findet sich, soweit unsere Kenntnisse reichen, die Gattung *Branchiura* (mit einer anscheinend endemischen Art und einer Art von unsicherem Fundort) nur in Europa, *Clitellio* (mit einer Art) nur in Europa (incl. Island), *Telmatodrilus* (mit 2 Arten) in Kalifornien, *Lycodrilus* (mit 2 Arten) im Baikal-See und *Lophochaeta* (mit 2 Arten) in Europa. Die Gattung *Bothrioneurum* ist insofern interessant, als ihr Gebiet weiter als das anderer Gattungen südwärts reicht und zugleich die Erde umspannt; findet sich doch *B. americanum* BEDD. in Argentinien, *B. vejdorskyanum* STOLC in Europa und *B. iris* BEDD. auf der Malayischen Halbinsel.

Wie einzelne Gattungen, so zeigen auch einzelne Arten eine verhältnissmässig weite Verbreitung, so zumal *Tubifex tubifex* (MÜLL.), der, vielleicht in Folge von Verschleppung, nicht nur in Europa und Nordamerika, sondern auch auf Neuseeland auftritt, ferner *Clitellio arenarius* (MÜLL.) sowie einige *Limnodrilus*-Arten. Diese Thatsache kann bei limnischen und zumal bei littoralen Formen nicht überraschen.

Fam. Enchytraeiden.

Systematik: So gut umschrieben die meisten Gattungen dieser Familie sind, so unklar sind die Verwandtschaftsbeziehungen zwischen denselben. Es lassen sich wohl einzelne Beziehungen feststellen, doch fehlt noch viel, dass sich dieselben zu einem vollständigen System zusammenfügten. Eine auffallende Beständigkeit innerhalb der Gattungen zeigt die Gestalt der Borsten (ob gleich oder verschieden lang, ob gerade und stiftförmig oder S-förmig gebogen); nur bei der Gattung *Henlea* ist im Gegensatz hierzu eine grosse Verschiedenheit nachweisbar. Ich habe deshalb diese Gattung an die Wurzel des Systems gestellt, aus der die übrigen, nach den Borsten drei Gruppen bildend, hervorgehen. Eng an *Henlea* schliessen sich zunächst die Gattungen *Brygodrilus* und *Buchholzia* an; zu demselben Zweige, aber *Henlea* etwas ferner stehend, gehören die Gattungen *Hydrenchytraeus*, *Marionina*, *Lumbricillus*, *Stercutus* und *Mesenchytraeus*; diese Gattungen bilden die erste Gruppe mit S-förmig gebogenen Borsten. Die zweite Gruppe mit geraden stiftförmigen, innerhalb eines Bündels gleich langen Borsten wird von den nahe verwandten Gattungen *Enchytraeus* und *Michaelsena* gebildet; an die letztere Gattung schliesst sich vielleicht die borstenlose Gattung *Achaeta* an(?). Die dritte Gruppe besteht aus den beiden Gattungen *Fridericia*

4*

und *Distichopus*: bei dieser Gruppe sind die Borsten ebenfalls gerade und stiftförmig, jedoch die inneren eines Bündels kürzer als die äusseren.

Es darf nicht ausser Acht gelassen werden, dass das soeben aufgestellte und unten durch eine Skizze illustrirte System auf sehr unsicherer Grundlage beruht.

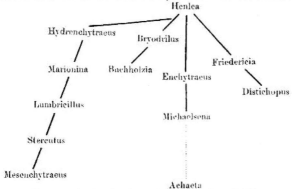

Zur speziellen Systematik ist noch zweierlei zu erwähnen. Erstens: In der Auffassung der Gattung *Michaelsena* weiche ich von Ude ab. Ich ordne dieser Gattung einen Theil der weit umfassenden Gattung *Enchytraeus* zu, und zwar jene Arten, bei denen die Borsten, wie bei *Michaelsena subtilis* Ude, an einigen Segmenten des Vorderkörpers ganz abortirt sind und im Uebrigen einzeln stehen (jede einzelne Borste ein Bündel repräsentirend); zur Gattung *Michaelsena* sind demnach zu stellen *Enchytraeus monochaetus* Michlsn., *E. macrochaetus* Pieraxtoxi und *E. unisetosus* Ferrox.

Zweitens muss ich feststellen, dass ich Bretscher in der Auffassung seiner sogenannten Arten nicht folgen kann. Diese an die kleinsten und unwesentlichsten Unterschiede in der Gestaltung einzelner Organe anknüpfende Art-Sonderung, die für eine Variabilität der Art überhaupt keinen Spielraum lässt, kann ich nicht als berechtigt anerkennen. Ich würde die Zusammenfassung vieler dieser Bretscher'schen Arten und eine Herabminderung ihrer Zahl für eine Aufgabe halten, die reichlich so verdienstlich ist wie die Aufstellung so vieler neuer Arten. Ich bin, zur Zeit wenigstens, nicht in der Lage, diese Aufgabe zu übernehmen. Da es für die Ziele der vorliegenden Arbeit nicht auf die Zahl der Enchytraeiden-Arten ankommt — bei der verschiedenartigen Durchforschung der verschiedenen Gebiete ist eine zahlenmässige Statistik von vornherein ausgeschlossen —, sondern nur auf das Vorkommen der Gattungen, so führe ich in der folgenden Liste die sämmtlichen Bretscher'schen Arten mit auf, ohne damit zugleich die Berechtigung all' dieser Arten anerkennen zu wollen.

Fam. **Enchytraeidae.**

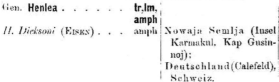

Gen. **Henlea**	**tr,lm,**	
	amph	
H. Dicksoni (Eisen)	amph	Nowaja Semlja (Insel Karmakul, Kap Gusinnoj); Deutschland (Calefeld), Schweiz.

H. dorsalis Bretscher . .	tr	**Schweiz** (Basel, Trimmis).
H. nasuta (Eisen) . . .	tr	Sibirien (an der Lena Vielfach in Blumenvon 60°51′—72°40′ töpfen und Gartennördl. Br.), Nord-Russ-erde, verschleppland (Solowetsk-Insel), bar. Böhmen, Dänemark, Deutschland, Schweiz, Nord-Italien,Süd-Frankreich.
H. pratorium Bretsch. . .	tr	**Schweiz** (Zürich, Le Sentier).
H. puteana (Vejd.) . . .	lm	Mähren (Bedihost).
H. Rosai Bretsch. . . .		**Schweiz** (Murtschen-Gebiet).
H. sarda (Cognetti) . .		**Sardinien** (Sassari).
H. Stolli Bretsch. . . .		**Schweiz.**
H. sulcata Bretsch. . . .		**Schweiz** (Zürich).
H. Tolli Michlsn. . . .		**Nord-Sibirien** (Neusibirische Insel Kotjelny).
H. ventriculosa (Udek.) .	amph	Südost-Russland (Gebiet Manchmal in Bluder Kirgisen), Däne-mentöpfen, ver-mark,Deutschland, Böh-schleppbar. men, Belgien, Frankreich, Schweiz, Italien, Sardinien; Chile (Talcahuana), Süd-Patagonien (Punta Arenas); Neuseeland (Tengawai-Fluss im Canterbury Distr.).
H. sp. inquirendae . . .		Sibirien(Dudino,Sapotschnaja Korga), Nowaja Semlja (Kap Grebenij), Waigatsch-Insel; Nord-Russland (Solowetsk-Insel), Norwegen (Tromsø). Illinois (Philadelphia).
Gen. **Bryodrilus**	tr	
B. Ehlersi Ude		**Deutschland** (Hannover, Calefeld, Harz).
Gen. **Buchholzia**	tr	
B. appendiculata (Buchh.)		Dänemark, (Kopenhagen, Vielfach in Blumen-Hellebäk), Deutschland, töpfen,verschlepp-Böhmen, Schweiz, Italien bar. (Turin).
B. fallax Michlsn. . . .		**Deutschland** (Hamburg), **Schweiz** (Katzensee).
Gen. **Hydrenchytraeus** . .	lm	
H. nematoides Bretsch. .		Schweiz (Fürstenalp).
H. Stebleri Bretsch. . .		Schweiz (Fürstenalp).

Gen. **Marionina**	**It, Im**	
M. arenaria (MICHLSX.) . .	Im	Deutschl. (Hamburg).
M. crassa (CLAP.)	It	**Hebriden** (Insel Sky), **Frankreich** (Nantes).
M. chudensis (CLAP.) . .	It	**Hebriden** (Insel Sky), **Bäreninsel.**
M. exigua UDE	It	**Feuerland** (Uschuaia).
M. jontinalis BRETSCH. . .	Im	Schweiz (Görschenalp).
M. georgiana (MICHLSX.) .	It	**Süd-Georgien.**
M. glandulosa (MICHLSX.) .	Im	Deutschl. (Hamburg).
M. guttulata BRETSCH. . .	Im	Schweiz (Fürstenalp).
M. insignis UDE . .	It	**Süd-Patagonien** (Punta Arenas).
M. lobata (BRETSCH.) . .	Im	Schweiz.
M. riparia BRETSCH. . . .	Im	Schweiz (Lützelsee).
M. rivularia BRETSCH. . .	Im	Schweiz (Ascona).
M. semifusca (CLAP.) . .	It	**Hebriden** (Insel Sky). **Frankreich** (Nantes).
M. singula UDE	It	**Feuerland** (Uschuaia).
M. sphagnetorum (VEJD.) .	Im	Deutschland(Hamburg, Wittena.d.Ruhr, Hirschberg). Schweiz(Lützelsee).
Gen. **Lumbricillus**	Vorwieg. It	
L. americanus (UDE) . .	It	**Uruguay** (Montevideo).
L. catanensis (DRAGO) . .	It	**Italien**(CataniainSicilien).
L. fossarum (TAUBER) . .	It	**Dänemark** (Kopenhagen). **Bäreninsel.**
L. Henkingi UDE	It	**Bäreninsel.**
L. insularis (UDE) . . .	It	**Süd-Patagonien** (Elizabeth-I. in d. Magalhaeus-Str.).
L. lineatus (MÜLL.) . . .	It, Im	**Nord-Russland** (Orlovsky am Weissen Meer). **Dänemark, Deutschland,** Schweiz (Wollishofen), **Frankreich** (Nantes).
L. litoreus (HESSE) . . .	It	**Italien** (Neapel).
L. maritimus (UDE) . .	It	**Feuerland** (Uschuaia).
L. maximus (MICHLSX.)	It	**Süd-Georgien.**
L. minutus (MÜLL.) . .	It	**Grönland, Nord-Russland** (Orlovsky am Weissen Meer).
L. nervosus (EISEN) .	It	**Nowaja Semlja** (Kap Gusinnoj).
L. Pagenstecheri (RATZ.) .	Im,sl. It	**Spitzbergen;** Deutschland (Calefeld, Baden). **Frankreich** (Nantes).

L. parcus (Ude)	lt	*Süd-Patagonien* Dungeness Point), *Feuerland* (Südküste bei Kap San Pio).
L. projugus (Eisen) . . .	lt	*Grönland* (Karajakhus, Godhavn), *Frankreich* (Nantes).
L. subterraneus (Vejd.)	lm	Böhmen (Prag), Frankreich (Lille).
L. tenuis (Ude)	lt	*Uruguay* (Montevideo)
L. verrucosus (Clap.) . .	lt	*Hebriden* (Insel Sky), *Frankreich* (Nantes), *Feuerland* (Uschuaia).
Gen. **Stercutus** . .	tr	
S. niveus Michlsn.		Deutschland (Hamburg). In Düngererde (Fischdünger) von Gärtnereien. fraglich ob endemisch.
Gen. **Mesenchytraeus** . .	tr, lm	
M. affinis Michlsn. . . .		**Nord-Sibirien** (Neusibirische Insel Kotjelny).
M. alpinus Bretsch.. . .	lm	Schweiz (Görschenalp).
M. amoeboideus Bretsch. .	lm	Schweiz (Görschenalp).
M. Beumeri (Michlsn.). .	tr	**Deutschland** (Hamburg).
M. bisetosus Bretsch. . .	lm	Schweiz (Bergsee).
M. Bungei Michlsn.. .	tr	**Süd-Sibirien** (Baikal-See).
M. juleiformis Eisen . .		**Nowaja Semlja** (Matotschkin Scharr).
M. jenestratus (Eisen) . .	tr	Nord-Sibirien (Jalmal). Dänemark (Hellebäk, Dyrehaven, Raavad, Rüderskov).
M. flavidus Michlsn.	tr	**Deutschland** (Hamburg, Witten a. d. Ruhr).
M. flavus (Levins.) . . .	tr	**Dänemark** (Hellebäk).
M. Grebnitzkyi Michlsn. . .	lr	*Bering-Ins.*
M. megochaetus Bretsch. .	lm	Schweiz (Fürstenalp. Klönsee).
M. mirabilis Eisen . . .		**Nord-Sibirien** (Mesenkin am Jenissei).
M. monochaetus Bretsch..	tr	**Schweiz** (Katzensee).
M. multispinus (Grube) .		**Nord-Sibirien** (Boganida-Gebiet).
M. primaevus Eisen . . .		**Nord-Sibirien** (Intsarewo, Melnitschnij u. Krestowskoj am Jenissei), **Nowaja Semlja** (Moller Bay, MatotschkinScharr).
M. setosus Michlsn. . . .	tr	**Deutschland** (Hamburg, Calefeld).
M. solifugus (Emery) . .	tr	**Alaska** (Berg St. Elias).
M. tigrina Bretscher . .	tr	**Schweiz** (Klönsee).

M. sp. inquirendae . . .		Süd-Sibirien (Irkutsk); Spitzbergen; Pennsylvanien (Philadelphia).	
Gen. **Enchytraeus**	**lt, tr**		
E. adriaticus VEJD. . . .	lt	*Oesterreichisches Küstenland* (Triest), *Frankreich* (Nantes).	
E. albidus HENLE . . .	lt, tr	*Nowaja-Semlja, Bäreninsel; Nord-Russland*(Solowetsk-Insel, Orlovsky), *Dänemark, Deutschland,* Böhmen, Schweiz, *Frankreich; Grönland*(Karajak),*Massachusetts; Uruguay* (Montevideo), *Süd-Patagonien, Feuerland* (Südküste): *Kerguelen.*	Auch in Blumentöpfen und in Gartenerde, verschleppbar.
E. argenteus MICHLSN. . .	tr	Deutschland (Hamburg), Schweiz.	
E. Buchholzi VEJD. . . .	tr	Dänemark (Kopenhagen), Deutschland, Böhmen, Italien (Turin), Sardinien; Süd-Brasilien(Blumenau), Süd-Patagonien (Dungeness-Point).	Verschleppbar, häufig in Blumentöpfen und in Gartenerde.
E. globulatus BRETSCH. . .		**Schweiz** (San Georgio).	
E. hyalinus (EISEN) . . .		**Nowaja Semlja** (Matotschkin Scharr).	
E. litteratus (HESSE) . .	lt	*Italien* (Neapel).	
E. marinus J. P. MOORE .	lt	*Bermudas.*	
E. parvulus BRETSCHER .		**Schweiz** (Obere Sandalp).	
E. pellucidus FRIEND . .	tr	**England** (Stockport).	
E. silvestris BRETSCH. . .	tr	**Schweiz** (Zürich).	
E. spiculus LEUCK . . .	lt	*Deutschland* (Helgoland, Wilhelmshaven, Cuxhaven).	
E. turicensis BRETSCH. . .		**Schweiz**(Zürich, Ascona).	
Gen. **Michaelsena**	lt, mr		
M. macrochaeta (PIER.) .	mr	*Italien* (Neapel).	
M. monochaeta (MICHLSN.)	mr, lt	*Süd-Georgien.*	
M. subtilis UDE	lt	*Süd-Patagonien* (Dungeness Point), *Feuerland* (Uschuaia).	
M. unisetosa (FEURON.) . .	lt	*Frankreich* (Nantes).	
Gen. **Achaeta**	tr		
A. bohemica (VEJD.). . .		**Deutschland** (Hamburg), **Böhmen** (Prag).	

A. Cameranoi (Cognetti).	Italien (Turin).	
A. Eiseni Vejd.	Deutschland (Hamburg, Calcfeld),Böhmen(Prag), Schweiz (Zürich).	
A. Vejdovskyi Bretscher.	Schweiz (Ascona).	
Gen. Fridericia	Vor-wieg. tr	
F. agilis Frank Sm. . . .	tr	Illinois (Havana).	
F. agricola J. P. Moore .	tr	Delaware (Wayne), Eng-land (Cumberland).	
F. alba J. P. Moore . .	tr	Pennsylvanien (Phila-delphia).	
F. alpina Bretsch. . . .	Schweiz (Frutt).	
F. alpinula Bretsch. . .	Schweiz (Frutt).	
F. auriculata Bretsch.. .	tr	Schweiz (Cresta).	
F. Beddardi Bretsch. . .	tr	Schweiz (Frutt, Panixer-pass).	
F. bisetosa (Levins) . . .	amph	Dänemark (Hellebäk), Deutschland, Böhmen, Galizien, (Lemberg), Schweiz, Frankreich (Nantes), Italien (Turin), Sardinien.	Häufig in Blumen-töpfen,verschlepp-bar.
F. bulbosa (Rosa) . . .	tr	Nowaja Semlja; Deutschland (Calcfeld, Goslar), Schweiz, Italien (Turin), Sardinien. Pennsylvanien (Phila-delphia).	
F. callosa (Eisen) . . .		Sibirien(Mittel-undUnter-lauf des Jenissei); Nowaja Semlja; Nord-Russland (Solo-wetsk-Insel im Weissen Meer), Nord-Deutsch-land (Westpreussen).	
F. clitellaris Bretsch. . .	Schweiz (San Georgio).	
F. diachaeta Bretsch. . .	tr	Schweiz (Ascona).	
F. digitata Cognetti . .	Sardinien.	
F. emarginata Bretscher	Schweiz (Kanton Glarus, Primmis).	
F. exserta Bretscher . .	Schweiz (Heiden).	
F. fruttensis Bretsch. . .	Schweiz (Frutt).	
F. galba (Hoffmstr.) . .	tr	Dänemark, Deutschland, Böhmen, Galizien (Lem-berg), Schweiz, Belgien, Frankreich (Nantes), Italien (Turin), Sar-dinien; Neuseeland.	Häufig in Blumen-töpfen,verschlepp-bar.

F. hegemon (Vejd.) . . .	tr	Deutschland (Hamburg). Böhmen, Schweiz. Frankreich (Nantes).
F. helvetica Bretsch. . .	tr	Schweiz (Zürich).
F. humicola Bretsch. . .	tr	Schweiz (Frutt. Cresta): Nordost-Afrika (Harar).
F. insubrina Bretsch. . .		Schweiz (Ascona).
F. lacustris Bretsch. . .	tr	Schweiz (Melchsee-Gebiet).
F. Leydigi (Vejd.) . . .	tr	Spitzbergen: Deutschland (Calefeld. Alfeld). Böhmen (Prag). Schweiz. Italien (Turin).
F. lobifera (Vejd.) . . .	tr	Böhmen, Galizien (Lemberg).
F. longa J. P. Moore . .	tr	Pennsylvanien (Philadelphia).
F. magna Friend		England (Cockermouth).
F. Michaelseni Bretsch. .	tr	Schweiz (Bäretsweil).
F. oligoselosa Nusb. . . .		Galizien(Lemberg, Skole).
F. parva Bretscher . .		Schweiz.
F. Perrieri (Vejd.) . .	tr	Dänemark (Hellebäk). Böhmen. Schweiz. Italien (Turin).
F. polychaeta Bretsch.		Schweiz (Ascona, San Georgio).
F. Ratzeli (Eisen)	tr	Norwegen (Tromsø, Carlsø), Deutschland. Schweiz.
F. sardorum Cognetti.		Sardinien.
F. striata (Levins) . . .	tr	Dänemark. Deutschland, Peregrin. Schweiz; Uruguay (Montevideo), Chile (Lota).
F. terrestris Bretsch. . .	tr	Schweiz (Cresti).
F. Udei Bretscher . . .	tr	Schweiz.
Gen. **Distichopus**	tr	
D. silvestris Leidy . . .		Delaware (Media).

Geographische Verbreitung: Stellt man auf einer Karte die sämmtlichen festgestellten Euchytraeiden-Vorkommnisse zusammen, so erkennt man zwei verschiedene breite Gebietsstreifen, in denen die Vorkommnisse sich häufen, während sich ausserhalb derselben nur sporadische Vorkommnisse zeigen und nur solche von Arten, die augenscheinlich verschleppt sind (wie z. B. die weit verschleppten *Friedericia galba* Hoffmstr. in Neuseeland und *Henlea ventriculosa* (Udek.) in Neuseeland, Chile und Patagonien). Dieses gehäufte Auftreten von Euchytraeiden und das Fehlen in anderen Gebieten kann nicht lediglich auf verschiedenartige Durchforschung der verschiedenen Gebiete zurückgeführt werden; es liegt hier zweifellos eine charakteristische Beschränkung in der Verbreitung vor. Diese Anschauung wird noch durch die Thatsache gestützt, dass die beiden Gebiete durch ganz bestimmte Gruppen charakterisirt sind. Wenn wir z. B. in dem gut durchforschten magalhaensischen Gebiet nur Formen der einen Gruppe finden (von nachweislich verschleppten

Formen der anderen Gruppe *Henlea ventriculosa* (Udek.) u. a. — abgesehen), so dürfen wir annehmen, dass die andere Gruppe hier nicht endemisch ist, also ein in gewisser Weise beschränktes Gebiet besitzt.

Die beiden besondere Gebiete aufweisenden Gruppen sind nun aber nicht nach Verwandtschaftsverhältnissen bestimmt, sondern nach der Lebensweise. Bei der Gruppirung nach der Lebensweise darf jedoch nicht zu speziell vorgegangen werden. Manche Arten sind in Bezug auf das Medium ihres Aufenthaltsortes ungemein anpassungsfähig. Für die Verbreitung der Gattung *Enchytraeus* kommt es z. B. durchaus nicht in Betracht, dass einzelne Arten sowohl terricol wie littoral oder gar lediglich terricol angetroffen werden; für die Verbreitung der Gattung ist bestimmend, dass die Thiere vorwiegend littoral sind.

Die erste Gruppe (Karte II r. o. und r. u.) enthält vorwiegend terricole Formen, aber auch amphibische und limnische. Das Gebiet dieser Gruppe ist nördlich circumpolar, es nimmt Sibirien, ganz Europa und Nordamerika ein, und zwar die gemässigten und arktischen Regionen dieser Länder, im Norden so weit polwärts gehend, wie überhaupt ein Oligochaeten-Gebiet, nämlich bis Spitzbergen, Grönland und Alaschka. Von grösseren Gattungen gehören *Henlea* (Karte II r. u.), *Mesenchytraeus* (Karte II r. o.) und *Friedericia* zu dieser Gruppe. Soweit sicher festzustellen, sind nur die Gattungen *Mesenchytraeus* und *Friedericia* circumpolar. Die Gattung *Henlea* scheint in Nordamerika nicht endemisch zu sein; die unsichere *H. socialis* (Leidy) von Pennsylvanien ist wahrscheinlich mit der vielfach verschleppten *H. ventriculosa* (Udek.) identisch, kann also nicht in Betracht kommen.

Die zweite Gruppe (Karte II l. o. und l. u.) wird von vorwiegend littoralen Gattungen gebildet, doch sind einzelne Arten der betreffenden Gattungen auch limnisch oder terricol angetroffen worden. Das Gebiet dieser Gruppe ist als Atlantisches Gebiet zu bezeichnen; es erstreckt sich von den Atlantischen Küstenländern der Arktis — von Nowaja Semlja, Spitzbergen und Grönland — bis in die antarktisch-atlantische Region — bis nach Feuerland, Süd-Georgien und den Kerguelen —. Es sind allerdings grosse Strecken dieses Gebietes noch nicht auf die Enchytraeiden-Fauna untersucht worden. Auf der amerikanischen Seite kennen wir nur Vorkommnisse von Grönland, Massachusetts, Uruguay und — besonders zahlreich — vom magalhaensischen Gebiet, auf der gegenüberliegenden Seite gar nur von Europa, während Afrika in dieser Hinsicht terra incognita ist. Von grösseren Gattungen gehören *Marionina* und *Lumbricillus* (Karte II l. u.), sowie *Enchytraeus* und *Michaelsena* (Karte II l. o.) der zweiten Gruppe an. Beachtenswerth ist die enorm weite Verbreitung einzelner Arten dieser Gruppe; so nimmt *Enchytraeus albidus* Henle das ganze oben skizzirte atlantische Gebiet ein und *Lumbricillus verrucosus* (Clap.) findet sich gleicherweise auf den Hebriden, an der französischen Küste und in Feuerland.

Was die kleineren Gattungen mit geringer Verbreitung anbetrifft, so können sie nur vermuthungsweise, nach Maassgabe ihrer biologischen Verhältnisse, in die beiden Gruppen eingeordnet werden. Da die beiden Gebiete sich im Bereich der nördlichen Atlantis überdecken, so giebt ihr Fundort — sie sind entweder europäisch oder östlich-nordamerikanisch — keinen Ausweis über ihre Zugehörigkeit. Ich glaube diese Gattungen, nämlich *Bryodrilus* (Deutschland), *Hydrenchytraeus* (Schweiz), *Buchholzia* (Dänemark, Deutschland, Schweiz, Italien), *Stercutus* (Deutschland), *Achaeta* (Deutschland, Böhmen, Schweiz, Italien) und *Distichopus* (Delaware), sämmtlich der ersten, nördlich circumpolaren Gruppe zuordnen zu müssen.

Fam. Lumbriculiden.

Systematik: Die verwandtschaftlichen Verhältnisse haben durch die neuerdings erfolgte Entdeckung zahlreicher sibirischer Formen eine unerwartete Klarstellung erfahren. Schon in der älteren Diagnose dieser Familie[1]) bildet das Stellungsverhältniss zwischen den männlichen Poren und den Samentrichtern das hauptsächlichste, allein für diese Familie, und in dieser Familie konstant, zutreffende Moment. Der betreffende Satz der Diagnose lautet: „Normalerweise 1 Paar Hoden und Samentrichter in dem Segment der männlichen Poren und meist ein zweites Paar in dem voraufgehenden Segment". Das Charakteristische dieses Momentes liegt darin, dass die Samenleiter des letzten, bezw. des einzigen Paares, sich wieder nach vorn hin wendend, in demselben Segment ausmünden, in dem ihr proximales Ende, ihr Samentrichter, liegt, während sie bei allen anderen Familien im nächstfolgenden Segment oder noch weiter hinten ausmünden. Die neu entdeckten sibirischen Formen zeigen auf das Klarste, dass dieser Verlauf der Samenleiter des hintersten, bezw. des einzigen Paares der für die Lumbriculiden normale ist, und dass die Abweichungen von diesem Verlauf — das gemeinsame Ausmünden eines etwaigen vorhergehenden Samenleiter-Paares mit jenem hinteren Paare an dem Segment, welches auf das Segment des betreffenden vorderen Samentrichter-Paares folgt — sekundär ist und lediglich Reduktionsformen darstellt. Die jüngst in mehreren Arten aufgefundene Gattung *Lamprodrilus* weist nämlich zwei (manchmal sogar noch mehrere, drei oder vier) vollständig ausgebildete und selbständig ausmündende Samenleiter-Paare auf, und zwar mündet jeder Samenleiter an demselben Segment aus, in welchem sein Samentrichter und das zugehörige Hoden-Paar liegt. Alle Lumbriculiden, bei denen zwei Paar Samenleiter gemeinsam an dem Segment des zweiten Samentrichter-Paares ausmünden, sind Reduktionsformen, dadurch entstanden, dass die Samenleiter des vorderen Paares ihre ursprüngliche selbständige Ausmündung verloren und sich den Samenleitern des zweiten Paares angeschlossen haben; das erhellt besonders aus einigen Zwischenstufen, repräsentirt durch die beiden Arten der Gattung *Rhynchelmis*, bei denen die Samenleiter des vorderen Paares sich schon an die des hinteren Paares angeschlossen haben, bei denen aber ihr im Stich gelassener selbständiger Ausmündungsapparat, das ihnen ursprünglich zugehörige Atrien-Paar (früher als Kopulationsdrüsen gedeutet) noch erhalten geblieben ist. Eine dieser beiden Arten, *R. brachycephala* Michlsn., zeigt, dass die Reduktion noch weiter gehen kann; bei diesem Lumbriculiden ist auch das vordere Samentrichter-Paar abortirt und nur ein Paar proximal blind endende vordere Samenleiter, sowie das erwähnte ebenfalls proximal blind endende vordere Atrien-Paar übrig geblieben. Bei manchen Formen, *Lumbriculus variegatus* (Müll.) und *Eclipidrilus asymmetricus* (Frank Sm.) geht die Reduktion noch weiter, sodass die vorderen Samenleiter ganz schwinden und nur ein einziges (das hintere) Paar mit dem charakteristischen Lumbriculiden-Verlauf restirt. Bei *Lumbriculus variegatus* sollen nach Vejdovsky Kopulationsdrüsen vorkommen, eine Angabe, die durch spätere Untersuchungen nicht bestätigt worden ist; es erscheint mir fraglich, ob diese Angabe auf Rudimente des vorderen Ausführungsapparates bezogen werden darf. Es muss noch die Frage erörtert werden, ob alle Lumbriculiden mit einem einzigen Paar

---

[1]) W. Michaelsen: Oligochaeta, in: Tierreich, Lief. 10 p. 56.

Samenleiter Reduktionsformen sind. Während es für *Eclipidrilus asymmetricus* wegen seiner Verwandtschaft mit den Gattungsgenossen (nachweislich Reduktionsformen) sicher und für *Lumbriculus variegatus* wegen jener fraglichen Kopulationsdrüsen wahrscheinlich ist, so erscheint es mir für die Gattung *Teleuscolex*, die in keiner Art Andeutungen eines Ueberganges (eines Restes von vorderen Samenleitern) zeigt, unwahrscheinlich. Der Charakter der Mehrzahl der Hoden- und Samenleiter-Paare, der bei den niederen Familien nie, bei den höheren Familien häufig auftritt, und auf dem die in den höheren Familien bedeutungsvollen Begriffe der Holoandrie und Meroandrie basiren, ist offenbar innerhalb der Familie *Lumbriculidae* entstanden. Dafür spricht auch die Thatsache, dass die sonst nie überschrittene Zweizahl der Paare bei einer Lumbriculiden-Art, *Lamprodrilus satyriscus* MICHLSN. mit 3 oder 4 Paar Hoden und Samenleitern, überschritten wird. Die Anzahl der Paare ist also in dieser Familie noch schwankend, und die Einzahl der Paare, wie sie *Teleuscolex* aufweist, mag nur die Bedeutung eines speziellen Falles dieses in der Familie variablen Charakters haben. Vielleicht ist diese Einzahl der Paare bei *Teleuscolex* als das ursprüngliche, als das von den niederen Familien übernommene Verhältniss anzusehen. Wir müssten demnach unterscheiden zwischen einer ursprünglichen Einzahl der Hoden- und Samentrichter-Paare *(Teleuscolex?)* und einer durch Reduktion wieder erlangten *(Eclipidrilus asymmetricus* und vielleicht *Lumbriculus variegatus)*. Wenn es also sicher ist, dass alle Gattungen mit Reduktionsformen des männlichen Ausführungsapparates von *Lamprodrilus* abzuleiten sind, so ist es fraglich, ob auch *Teleuscolex* aus *Lamprodrilus* entsprossen, oder ob umgekehrt *Lamprodrilus* durch Verdoppelung oder Vermehrung der Hoden- und Samenleiter-Paare aus *Teleuscolex* entsprossen ist. Jedenfalls repräsentirt eine dieser beiden Gattungen die ursprünglichste Form des Lumbriculiden-Stammes, aus der die anderen Gattungen sich entwickelt haben.

Die Verwandtschaftsbeziehungen zwischen diesen phyletisch jüngeren Gattungen sind ziemlich unklar; es erscheint mir vor Allem fraglich, ob die von mir zunächst als weiteres Eintheilungsmoment benutzten Charaktere — Samentaschen vor bezw. hinter den Hoden-Segmenten — eine natürliche Scheidung in echte Verwandtschaftsgruppen zu Wege bringt. Als feststehend sind nur untergeordnete Verwandtschaftsbeziehungen anzusehen, so die nahe Verwandtschaft zwischen den Gattungen *Rhynchelmis* und *Sutroa*, sowie zwischen *Stylodrilus* und *Bythonomus*.

Fam. Lumbriculidae.

Gen. **Lamprodrilus** . . .	Im
L. isoporus MICHLSN. . .	Süd-Sibirien (Baikal-See).
L. nigrescens MICHLSN. (Ms.)	Süd-Sibirien (Baikal-See).
L. polytorentus MICHLSN. .	Süd-Sibirien (Baikal-See).
L. pygmaeus MICHLSN. . .	Süd-Sibirien (Baikal-See).
L. satyriscus MICHLSN. . .	Süd-Sibirien (Baikal-See).
L. Semenkewitschi MICHLSN.	Süd-Sibirien (Baikal-See).

L. stigmatias Michlsn.. .   Süd-Sibirien (Baikal-See).

L. Tolli Michlsn.   Nord-Sibirien (mittlere Jana, Neusibirische Insel Ljachof).

L. Wagneri Michlsn.. .   Süd-Sibirien (Baikal-See).

Gen. **Teleuscolex**

T. luicalensis (Grube) . .   Süd-Sibirien (Baikal-See).

T. Grubei (Michlsn.) . .   Süd-Sibirien (Baikal-See).

T. Korotnejji (Michlsn.) .   Süd-Sibirien (Baikal-See).

Gen. **Trichodrilus** . . . .   Im

T. allobrogum Clap. . .   Schweiz (Genf).

T. inconstans (Frank Sm.)   Illinois (Havana).

T. pragensis (Vejd.) . .   Böhmen (Prag).

Gen. **Lumbriculus** . . . .

L. variegatus (Müll.) .   Grossbritannien. Dänemark, Deutschland, Russland, Böhmen, Schweiz Frankreich.

Gen. **Rhynchelmis** . . . .   Im

R. brachycephala Michlsn.   Süd-Sibirien (Baikal-See).

R. limosella Hoffmstr. .   Russland, Deutschland, Böhmen, Belgien, Italien.

Gen. **Sutroa** . . . . . .   Im

S. alpestris Eisen. . .   Kalifornien (Donner Lake in der Sierra Nevada).

S. rostrata Eisen . . . .   Kalifornien (San Francisco).

Gen. **Bythonomus** . . . .

B. asiaticus (Michlsn.) .   Süd-Sibirien(Baikal-S).

B. Lankesteri (Vejd.) . .   Böhmen (Podebrad).

B. lemani (Grube) . . .   Istrien(Zaule bei Triest). Schweiz (Genf).

Gen. **Stylodrilus** . . . .   Im

S. gabretae Vejd.. . .   Böhmen (Böhmerwald), Schweiz (Küstnach).

S. Heringianus Clap.   Im   Deutschland (Kiel), Böhmen (Hirschberg), Schweiz(Genf, Greifensee).

S. Vejdovskyi Benh.. . .   England (Goring on Thames, Cherwellriver, Cockermouth, Lodore), Schweiz (Melchsee).

Gen. **Styloscolex** . . .   **Im**
S. baicalensis Michlsn. . .   Süd-Sibirien (Baikal-See).

Gen. **Eclipidrilus** . . . .   **Im**
E. asymmetricus(Frank Sm.)   Illinois (Havana).
E. frigidus Eisen . . . .   Kalifornien (King-river in der Sierra nevada).
E. palustris (Frank Sm.) .   Florida (Polk county).

Geographische Verbreitung: Die Lumbriculiden sind rein limnisch; terricole und irgendwie saline (marine, littorale oder Brackwasser-)Vorkommnisse sind nicht gemeldet worden.

Das Gebiet dieser Familie ist auf die nördliche Erdhälfte beschränkt, und zwar nimmt es hauptsächlich die gemässigten Regionen derselben ein. Es wird südwärts nirgends der nördliche Wendekreis überschritten (südlichstes Vorkommen in Florida), während das Gebiet andererseits nordwärts stellenweise weit in die arktische Region (neusibirische Inseln) hineinreicht. Es umfasst Sibirien, ganz Europa und Nordamerika, ist also als nördlich-circumpolar zu bezeichen.

Die Vertheilung der Formen in diesem Gebiet ist eine sehr ungleiche. Es sind aus Sibirien, dessen Durchforschung erst in jüngster Zeit ernstlich in Angriff genommen ist, 15 Arten bekannt, davon 14 allein aus dem Baikal-See, dessen Durchforschung nach Maassgabe des vorliegenden Materials noch eine beträchtliche Erhöhung der Artenzahl verspricht. Aus dem doch recht gründlich durchforschten Europa kennen wir dagegen nur 9 Arten, aus ganz Nordamerika nur 5.

Es ist aber nicht allein der Reichthum an Arten, der die sibirische Lumbriculiden-Fauna charakterisiert; bedeutungsvoll ist, dass hier neben wenigen phyletisch jüngeren Formen die Wurzelform des Lumbriculiden-Stammes, die Gattung *Lamprodrilus* mit 9 Arten (oder *Teleuscolex* mit 3 Arten) vorherrscht, und dass diese Wurzelform auf dieses Sondergebiet beschränkt ist. Diese alten Formen finden sich zumeist im Baikal-See; nur eine Art, *Lamprodrilus Tolli* Michlsn., stammt aus Nord-Sibirien. Da *L. Tolli* dem *L. isoporus* Michlsn. aus dem Baikal-See sehr nahe steht, so ist vielleicht anzunehmen, dass dieses nord-sibirische Vorkommniss auf einer erst in jüngerer Zeit vor sich gegangenen Auswanderung aus dem Baikal-See beruht. Es hat also den Anschein, als sei der Baikal-See zur Zeit die eigentliche Heimath dieser phyletisch ältesten Lumbriculiden-Gruppe; ob dieser See aber von jeher der Herd des Lumbriculiden-Stammes gewesen ist, oder ob sich die alten Formen nur hier erhalten haben, in anderen Gebieten aber ausgestorben sind, muss dahingestellt bleiben. Jedenfalls geht aus diesen Verhältnissen hervor, dass dieser See als Süsswasser-See (die Lumbriculiden sind limnische Formen, die nie in salzhaltigen Oertlichkeiten angetroffen werden) ein hohes geologisches Alter hat, ein Umstand, der mit der Hypothese von der Reliktensee-Natur desselben schwer vereinbar ist. Da auch andere Thatsachen, so die geologischen Verhältnisse, gegen diese Reliktensee-Hypothese zu sprechen scheinen, so ist wohl anzunehmen, dass die Thierformen mit marinen Anklängen, auf deren Vorkommen im Baikal-See diese Hypothese beruht, erst nachträglich in diesen Süsswassersee eingewandert oder eingeschleppt sind, nachdem sie sich an anderen Orten, etwa in echten Reliktenseeen, an das Leben im Süsswasser gewöhnt haben. Beachtenswerth ist, dass der einzige andere genauer durchforschte sibirische Süsswassersee, der Teleckoë-See (Altai Nor), in dem Charakter seiner Oligochaeten-Fauna durchaus vom Baikal-See abweicht. Unter vielen Fangnummern aus dem Teleckoë-See fand sich nicht ein einziger Lumbriculide, sondern neben einigen weit verbreiteten Tubificiden nur je eine Art der Haplotaxiden-Gattungen *Haplotaxis* und *Pelodrilus*; der Teleckoë-See besitzt also anscheinend nicht das hohe geologische Alter des Baikal-Sees.

Die phylogenetisch jüngeren Gattungen mit Reduktionsform des männlichen Ausführungsapparates vertheilen sich ziemlich gleichmässig über das ganze Gebiet. Zwei Gattungen sind auf Nordamerika beschränkt, *Sutroa* (2 Arten in Kalifornien) und *Eclipidrilus* (je 1 Art in Kalifornien, Illinois und Florida). Die Gattung *Trichodrilus* ist Nordamerika (1 Art in Illinois) und Europa (je 1 Art in Böhmen und in der Schweiz) gemeinsam. Die Gattungen *Lumbriculus* (1 Art) und *Stylodrilus* (3 Arten) sind auf Europa beschränkt, hier aber weit verbreitet. Die Gattungen *Rhynchelmis* (2 Arten) und *Bythonomus* (3 Arten) sind über Europa und Sibirien verbreitet. Die Gattung *Styloscolex* (1 Art) schliesslich ist bisher nur in Sibirien, im Baikal-See gefunden worden.

Fam. **Haplotaxiden.**

Systematik: Diese kleine Familie zeigt eine sehr einfache Gliederung, eine Zweitheilung in eine hologyne und eine progyne Gattung.

Fam. **Haplotaxidae.**

Gen. **Pelodrilus**		
P. Ignatovi Michlsn. . .	lm	Süd-Sibirien(Teleckoë-See im Altai-Gebirge).
P. violaceus Bedd.	lm	Neuseeland (Ashburton auf der Südinsel).
Gen. **Haplotaxis**		
H. gordioides (G. L. Hartm.)	lm	Süd-Sibirien (Baikal-See, Teleckoë-See); Russland (Ljublin-Gouv.), Galizien, Böhmen, Deutschland, Dänemark, (Kopenhagen),Schweiz,Nord-Italien, Frankreich, England (Essex); Illinois (Champaign, Mc Lean Cast).
H. Smithi (Bedd.) . . .	lm	Neuseeland (Lake Brunner in Westland und Ashburton, beide auf der Südinsel.

Geographische Verbreitung: Die Haplotaxiden sind limnisch. Ihr Gebiet zerfällt in zwei Sondergebiete, Neuseeland mit *Pelodrilus violaceus* Bedd. und *Haplotaxis Smithi* Bedd. und das nördlich-gemässigt circumpolare Gebiet des *Haplotaxis gordioides* (G. L. Hartm.), das auch den Fundort der zweiten *Pelodrilus*-Art. *P. Ignatovi* MICHLSN., in sich fasst. Beachtenswerth ist die enorm weite Verbreitung der Gattungen und besonders auch der Art *Haplotaxis gordioides* (G. L. HARTM.)

Fam. Alluroididen.

Da diese Familie auf einer einzigen Gattung mit einer einzigen Art von einem einzigen Fundort (Britisch-Ost-Afrika) beruht, so bedarf es weiter keiner Erörterung der Systematik und geographischen Verbreitung.

Fam. Alluroididae.

Gen. **Alluroides**	**Im**	
A. Pordagei BEDD. . . .		Britisch - Ost - Afrika (Festland gegenüber der Mombassa-Insel).

Fam. Moniligastriden.

Die kleine Familie der *Moniligastridae* zeigt nur eine geringe Gliederung. Als ältester Zweig ist die holoandrische Gattung *Desmogaster* anzusehen. Aus dieser haben sich durch Verschiebung der Geschlechtsorgane (mit Ausnahme der Samentaschen) nach vorn (um 1 Segment bei *Eupolygaster*, um 2 Segmente bei *Drawida*) und durch Reduktion der männlichen Gonaden und Ausführungsapparate auf ein Paar[1]) die proandrische Gattung *Eupolygaster* und die metandrische Gattung *Drawida* unabhängig von einander entwickelt.

Wie die vierte und letzte Moniligastriden-Gattung, *Moniligaster*, sich zu den übrigen Gattungen stellt, ist nicht klar ersichtlich, da ihre einzige Art, *M. Deshayesi* E. PERR., nicht genügend bekannt ist. *Moniligaster* ist jedenfalls auch meroandrisch, durch Reduktion aus *Desmogaster* hervorgegangen, ob direkt oder indirekt, ist fraglich. Vielleicht steht sie zu *Eupolygaster* in etwas näherer Beziehung.

Fam. Moniligastridae.

Gen. **Desmogaster**	**tr**	
D. Doriae ROSA		**Birma**(DistriktChebaoder Biapô).
D. Giardi HORST		**Borneo** (Nanga Raoen).
D. Horsti BEDD. . . .		**Sumatra**(BergSingalang).
D. Schildi ROSA		**Sumatra** (Pahang).
Gen. **Moniligaster** . . .		
M. Deshayesi E. PERRIER .		**Ceylon.**
Gen. **Eupolygaster** . . .	**tr**	
E. coerulea (HORST) . .		**Borneo** (Goenong Kenepai).
E. Houteni (HORST) . . .		**Sumatra** (Tapanuli).
E. Modiglianii (ROSA) . .		**Sumatra**(BassaSi-Rambé).

[1]) Vergl. D. ROSA: I. Lombrichi raccolti a Sumatra dal Dott. ELIO MODIGLIANI, in Ann. Mus. Genova, Ser. 2. Vol. XVI (XXXVI), p. 506--509. — ROSA's „Moniligaster di BOVRNE" entspricht der Gattung *Drawida* MICHLSN., seine „Moniligaster *Modiglianii*" der Gattung *Eupolygaster* MICHLSN. Die *Moniligaster Deshayesi* reiht ROSA hier der letzteren Gruppe, der er in Folge dessen die Bezeichnung *Moniligaster* lässt, an.

Michaelsen, Geographische Verbreitung der Oligochaeten. 5

E. sp. inquirenda	**Borneo** (Sarawak).	
Gen. **Drawida**	tr	
D. bahamensis (BEDD.) . .	(Bahama-Inseln).	Aus den Kew gardens, Fundortsangabe verdächtig.
D. Barwelli (BEDD.)	Philippinen (Manila);	Peregrin.
	Birma (Distrikt Podaung oder Asciuii Ghecu).	
D. Bournei (MICHLSN.) . .	**Ceylon** (Candy, Colombo, Westprovinz).	
D. Burchardi MICHLSN. .	**Sumatra** (Indragira).	
D. chlorina (BOURNE) . .	**Vorderindien** (Ootacomund).	
D. Friderici (MICHLSN.) .	**Ceylon** (Trincomale).	
D. grandis (BOURNE) . .	**Vorderindien** (Nilgiri).	
D. japonica (MICHLSN.) .	**Japan.**	
D. minuta (BOURNE) . .	**Vorderindien** (Madras-Distrikt).	
D. naduvatamensis (BOURNE)	**Vorderindien** (Nilgiri, Naduvatam).	
D. nilambarensis (BOURNE)	**Vorderindien** (Nilambur).	
D. parra (BOURNE) . . .	**Vorderindien** (Ootacomund).	
D. Pauli (MICHLSN.) . .	**Ceylon** (Trincomale).	
D. pellucida (BOURNE) . .	**Vorderindien** (Ootacomund. Naduvatam).	
D. robusta (BOURNE) . .	**Vorderindien** (Nilgiri).	
D. sapphirinaoides (BOURNE)	**Vorderindien** (Nilgiri).	
D. uniqua (BOURNE) . .	**Vorderindien** (Ootacomund. Coonoor).	
D. sp. div. inquirendae . .	Vorderindien (Nilgiri); Flores (Kotting).	

Geographische Verbreitung: Die Moniligastriden sind wahrscheinlich rein terricol. Die einzelnen Arten zeigen meist eine sehr geringe Verbreitung. Eine Ausnahme bildet nur *Drawida Barwelli* (BEDD.), die ihre weite Verbreitung (Birma-Philippinen, vielleicht gehört auch der Fund von Flores hierher) wohl einer Verschleppung durch den Menschen verdankt. Das Hauptgebiet der Moniligastriden ist auf einen kleinen Theil Süd-Asiens (Birma, Vorderindien und Ceylon) und des daran grenzenden malayischen Archipels (Sumatra, Borneo) beschränkt. Dazu kommt der ziemlich weit isolirte Fundort „Japan", weit isolirt, insofern der Fundort „Philippinen" sich auf eine weit verbreitete, wahrscheinlich verschleppte Form bezieht, für uns also hier nicht in Betracht kommt. Ich halte es nicht für ausgeschlossen, dass sich die betreffende japanische Form, *Drawida japonica* (MICHLSN.), später als in Japan eingeschleppt ausweise.

Die Stammgattung *Desmogaster* ist im indo-malayischen Gebiet, auf Sumatra und Borneo, beheimathet, die jüngeren Gattungen zeigen theils eine ähnliche Beschränkung (*Eupolygaster* auf Sumatra und Borneo beschränkt), theils eine etwas weitere Verbreitung nach Westen hin (*Drawida* von Sumatra bis nach Ceylon und dem südlichen Vorderindien verbreitet). Die auf einer einzigen, ziemlich unklaren Art beruhende Gattung *Moniligaster* von Ceylon bietet in ihrem Auftreten nichts Bemerkenswerthes.

Fam. Megascoleciden.

Systematik: Die Familie der Megascoleciden ist die grösste der Oligochaeten-Familien und zeigt zugleich die reichste systematische Gliederung. Sie spaltet sich in verschiedene Reihen, denen entweder eine einzelne Unterfamilie oder eine kleine Gruppe von Unterfamilien unseres Systems entspricht. Bevor ich auf die Charakterisirung dieser Reihen eingehe, habe ich einige allgemeine morphologische Verhältnisse zu erörtern:

In verschiedenen Reihen tritt eine Form auf, die ich als acanthodriline Form des männlichen Geschlechtsapparates bezeichnet habe.[1]) Bei dieser Form münden die Samenleiter am 18. Segment und je ein Paar schlauchförmige Prostatadrüsen am 17. und 19. Segment, je ein Paar Samentaschen auf Intersegmentalfurche $\frac{7}{8}$ und $\frac{8}{9}$ aus. Diese Form, die sich in den verschiedenen Reihen in verschiedenem Grade erhalten hat, ist als die phyletische Grundform anzusehen, aus der sich auf verschiedenen Wegen andere Formen entwickelt haben. Die Annahme, dass die acanthodriline Form konvergent in den verschiedenen Reihen sich aus den verschiedenen anderen Formen des Geschlechtsapparates entwickelt haben könne, ist ausgeschlossen; dazu ist die acanthodriline Form zu komplizirt und zu scharf spezialisirt. Der ursprünglichen acanthodrilinen Form des männlichen Geschlechtsapparates stehen verschiedene Reduktionsformen gegenüber. Als microscolecine Form bezeichne ich jene, bei der nur die vorderen Prostaten des 17. Segments unverändert blieben, während die des hinteren Paares schwanden, und sich die männlichen Poren mehr oder weniger weit den vorderen Prostata-Poren näherten. Als balantine Form ist der sehr seltene (nur bei einer einzigen Art festgestellte) Fall zu bezeichnen, wo die vorderen Prostaten schwinden und die männlichen Poren an die allein übrig bleibenden Prostata-Poren des hinteren Paares am 19. Segment heranrücken. Bei der megascolecinen Form des männlichen Apparates schwinden beide ursprünglichen Prostaten-Paare, die männlichen Poren bleiben am 18. Segment, und am distalen Endtheil der Samenleiter scheint eine neue Art von Prostaten (Euprostaten) zu entstehen. (Es ist noch nicht ganz sicher entschieden, ob diese den Samenleiter-Enden aufsitzenden Prostaten der Megascolecinen-Unterfamilie wirklich eine ganz unabhängige Bildung sind, oder ob sie den ursprünglichen Acanthodrilinen-Prostaten homolog seien. Da diese letzteren zweifellos als modifizirte Borstendrüsen anzusehen sind, homolog den in allgemeinerer Anordnung auftretenden Borstendrüsen vieler Glossoscoleciden (z. B. *Microchaeta sp. sp.*), so ist ihre Homologie mit jenen Euprostaten, die sich als drüsige Wucherungen der distalen Samenleiter-Enden darstellen, zum mindesten unwahrscheinlich.)

Als Konvergenzerscheinung aber ist eine gewisse Bildung zu erklären, die bei verschiedenen Reihen der Megascoleciden auftritt, nämlich die perichaetine Borstenanordnung, eine Vermehrung der Borsten über die normale Zahl (8 an einem Segment) hinaus und eine ringförmige Anordnung derselben. Dass sich ein derartiger Zustand mehrfach und unabhängig in verschiedenen Reihen ausbilden konnte, erscheint erklärlich, wenn man bedenkt, wie vortheilhaft dieser Zustand für die Fortbewegung der Thiere ist.

---

[1]) W. MICHAELSEN: Zur Systematik der Regenwürmer, in: Verh. Ver. Hamburg. III F., Bd. 2, p. 22.

Dieselben leben meist in vorwiegend senkrecht verlaufenden glattwandigen Erdröhren, in denen sie auf- und absteigen, bezw. sich festhalten, indem sie durch partielle Aufblähung des Körpers ihre durch die Borsten rauh gemachte Körperoberfläche allseitig gegen die Wandung der Erdröhre pressen. Nur die Vererbungsfestigkeit des ursprünglichen Charakters (8 Borsten an einem Segment) widersteht dieser Bildung. Thatsächlich sehen wir bei vielen Oligochaeten eine ähnliche Anordnung unter Festhalten an diesem Charakter erreicht. Bei *Helodrilus octaedrus* (Sav.), z. B. sind die 8 Borstenreihen fast gleichmässig über den Körperumfang vertheilt. Andere Regenwürmer. z. B. *Pontoscolex corethrurus* (Fr. Müll.), erreichen das Ziel, eine möglichst gleichmässige Vertheilung der Borsten am Körperumfang, dadurch, dass sich die Borsten der verschiedenen Segmente alternirend verschieden anordnen, so dass sich bei gleichbleibender Zahl der Borsten eines Segments doch die Zahl der Borstenlinien vermehrt. In allen Fällen ist die perichaetine Borstenanordnung als etwas sekundäres anzusehen. Das ursprüngliche ist die Anordnung der Borsten in 4 Gruppen — bei den höheren Familien 4 Paaren — an einem Segment.

Als sekundär ist auch der plectonephridische Zustand anzusehen. Wie alle niederen Oligochaeten, so sind auch die Wurzelglieder der Fam. *Megascolecidae* einfach (jederseits einreihig) meganephridisch. Erst durch Theilung der Meganephridien entstehen sekundär Micronephridien und der diffus-plectonephridische Zustand.

Als Wurzelglied der Fam. *Megascolecidae* ist eine Form anzusehen, die folgenden Bedingungen entspricht: Sie muss einen acanthodrilinen männlichen Geschlechtsapparat haben, holoandrisch sein und zwei Paar auf Intersegmentalfurche ⁷/₈ und ⁸/₉ ausmündende Samentaschen besitzen; sie muss einen einfach meganephridischen Zustand und die ursprüngliche lumbricine Borstenanordnung aufweisen, sowie auch in anderen Beziehungen die einfachere Bildung repräsentiren, einfacher gegenüber den bei jüngeren Abzweigungen auftretenden Spezialisirungen in der Ausbildung gewisser Organe. Diesen Bedingungen entspricht die Gattung *Notiodrilus*. Wir müssen die Arten dieser Gattung als die nur wenig veränderten Repräsentanten der acanthodrilinen Urform ansehen, jener Urform, aus der die ganze Fam. *Megascolecidae* entsprossen ist, und die auch der Urform der Fam. *Moniligastridae* (Repräsentant: Gattung *Desmogaster*) nahe steht.

Im System waren die Repräsentanten dieser Urform nicht leicht unterzubringen: stehen sie doch in gewisser Beziehung zu sämmtlichen Zweigen des Stammbaumes, der aus ihnen entsprossen. Es lassen sich wohl die scharf spezialisirten Zweige dieses Stammbaumes sauber abtrennen; doch bleiben die undefinirbaren Stümpfchen am Stamm sitzen. So lässt sich die der Gattung *Notiodrilus* so nahe stehende Gattung *Microscolex* schwerlich abtrennen, trotzdem sie schon sekundäre Charaktere — sie ist nicht mehr acanthodrilin — erworben hat. Es war ein ziemlich willkürliches Vorgehen, als ich das Wurzelglied (die Urform *Notiodrilus*) mit einigen nahe beieinander, aber gesondert sprossenden Zweigen (der Gattung *Microscolex*, *Acanthodrilus* und *Maheina*, sowie den *Neodrilus*- und *Chilota*-Gruppen) vereint liess und als Unterfamilie *Acanthodrilinae* zusammenfasste. Es könnte gerechtfertigt erscheinen, dass wenigstens die grösseren Zweige (die *Neodrilus*- und *Chilota*-Gruppen) abgetrennt und als gesonderte Unterfamilien geführt würden; hier mag der Hinweis auf dieses Verhältniss genügen.

Unterfam. **Acanthodrilinen.**

Systematik: Wie schon oben erwähnt, zerfällt die Unterfamilie *Acantho-drilinae* in eine kleine Anzahl verschieden grosse Reihen, die sämmtlich in der Megascoleciden-Urform, der Gattung *Notiodrilus*, zusammenlaufen.

Dieser Gattung *Notiodrilus* zunächst, und zwar besonders jener Gruppe ohne Muskelmagen oder mit rudimentärem, steht die Gattung *Microscolex*, lediglich durch die microscolecine Form des männlichen Geschlechtsapparates von *Notiodrilus* unterschieden. Unsere Kenntniss von dieser Gattung ist noch sehr unklar. Es sind von verschiedenen Forschern viele Arten beschrieben worden; ich hege jedoch die Vermuthung, dass sämmtliche ausser-neuseeländischen Formen sich später auf die beiden weit verschleppten Formen *M. dubius* (Fletch.) (grössere Form ohne Samentaschen) und *M. phosphoreus* (Ant. Dugès) (kleinere Form mit Samentaschen und 2 Divertikeln) reduziren werden. Wie jüngst Cognetti[1]) nachwies, ist *M. phosphoreus* durchaus identisch mit *M. Hempeli* (Fr. Smith); dass auch *M. phosphoreus* je zwei Divertikel an den Samentaschen besitzt, ist von Rosa und anderen Forschern (von mir selbst z. B.) nur übersehen worden. Sollte *M. Horsti* Eisen, der dieser Form so nahe steht, wirklich nur ein einziges Divertikel an den Samentaschen tragen? War das zweite der zarten Divertikel (es lag nur ein einziges Exemplar vor!) nicht etwa bei der Präparation abgerissen? Der Hauptunterschied der verschiedenen Formen liegt in der Stärke der Konvergenz der ventralen Borstenlinien gegen die männlichen Poren und gegen die Samentaschen-Poren. Nun ist aber die ventrale Leibeswand an Vorderkörper sehr kontraktil; meist rollen sich die absterbenden Thiere ventralwärts ein. Ein verschiedener Grad dieser Einrollung hat aber einen verschiedenen Grad der Konvergenz der Borstenlinien zur Folge. Die beiden Regionen der männlichen und der Samentaschen-Poren zeigen im Zusammenhang mit der geschlechtlichen Funktion (dem Zusammenhalten bei der Begattung) eine Sonderausbildung der Muskulatur, und diese giebt sich bei der Konservirung durch eine besondere Kontraktionsart kund, die in mehr oder weniger starkem Grade hervortreten und demnach sehr verschiedenartige Bilder über den Verlauf der Borstenlinien ergeben kann. Auch ist wohl mit den verschiedenen Graden der Pubertät eine verschiedenartige Kontraktionsfähigkeit verbunden. Dazu kommt die Schwierigkeit der Darstellung des Grades der Borstenlinien-Konvergenz. Ich wage zu behaupten, dass nicht eines der vorliegenden schematischen Zeichnungen ein ganz korrektes Bild von dem Verlauf der Borstenlinien giebt. Mir ist bisher kein *Microscolex* zu Gesicht gekommen, der nicht am Vorderkörper wenigstens eine geringe Krümmung aufwies. Ein Liniensystem auf einem gebogenen Zylinder lässt sich aber nicht ohne Verschiebung der Linien auf eine Ebene übertragen. Dass schon bei der Auseinanderfaltung der Haut bei der Präparation der Thiere eine ganz unkontrollirbare Zerrung oder partielle Zusammenpressung stattfindet, muss auch noch in Rücksicht gezogen werden. Von dieser besonderen Kontraktilität, die natürlich in den Zonen der Geschlechtsporen ihr Maximum erreicht, mag auch die Lage der männlichen Poren und der Samentaschen-Poren in Bezug auf die der nächsten, aber doch einer anderen Zone angehörenden Borsten beeinflusst werden. Wenn

---

[1]) L. Cognetti: Gli Oligocheti della Sardegna; in: Boll. Mus. Torino, V. XVI. Nr. 404, p. 12.

sich die Muskulatur zwischen den männlichen Poren stärker kontrahirt, so bildet sie eine papillenartige Hervorragung und zerrt die männlichen Poren, bis sie medial von den Borsten *a* der benachbarten Segmente zu liegen scheinen (*M. Horsti* (Eisen)). Für ebensowenig belangreich halte ich den Unterschied in der Lage der Samentaschen-Poren zwischen Borstenlinien *a* und *b* und auf den Borstenlinien *a*. Subjektiv ist auch die Anschauung über das Vorhandensein eines rudimentären Muskelmagens oder das Fehlen desselben. Eine Muskulatur ist am Oesophagus stets vorhanden. Wenn ich in obiger Liste *M. Horsti* und *M. Trogeri* (Eisen) trotzdem noch gesondert aufführe, so geschieht es unter Zurücksetzung meiner subjektiven Anschauung, in Hinsicht auf die hypothetische Natur der obigen Erörterungen. Ich vereine mit *M. phosphoreus* (Ant. Dug.) jedoch *M. noraezelandiae* Bedd., *M. Benhami* (Eisen), *M. algeriensis* Bedd. (die winzigen Penialborsten sind, wenn nicht ausgefallen, wohl übersehen worden), *M. parvus* Eisen und — nach dem Vorgange Cognetti's — *M. Hempeli* Fr. Smith; ich vereine mit *M. dubius* (Fletch.) nach Untersuchung typischer Exemplare *M. elegans* (Eisen) und nach Untersuchung eines Stückes von Menorca [1]) *M. Poulteni* Bedd. und *M. carolinae* Eisen. *M. monticola* Bedd. halte ich hauptsächlich wegen der langen Prostaten für eine besondere Art. Die Gattung *Rhododrilus* mit der einzigen Art *R. minutus* Bedd. vereine ich nach dem Vorgange Beddard's und Benham's mit der Gattung *Microscolex*.

Einen scharf gesonderten Zweig der Unterfamilie *Acanthodrilinae* bildet die *Neodrilus*-Gruppe, durch eine mehr oder weniger regelmässige Alternation in der Lage der Nephridialporen charakterisirt. Benham will in einer neueren Abhandlung [2]) die Bedeutung dieses Charakters nicht in vollem Maasse anerkennen und *Maoridrilus*, die acanthodriline Form dieser Gruppe, lediglich als Untergattung der weiten Gattung *Acanthodrilus* anerkennen, während er der microscolecinen und der acanthodrilin-perichaetinen Form, *Neodrilus* und *Plagiochaeta*, Gattungsrang belässt. Ich muss dem durchaus widersprechen. Es handelt sich hier nicht um einen unbedeutenden rein äusserlichen Charakter, sondern um einen in der inneren Organisation begründeten; hat doch Benham selbst nachgewiesen (l. c. p. 126), dass der Verschiedenheit in der Lage der Nephridialporen eine Verschiedenheit im Bau der Nephridien entspricht. Es handelt sich auch nicht um einen Charakter, der nur bei einzelnen Arten einer einzigen Gattung, sondern bei einer Gruppe von Gattungen vorkommt, deren einzelne Glieder nicht verschieden behandelt werden dürfen, insofern die einen selbständig erhalten werden, während ein anderes einem ganz anders gearteten Formenkreise angeschlossen werden soll. Wie die scharfe Beschränkung in der geographischen Verbreitung ersehen lässt — sämmtliche Formen der betreffenden Gruppe sind neuseeländisch — ist der entscheidende Charakter ein durchaus natürlicher. Die Formen dieser Gruppe sind unter sich näher verwandt als eines der Glieder mit Formen, die ausserhalb dieser Gruppe stehen. Ich glaube genugsam nachgewiesen zu haben, dass der acanthodriline Charakter, das einzige Band zwischen *Maoridrilus* und der alten, weiten Gattung *Acanthodrilus*, die ihm früher beigemessene Bedeutung nicht besitzt. — Als Wurzelgattung der *Neodrilus*-Gruppe ist die acanthodriline Gattung

[1]) W. Michaelsen: Oligochaeten des Naturhistorischen Museums in Hamburg. IV; in: Mt. Mus. Hamburg, Bd. VIII, p. 317.
[2]) W. B. Benham: An Account of *Acanthodrilus uliginosus* Hutton; in: Trans. New Zealand Inst., 1900, p. 123.

Maoridrilus anzusehen; aus dieser hat sich die Gattung *Neodrilus* durch microscolecine Umwandlung des Geschlechtsapparats, die Gattung *Plagiochaeta* durch Erwerb einer perichaetinen Borstenanordnung entwickelt.

Einen ebenfalls recht ansehnlichen Zweig der Acanthodrilinen-Unterfamilie bildet die *Chilota*-Gruppe, durch Proandrie charakterisirt. Wir haben in dieser Gruppe wieder die ursprünglichere acanthodriline Gattung *Chilota* und eine durch microscolecine Umwandlung aus dieser hervorgegangene Gattung *Yagansia* zu unterscheiden.

Ausser diesen Hauptgruppen enthält die Unterfamilie *Acanthodrilinae* noch einige winzige Zweige, aus je einer Gattung mit je einer Art bestehend, die selbständig aus der Wurzelgattung *Notiodrilus* entsprossen zu sein scheinen, die Gattung *Acanthodrilus* (s. s.) mit *A. ungulatus* E. Perrier, die Gattung *Diplotrema* mit *D. fragilis* W. B. Sp., die Gattung *Maheina* mit *M. Braueri* (Michlsn.) und die Gattung *Howascolex* mit *H. madagascariensis* Michlsn. Einzelne dieser kleinen Zweige scheinen Beziehungen zu anderen Unterfamilien der Megascoleciden zu vermitteln. So scheint die Gattung *Diplotrema*, die von ihrem Autor zwischen zwei typische Gattungen der Unterfamilie *Megascolecinae* gestellt wurde, ein Zwischenglied zwischen der Wurzel der Megascoleciden, der Acanthodrilinen-Gattung *Notiodrilus*, und der Unterfamilie *Megascolecinae* zu sein; während die Gattung *Howascolex* von den Acanthodrilinen zu der *Octochaetus-Dichogaster*-Reihe hinneigt.

Folgende Skizze mag die Verwandtschaftsverhältnisse der Unterfamilie *Acanthodrilinae* illustriren.

Fam. **Megascolecidae.**

Subfam. **Acanthodrilinae.**

Gen. **Notiodrilus**	Vor- wieg. tr	
N. albus (Bedd.)		**Chile** (Corral).
N. annectens (Bedd.) . .		**Neuseeland** (Ashburton auf der Südinsel).
N. aquarum dulcium (Bedd.)	lm, ?lt	Falkland-Inseln.
N. arenarius (Bedd.) . .		**Kapland** (Wynberg).
N. arundinis (Bedd.) . .		**Kapland** (Kapstadt).
N. australis (Michlsn.) .		**Nord-Australien** (Cape York).

N. Borei (Rosa)	tr. hosp. lt?	Argentinien (Buenos Ayres), Süd-Patagonien, Süd-Feuerland, Süd-Feuerländischer Archipel, Falkland-Inseln (Port Stanley).	Peregrin, vielleicht auch hospitirend littoral wie der nahe verwandte *N. kerguelarum.*
N. crystallifer (Eisen) . .		Guatemala (Tactic bei Coban).	
N. eremus (W. B. Sp.) . .		Zentral-Australien(James Range, George Gill Range, Mc. Donnell Range).	
N. falcatus (Bedd.) . . .		Kapland (Cape Flats bei Kapstadt).	
N. falclandicus (Bedd.) .	tr, hosp. lt?	Falkland-Inseln.	Vielleicht hospitirend littoral wie der nahe verwandte *N. kerguelarum.*
N. georgianus (Michlsn.) forma typica	lt	Süd-Georgien.	Littoral angetroffen, wahrscheinlich wie der verwandte *N. kerguelarum* hospitirend littoral.
var. *laevis* Rosa		Süd-Patagonien (Laguna Rica).	
N. Hansi Michlsn. . . .		Kapland (Port Elizabeth).	
N. haplocystis (Benh.) . .		Snares Isl.	
N. kerguelarum (Grube) .	tr. lt	Kerguelen-Inseln. Marion Ins.	Hospitirendlittoral.
N. kerguelenensis (Lank.).	?tr, ?lt	Kerguelen-Inseln.	Mit voriger Art verwandt, wahrscheinlich ebenfalls hospitirend littoral.
N. Luisae Michlsn. . .		Kapland (Port Elizabeth).	
N. Macleayi (Fletch.)		Nordwest-Australien (Napier Range).	
N. macquariensis (Bedd.).	?tr, ?lt	Macquarie-Inseln.	Wahrscheinlich hospitirend littoral wie der nahe verwandte *N. kerguelarum.*
N. magellanicus (Bedd.) .		Süd-Patagonien (Elizabeth Isl.).	
N. majungianus (Michlsn.)		Madagaskar (Majunga).	
N. obtusus (F. Perrier) .		Neu-Kaledonien.	
N. occidentalis (Bedd.). .		Chile (Valparaiso).	
N. paludosus (Bedd.) .		Neuseeland.	
N. Philippii Michlsn. . .		Chile (Lota).	

N. Schmardae (BEDD.)		Queensland (Rockhampton).	
N. Silvestrii ROSA		Süd-Patagonien (am Rio Santa Cruz).	
N. tamajusi (EISEN)		Guatemala (Tamaju).	
N. Vasliti (EISEN)		Mexico (Tepic).	
N. Voeltzkowi (MICHLSN.)		Madagaskar (Majunga).	
N. Whitmani EISEN		Guatemala (Coban).	
N. sp. *(crozetensis* MICHLSN. Ms.)		Crozet-Inseln (Possession-Insel).	Wahrscheinlich hospitirend littoral wie der nahe verwandte *N. kerguelarum.*
N. sp. inquirenda		Süd-Patagonien (am Rio Santa Cruz).	
N(?) valdiviae MICHLSN.		Ober-Guinea (Victoria in Kamerun).	Die Zugehörigkeit zur Gattung *Notiodrilus* ist nicht ganz sicher.
Gen. **Microscolex**	tr, lt		
M. dubius (FLETCH.)	tr, hosp. lt	Neuseeland. Norfolk-Ins.; Tasmanien. Süd-Austral., New-South-Wales; Kapland: Kephalonia, Balearen: Madeira, Kanarische Ins.: Uruguay, Argentinien, Paraguay, Chile: Nord-Carolina, Kaliforn.	Peregrin, häufig in Gärtnereien, der Verschleppung ausgesetzt, dazu hospitirend littoral.
M. Horsti (EISEN)		[Kalifornien (San Francisco, angeblich von den Hawayischen Inseln eingeschleppt).]	Nur nach Notizen aus Gärtnereien. Herkunfts-Angabe sehr unsicher. Vielleicht artlich mit dem peregrinen *M. phosphoreus* zu vereinen.
M. Huttoni BENH.		Chatham-Isl.	
M. minutus (BEDD.)		Neuseeland.	
M. monticola BEDD.		Neuseeland (Berg Pirongea auf Auckland).	
M. phosphoreus (ANT. DUG.)	tr, hosp. lt	Neuseeland: Kapland, Algier: Italien, Sardinien, Frankreich, Schweiz, Deutschl.; Kanarische Inseln; Brasilien, Paraguay, Argentinien, Chile, Süd-Patagonien; Florida, Nord-Carolina, Kalifornien.	Peregrin, häufig in Gärtnereien, nachweislich verschleppbar, dazu hospitirend littoral.

Acanthodrilinea.

M. Trageri (Eisen) . . .	Kalifornien, Nieder-Kalifornien, Mexico(Orizaba).	Peregrin, manchmal in Gärtnereien, der Verschleppung zugänglich. Vielleicht artlich mit dem peregrinen *M. phosphoreus* zu vereinen.
Gen. **Maoridrilus** . . . . tr		
M. dissimilis (Bedd.) . .	Neuseeland (Ashburton auf d. Südinsel).	
M. Parkeri (Bedd.) . . .	Neuseeland.	
M. plumbeus (Bedd.) . .	Neuseeland (Berg Pirongea auf Auckland).	
M. Rosae (Bedd.)	Neuseeland (Ashburton auf d. Südinsel).	
M. Smithi (Bedd.)	Neuseeland (Albury auf d. Südinsel).	
M. tetragonurus Michlsn. .	Neuseeland (Stephens-Insel in der Cook-Str.).	
M. uliginosus (Hutt.) . .	Neuseeland Dunedin auf d. Südinsel).	
Gen. **Neodrilus** . . . . tr		
N. monocystis Bedd.	Neuseeland (Mangatua u. Dunedin auf d. Südinsel).	
Gen. **Plagiochaeta** . . . tr		
P. lineata (Hutt.) . . .	Neuseeland (Queenstown auf der Südinsel).	
P. punctata Benh. . . .	Neuseeland (Mangatua auf d. Südinsel).	
P. sylvestris (Hutt.) . .	Neuseeland (Dunedin auf d. Südinsel).	
Gen. **Acanthodrilus** . . .		
A. ungulatus E. Perrier .	Neu-Kaledonien.	
Gen. **Diplotrema** . . .		
D. fragilis W. B. Sp. . .	Queensland (Gayndah).	
Gen. **Maheina** . . . . tr		
M. Braueri (Michlsn.) . .	Seychellen (Ins. Mahé).	
Gen. **Howascolex** . . . . tr		
H. madagascariensis Michls.	Madagaskar (Andrahomana).	
Gen. **Chilota** . . . . . . Vorwieg. tr		
C. africanus (Bedd.). . .	Kapland (Stadt George in Knysna).	
C. algoënsis Michlsn. . .	Kapland (Port Elizabeth).	
C. Beckmanni Michlsn. . .	Chile (Valdivia).	
C. Bartelseni Michlsn. . .	Chile (Valparaiso).	
C. bicinctus (Bedd.) . . .	Feuerland. Süd-Patagonien.	
C. Brunni Michlsn. . .	Kapland (Port Elizabeth).	

C. capensis (Bedd.) ...		Kapland (Kapstadt).	
C. carnens (Bedd.) ...		Chile (Peña Blanca bei Quilpué).	
C. chilensis (Bedd.) ...		Chile (Valdivia).	
C. cingulatus (Bedd.) .		Chile (Valdivia).	
C. corralensis (Bedd.) .		Chile (Corral).	
C. Dalei (Bedd.)		Falkland-Ins. (Port Stanley a. d. Ostinsel).	
C. decipiens (Bedd.) ...		Chile (Valdivia).	
C. elizabethae Michlsn..		Kapland (Port Elizabeth).	
C. eseni (Rosa)		Kapverdesche Ins. (S. Antonio).	Eingeschleppt?
C. Fehlandti Michlsn...		Chile (Valdivia).	
C. Hilgeri Michlsn....		Chile (Corral).	
C. Lossbergi Michlsn...		Chile (Valdivia).	
C. lucifugus (Bedd.)...		Kapland (Knysna Forest).	
C. minutus (Bedd.) ...		Chile (Valdivia).	
C. patagonicus (King.)..	tr, hosp. lt?	Feuerland. Süd-Patagonien: Chile (nördl. bis Valdivia).	Peregrin, wahrscheinlich hospitirend littoral.
C. photodilus (Bedd.) ..		Kapland (Knysna Forest).	
C. Platei (Michlsn.)...		Chile (Corral).	
C. platyurus (Michlsn.) .		Chile (Valdivia).	
C. Purcelli (Bedd.) ...		Kapland (Umgeg. v. Kapstadt).	
C. putablensis (Bedd.)..		Chile (Putabla bei Valdivia).	
C. Sclateri (Bedd.) ...		Kapland (Kapstadt).	
C. simulans (Bedd.) ...		Chile (Corral).	
C. valdiriensis (Bedd.)..		Chile (Valdivia).	
C. Wahlbergi Michlsn...		Kaffernland.	
C. sp. inquirenda		Kapland (Knysna Forest).	
Gen. Yagansia	tr	West-Argentinien (Lesser und Tala in d. Provinz Salta, San Pablo i. d. Prov. Tucuman).	
Y. Beddardi (Rosa)...			
Y. corralensis (Bedd.) ..		Chile (Corral).	
Y. Deljini Michlsn....		Chile (Araucani).	
Y. diversicolor (Bedd.)..		Chile (Valdivia, Corral).	
Y. gracilis (Bedd.) ...		Feuerländ. Arch., Feuerland.	
Y. grisea (Bedd.)		Chile (Valparaiso).	
Y. Kinbergi Michlsn...		Kaffernland.	
Y. longiseta (Bedd.)...		Feuerland. Feuerländ. Arch.	
Y. Michaelseni (Bedd.)..		Feuerland, Feuerländ. Arch., Süd-Patagonien (Punta-Arenas).	
Y. pallida (Michlsn.)..		Chile (Corral).	

V. papillosa (BEDD.)

V. robusta (BEDD.) . . .

V. spatulifera (MICHLSN.) .

Feuerland, Feuerländ. Arch., Süd-Patagonien (Punta-Arenas, Smyth Channel).

Chile (Valdivia).

Chile (Corral, Valdivia, Lota).

Geographische Verbreitung: Es ist zunächst zu erörtern die Verbreitung der Urform, der Gattung *Notiodrilus*, aus der nicht nur die Unterfamilie der Acanthodrilinen, sondern die ganze Familie der Megascoleciden entsprossen ist. Die Gattung *Notiodrilus* kommt endemisch vor auf Neuseeland mit den Chatham-Inseln und den Snares Inseln, auf Neu-Kaledonien und in Australien, auf Madagaskar und im südlichsten Afrika, im tropischen Westafrika(?), auf den Inseln des subantarktischen Meeres, den Macquerie-Inseln, den Kerguelen, den Crozet-Inseln, der Marion-Insel und Süd-Georgien, auf den Falkland-Inseln und im südlichsten Südamerika, von wo es sich im Cordilleren-Gebiet bis Zentral-Chile (Valparaiso) hinauf erstreckt, um schliesslich auch noch im Cordilleren-Gebiet Zentralamerikas eine Exclave zu bilden. Meist finden sich in diesen Einzelgebieten mehrere Arten, während die Gattung in den verbindenden Gebieten ganz zu fehlen scheint. Wir haben hier also die typische Verbreitung einer zersprengten Formengruppe vor uns, deren weit isolirte Gebiete in der Vorzeit zweifellos einmal durch den Mitbesitz verbindender Gebiete vereint gewesen sind. Die jetzigen Vorkommnisse stellen sich dar als Relikte einer früheren allgemeineren Verbreitung, und ihre Reliktennatur ist auch durch den Charakter der betreffenden Fundgebiete sehr wohl markirt: Wir finden diese Ueberreste zunächst auf den frühzeitig von den grösseren Festländern losgelösten, und dadurch vor der Einwanderung der verbreitungskräftigeren jüngeren Terricolen geschützten Inseln (Neuseeland, Chatham Inseln, Snares Inseln, Neu-Kaledonien, Madagaskar — das Vorkommen von Notiodrilen auf den Inseln des subantarktischen Meeres ist unten besonders zu erörtern). Ferner scheinen sie zurückgedrängt auf die Südspitzen der Kontinente (Australien, südlichstes Afrika und Südamerika). Dann treten sie auf in den schwer zugänglichen Cordilleren Amerikas, sowie unter dem Schutze jener Cordilleren in dem schmalen Streifen an der Westseite dieses Kontinents; auch das zweifelhafte Vorkommen in den Kameruner Bergen würde in diese Kategorie zu rechnen sein. Besonders charakteristisch sind die Vorkommnisse in den durch breite Wüstenstrecken isolirten Oasen Zentral- und Nordwest-Australiens, deren Besonderheit W. B. SPENCER veranlassten, diese Formen als die terricole Ureinwohnerschaft Australiens anzusehen[1], eine Anschauung, die, selbständig erworben, sich durchaus mit meiner Ansicht deckt, dass die in Australien jetzt herrschende Unterfamilie *Megascolecinae* aus der Gattung *Notiodrilus* entsprossen sei.

Es ist nun die Frage, welcher Art die Verbindung gewesen sei, die diese vielen isolirten Gebiete einst zu einem einzigen, zusammenhängenden machte. BEDDARD[2] benutzte zur Erklärung dieser Verbindung

---

[1] W. B. SPENCER: Acanthodrilus croenius in: Rep. Horn Exp. Zentr.-Austral., Vol. II p. 416.

[2] Dass BEDDARD bei diesen Auseinandersetzungen die alte, weite Gattung *Acanthodrilus* zu Grunde legte ist belanglos, da die Gebiete der hier in Rede stehenden engeren Gattung *Notiodrilus* in das etwas grössere Gebiet, wie es BEDDARD vorlag, eingeschlossen sind.

die Forbes'sche[1]) Hypothese eines früheren, bis auf wenige Ueberreste verschwundenen antarktischen Kontinents, der eine Verbindung der südlichen Partien der jetzigen Kontinente bildete.[2]) Diese Hypothese scheint allerdings nicht nur eine genügende Erklärung für die in die Augen fallende Beziehung der Terricolen-Faunen jener südlichen Gebiete zu bilden, sondern durch eine weitere Thatsache geradezu unvermeidlich zu sein, nämlich durch die sehr nahe Verwandtschaft der Terricolen von den weit isolirten Inseln des subantarktischen Meeres. Diese Terricolen gehören sämmtlich einer engeren Gruppe der Gattung *Notiodrilus* an: es sind *Notiodrilus macquariensis* (Bedd.) von den Macquerie-Inseln, *N. kerguelarum* (Grube) (und wahrscheinlich auch der seiner inneren Organisation nach unbekannte *N. kerguelenensis* (M'Int.)) von den Kerguelen (ersterer nach Beddard auch auf der Marion-Insel gefunden), *N. crozetensis* Michlsn. (Ms) von den Crozet-Inseln, *N. georgianus* (Michlsn.) von Süd-Georgien und *N. falclandicus* (Bedd.), *N. aquarumdulcium* (Bedd.), sowie *N. Borei* (Rosa) von den Falkland-Inseln. Die letzte Art ist auch über das magalhaensische Gebiet sowie nach Argentinien (Buenos Aires) hin verbreitet. Diese Arten sind, darauf muss besonders hingewiesen werden, thatsächlich so nahe miteinander verwandt, dass sie fast als Varietäten einer weiten, ziemlich variablen Art gelten könnten. An eine Verschleppung durch den Menschen kann bei den Oligochaeten dieser weltentlegenen, unbewohnten Inseln nicht gedacht werden. So bliebe die Annahme einer einstigen Landverbindung die einzig mögliche Erklärung, falls man die Verbreitungsgesetze der terricolen Oligochaeten auf diese Vorkommnisse anwenden müsste. Das ist aber nach meinen neueren Feststellungen[3]) nicht der Fall. Schon die Fundortsangabe für *N. georgianus* — Grasgrenze am Strande — erregte meinen Verdacht und veranlasste mich, an einige Mitglieder der Deutschen Tiefsee-Expedition das Ersuchen um Feststellung der Lebensgewohnheiten der Oligochaeten auf den Kerguelen-Inseln zu richten. Dieses Ersuchen hatte zwar keinen direkten Erfolg, wohl aber gewährte das bei Gelegenheit dieser Expedition von anderer Hand gesammelte Material mit den genauen Fundortsangaben einen werthvollen Ausweis über die in Frage gestellten Verhältnisse; es ergab, dass *N. kerguelarum* (Grube) nicht nur in rein terrestrischen Oertlichkeiten, sondern auch am Meeresstrand in der Gesellschaft des typischen Meeresstrands-Oligochaeten, des von Nowaja-Semlja und Grönland bis Feuerland und den Kerguelen-Inseln über die Küsten des Atlantischen Ozeans verbreiteten *Enchytraeus albidus* Henle, lebt. Auf eine Anfrage beim Sammler der betreffenden Sammlungsnummer wurde mir in liebenswürdiger Weise die wichtige Auskunft ertheilt, dass die betreffende Oertlichkeit direkt am Fusse des Klippenrandes am Meeresufer, bei Fluth noch im Bereich der Spritzwellen der Meeresbrandung, gelegen sei. Damit halte ich es für erwiesen, dass *Notiodrilus kerguelarum* eine euryhaline Form ist, die auch in littoralen Oertlichkeiten leben kann, und höchst wahrscheinlich stimmen alle Formen dieser engeren *Notiodrilus*-Gruppe — für *N. georgianus* ist es so gut wie sicher — hierin überein. Wir müssen an die Verbreitung dieser Formengruppe demnach den weit-spannenden Maassstab der Littoralen-Verbreitung anlegen, jener den Salzgehalt des Meeres nicht

---

[1]) H. O. Forbes: The Chattam Islands: their relation to a former southern continent, in: Roy. Geogr. Soc., Suppl. Papers, Vol. III. London 1893.

[2]) F. E. Beddard: A text-Book of Zoogeography. Cambridge 1895, p. 164.

[3]) W. Michaelsen: Die Oligochäten der deutschen Tiefsee-Expedition nebst Erörterung der Terricolenfauna oceanischer Inseln, insbesondere der Inseln des subantarktischen Meeres, in: Wiss. Erg. d. deutsch. Tiefsee-Exp., 3. Bd., 1902, p. 158.

scheuenden Oligochaeten, für die das Meer nicht ein so schwer überwindliches Verbreitungshinderniss ist, wie für die rein terricolen. Es bedarf also zur Erklärung der Vorkommnisse dieser sehr nahe miteinander verwandten *Notiodrilus*-Arten auf den weit isolirten Inseln des subantarktischen Meeres nicht der Hypothese eines früheren grossen antarktischen Kontinents, einer Hypothese, die durch die neuere Forschung auch von anderen Seiten her untergraben worden ist. Die vorliegenden Thatsachen finden eine vollkommen ausreichende Erklärung in der Annahme, dass sich diese euryhalinen Thiere mit der subantarktischen Westwind-Trift übersee von Station zu Station, etwa von Feuerland und den Falkland-Inseln nach Süd-Georgien, von hier (über die Inseln der Sandwich-Gruppe und die Bouvet-Insel?) nach den Prince-Edwards-Inseln, den Crozet-Inseln und den Kerguelen-Inseln und schliesslich von diesen nach den Macquerie-Inseln, verbreitet haben. Diese Inseln weichen in dem Charakter ihrer Oligochaeten-Fauna durchaus nicht von anderen seit jeher isolirten ozeanischen Inseln ab, insofern ihnen rein terricole endemische Oligochaeten durchaus fehlen, während rein oder partiell littorale, wie auch limnische Formen (ausser Notiodrilen auf Süd-Georgien auch littorale Enchytraeiden, auf den Kerguelen littorale Enchytraeiden und limnische Phreodriliden beobachtet) auf ihnen angetroffen werden. Wenn die obige Erörterung darlegt, dass wir die Hypothese vom antarktischen Kontinent zur Erklärung der *Notiodrilus*-Vorkommnisse auf den subantarktischen Inseln nicht bedürfen, so zeigt eine andere Betrachtung, dass jene BEDDARD'sche Erklärung geradezu unhaltbar ist. Ich muss zum Zwecke dieser Betrachtung auf eine Auseinandersetzung hinweisen, die sich weiter unten bei der Besprechung der „Gebiete ohne endemische Terricolen. Gebiete mit ungünstigen klimatischen Verhältnissen der jüngeren Vorzeit" findet. Wie wir dort sehen werden, ist das eigentliche Gebiet der in Europa wie im mittleren und nördlichen Asien allein herrschenden Familie *Lumbricidae* nördlich begrenzt durch die Linie der weitesten Eisausbreitung während der Eiszeit. In dem Gebiet, das unter der weiten, kontinuirlichen Eisdecke begraben lag, existiren jetzt keine endemischen Terricolen, nur peregrine Formen, die mit dem Zurückweichen des Eisrandes aus den dauernd wenigstens partiell eisfreien südlichen Gebieten in das frei werdende Gebiet vordrangen. Auch die Südhemisphaere hat eine Eiszeit gehabt, und als sicher ist anzunehmen, dass die kleinen Inseln des subantarktischen Meeres, Süd-Georgien, die Prince Edwards- und Kerguelen-Inseln, sowie die Macquerie-Inseln, während dieser Zeit vollkommen unter einer alles Thierleben tötenden Eisdecke begraben lagen. Nach der BEDDARD'schen Annahme aber wären die Notiodrilen dieser Inseln Ueberreste der Fauna einer viel älteren, weit hinter der Eiszeit liegenden Erdperiode, die die Eiszeit an Ort und Stelle überdauert haben müssten. Das ist, wenn wir die Wirkung der Eiszeit auf der Nordhemisphaere in Betracht ziehen, nicht annehmbar. Diese Oligochaeten der subantarktischen Inseln können erst nach der Eiszeit hier eingewandert sein, zu einer Zeit, als diese Inseln schon längst durch weite Meeresstrecken isolirt waren. Die Annahme einer Einwanderung übersee ist also für diese Notiodrilen nicht von der Hand zu weisen.

Nachdem die Hypothese vom antarktischen Kontinent gefallen ist, bedarf es einer anderen Erklärung für die geographische Verbreitung der Gattung *Notiodrilus*, und diese wird uns nahe gelegt durch die im Laufe des letzten Jahrzehntes entdeckten sporadischen Vorkommnisse in einem Gebiet der nördlichen Hemisphaere (4 Arten im Cordilleren-Gebiet Zentralamerikas und Mexicos). Die Gattung *Notiodrilus* hatte ursprünglich eine universellere Verbreitung nicht nur über die Kontinente der Südhemisphaere, sondern auch über die breiten Kontinentalmassen der Nordhemisphaere; ihr Gebiet umspannte nördlich vom Aequator die ganze Erde, wenn sie nicht gar kosmopolitisch waren. Da die wahrscheinlich noch älteren Moniligastriden wohl nie eine über ihr jetzt noch sehr beschränktes Gebiet hinausgehende weitere Verbreitung erlangt hatten, so repräsentiren die Notiodrilen, soweit wir erkennen können, die älteste allgemeinere Bevölkerung echter Regenwürmer. Sie haben sich aber in diesem weiten Gebiet nicht behaupten können. Aus ihrem eigenen Schosse entsprangen die jüngeren Formen der Acanthodrilinen und der anderen Megascoleciden-Unterfamilien, die ihnen zunächst die Herrschaft streitig machten; dann aber traten die jüngeren Familien der Glossoscoleciden und der Lumbriciden auf und führten den Kampf gegen die hypothetische Urbevölkerung mit grösserer Kraft fort. In dem Gebiet der jüngsten Familie und der jüngeren Aeste der älteren Familien — das ist in dem Gebiet der Fam. *Lumbricidae*, der Glossoscoleciden-Unterfam. *Anteinae*, der Megascoleciden - Unterfam. *Eudrilinae* und der Gattungen *Pheretima* und *Dichogaster* der Megascoleciden-Unterfamilien *Megascolecinae* und *Trigastrinae* — ist die Gattung *Notiodrilus* vollständig (oder fast vollständig? — *N.(?) caldirae* von den Kamerun-Bergen?) ausgerottet worden. Nur im Bereich der älteren Abteilungen jener jüngsten Familien sowie in den entlegensten Gebieten ihrer nächst verwandten und nächst jüngeren Unterfamilien - Mitglieder, der übrigen Acanthodrilinen, konnten sie sich erhalten, in jenen oben geschilderten, räumlich weit getrennten, sporadischen Gruppen, deren Relikten-Natur augenscheinlich ist. Alleinherrschend scheinen sie nur in einem einzigen beschränkten Gebiet geblieben zu sein, in dem Wüstengebiet Zentral- und West-Australiens, dessen weit isolirte Oasen ihnen eine sichere Zufluchtsstätte darboten.

Die zunächst aus der Gattung *Notiodrilus* hervorgegangenen selbständigen Zweige, die übrigen Gruppen der Unterfamilie *Acanthodrilinae*, repräsentiren zum grösseren Theil kleine lokale Bildungen, die sich wohl erst nach Lostrennung der betreffenden Gebiete — es handelt sich meist um insulare Formengruppen — herausgebildet haben. Daraufhin deutet der Umstand, dass sie ausserhalb eines kleinen beschränkten Gebietes nicht angetroffen werden.

Was zunächst die *Notiodrilus* zunächst verwandte Gattung *Microscolex* anbetrifft, so ist es nicht ganz sicher, ob es sich um eine Lokalgruppe handelt oder um eine früher weiter verbreitete, zersprengte Gruppe. Endemische Formen sind meiner Ansicht nach sicher nur im neuseeländischen Gebiet (Neuseeland und Chatham-Inseln) nachgewiesen worden; ob auch in Kalifornien endemische Formen vorkommen, erscheint mir dagegen sehr zweifelhaft. Selbst wenn man *M. Troyeri* (EISEN) und den angeblich(!) in Kalifornien eingeschleppten *M. Horsti* EISEN als selbständige Formen anerkennen will, ist der Schluss auf ihre Heimathsberechtigung in Kalifornien bedenklich. Bei der grossen Verschleppbarkeit ihrer nächsten Verwandten, *M. dubius* (FLETCH.) und *M. phosphoreus* (ANT. DUG.), liegt auch auf ihnen der Verdacht, dass sie verschleppar seien, also nicht zu Schlüssen über die präkulturelle Verbreitung ihrer Gattung verwerthbar sind. *M. Horsti* ist sogar als eingeschleppt in eine kalifornische Gärtnerei bezeichnet worden.

Eine typische Lokalgruppe bildet der *Neodrilus*-Zweig, der sich in 3 Gattungen (*Maoridrilus*, *Neodrilus* und *Plagiochaeta*) mit 11 Arten in Neuseeland entwickelt und hier, die Wurzelgattung *Notiodrilus* und einige andere aus *Notiodrilus* direkt entsprossene alte Zweige (*Microscolex* und *Octochaetus*) neben sich duldend, die Herrschaft an sich gerissen hat.

Winzige Lokalgruppen repräsentiren auch die nur aus einer einzigen
Art bestehenden Gattungen *Acanthodrilus* (s. s.) in Neu-Kaledonien und
Maheina auf den Seychellen.

Die ebenfalls auf einer einzigen Art beruhende Gattung *Diplotrema*
von Australien ist wohl nicht als selbständiger Zweig anzusehen, sondern
wahrscheinlich als ein Ueberrest des Wurzelstückes, aus dem sich die grosse,
in Australien herrschende Unterfamilie *Megascolecinae* entwickelt hat.

In ähnlicher Weise scheint sich die auch nur eine Art enthaltende
süd-madagassische Gattung *Howascolex* zu der Unterfamilie *Octochaetinae*
zu verhalten. Es ist aber bedenklich, die Wurzelgattung dieser Unterfamilie,
die in Neuseeland und in Vorderindien vorkommende Gattung *Octochaetus*,
von einer madagassischen Form abzuleiten, man müsste denn schon annehmen,
dass *Howascolex* früher eine weitere Verbreitung besessen habe. Zu bedenken
steht hierbei, dass sich aus der Unterfamilie *Octochaetinae* vielleicht die
grosse, vorderindisch-afrikanisch-westindische Unterfamilie *Trigastrinae* entwickelt hat, und dass demnach die Annahme einer früheren universelleren
Verbreitung der Octochaetinen und ihres fraglichen Wurzelgliedes durchaus
nicht aus dem Rahmen einer annehmbaren Hypothese heraustritt. Es bedarf
aber noch einer mehr gesicherten Grundlage für diese Annahme. Vielleicht
repräsentirt die Gattung *Howascolex* nur eine kleine Acanthodrilinen-Lokal-
gruppe, die der Wurzel jener grossen Reihe nahe steht.

Der grösste selbständige Acanthodrilinen-Zweig, die *Chilota*-Gruppe,
ist im südlichsten Afrika und im südlichsten Südamerika beheimathet, in
letzterem, dem südamerikanischen Gebiet, durchaus vorherrschend, nur noch
mit der Wurzelgattung *Notiodrilus* sich in das Gebiet theilend, in ersterem,
dem afrikanischen Gebiet, sich mit der Glossoscoleciden-Unterfamilie *Microchaetinae* und der Gattung *Notiodrilus* in die Herrschaft theilend. In Süd-
Afrika wird das Gebiet dieser Gruppe nördlich wahrscheinlich durch die
Kalahari-Wüste von dem Gebiet der tropisch-afrikanischen Terricolen abgegrenzt.
Im östlichen Theile reicht ihr Gebiet jedoch bis ins Kaffernland nach Norden
(bis in das Hinterland von Lourenço Marques, wenn ich die ziemlich unklare
Fundortsangabe „Kaffernlandet" des schwedischen Sammlers auf das Gebiet
der Kaffern nach Maassgabe des ANDREE'schen Handatlas[1]) beziehe). Das
südamerikanische Gebiet wird nördlich sehr scharf begrenzt durch den wasserarmen, ja meist ganz regenlosen Landstrich, der im nördlichen Chile (nördlich
von Valparaiso) an die pazifische Küste stossend, sich östlich von den
Cordilleren etwas ostwärts abgelenkt nach Süden hinzieht, um im östlichen
Patagonien die Küste des Atlantischen Ozeans zu erreichen. Der Verlauf
dieses Grenzstreifens lässt es erklärlich erscheinen, dass diese *Chilota*-Gruppe
im Westgebiete bis zu einer Breite (Breite von Valparaiso) nach Norden
geht, in der östlich bereits typische tropisch-südamerikanische Formen vorkommen (*Glossoscolex Forquesi* (E. PERRIER) bei La Plata). Uebrigens ist
die genaue Grenze des Gebietes der *Chilota*-Gruppe in dem patagonischen
Ostgebiet noch unbekannt. Soweit bis jetzt festgestellt, reicht es nur in der
Breite des feuerländischen Archipels bis an den Atlantischen Ozean (Falkland
Inseln und Staaten-Insel). Ausserhalb der eben charakterisirten Gebiete ist
ein Glied dieser Gruppe nur auf einer Kapverdeschen Insel gefunden worden,
nämlich *Chilota exul* (ROSA) auf San Antonio, ein Vorkommen, welches
ROSA auf Verschleppung zurückführt. Das Gebiet der *Chilota*-Gruppe stellt

---

[1]) ANDREE's allgemeiner Handatlas in 126 Haupt- und 137 Nebenkarten, heraus-
gegeben von A. SCOBEL. Bielefeld und Leipzig. 1899.

sich als ein in zwei Haupttheile zersprengtes Gebiet dar. Welcher Art die einstige Verbindung der beiden Theile gewesen ist, entzieht sich einstweilen unserer Feststellung, da Relikte in Zwischengebieten fehlen (man müsste denn schon *Chilota exul* von den Kapverdeschen Inseln als ein Relikt ansehen, wozu ich mich aber nicht verstehen kann). Als das Annehmbarste erscheint mir die Anschauung, dass diese Gruppe an der weiteren Verbreitung der Wurzelgattung *Notiodrilus* theilgenommen habe, ohne ganz deren universelle Verbreitung zu erreichen, nämlich nur so weit, dass die Verbindung zwischen Amerika und Afrika erklärbar wird (Hierzu: Karte IV).

Unterfam. Megascolecinen.

Systematik: Der hauptsächlichste, durch die ganze Unterfamilie *Megascolecinae* hindurch gehende Charakter beruht auf einer eigenthümlichen Uniformung des männlichen Drüsenapparates. Die Samenleiter münden wie bei der acanthodrilinen Urform am 18. Segment aus; die acanthodrilinen Prostaten des 17. und 19. Segments schwinden (bei sehr wenigen *Megascolex*-Arten findet man vor oder vor und hinter den distalen Samenleiter-Enden schlauchförmige Drüsen, die vielleicht diesen acanthodrilinen Prostaten homolog sind — Rückschlagserscheinung?). Dagegen bilden sich Prostaten einer neuen Form aus. Enprostaten, mehr oder weniger dick schlauchförmige oder mehr oder weniger locker dendritische Drüsen am distalen Ende der Samenleiter, morphologisch dem 18. Segment angehörig.

Während die im vorigen Kapitel besprochene Unterfamilie *Acanthodrilinae* eine Anzahl selbständig nebeneinander aus der Gattung *Notiodrilus* entsprossene Stämme repräsentirt, stellt die Unterfamilie *Megascolecinae* einen einzigen grossen Stamm mit wenigen und meist kleinen Abzweigungen dar. Während wir die verschiedenen Abtheilungen der Unterfamilie *Acanthodrilinae* mit Ausnahme der Wurzelgattung *Notiodrilus*, die eine Sonderstellung einnimmt, gleichwerthig nebeneinander stellen mussten, ordnen sich die Haupt-Abtheilungen der Unterfamilie *Megascolecinae* als Glieder einer aufsteigenden Reihe aneinander.

Wie alle übrigen selbständigen Stämme innerhalb der Familie *Megascolecidae*, so geht auch der Hauptstamm der *Megascolecinae* von der **acanthodrilinen Urform**, der Gattung *Notiodrilus*, aus. Gerade bei dieser Unterfamilie lässt sich der Zusammenhang mit der gemeinsamen Wurzelform besonders deutlich erkennen, insofern diejenigen Glieder der Wurzelform, die ihrer Beheimathung nach als die unveränderten oder wenig veränderten Nachkommen der Megascolecinen-Ahnen angesehen werden, die Notiodrilen aus den Oasen Zentral- und Nordwest-Australiens (*N. Macleayi* (FLETCH.) und *N. eremus* (W. B. SP.)[1]) in anatomischer Hinsicht an die niedrigsten Glieder des Megascolecinen-Stammes erinnern (Samensäcke in Segment 9 und 12). Es findet sich sogar noch ein Mittelglied zwischen diesen Wurzelformen und den Megascolecinen, die Gattung *Diplotrema* (mit der Art *D. fragile* W. B. SP. aus Queensland), die den ohnedies schon geringen Abstand zwischen beiden noch weiter einengt.

Die **Hauptreihe der Megascolecinen** geht von der acanthodrilinen Urform, der Gattung *Notiodrilus*, aus über die noch zu den Acanthodrilinen gerechnete Gattung *Diplotrema* und weiter über die Gattungen *Plutellus*, *Megascolides*

---

[1] Dieser letztere wurde von SPENCER wegen des Charakters seines Wohnortes als Relikt der terricolen Urbevölkerung Australiens angesprochen, und zwar unabhängig von meinen diesbezüglichen Feststellungen.

Michaelsen, Geographische Verbreitung der Oligochaeten. 6

(oder *Trinephrus?*). *Notoscolex* und *Megascolex* zur höchsten Form, der
Gattung *Pheretima*. In dieser Hauptreihe machen verschiedene Organsysteme
bemerkenswerthe Wandlungen durch. Zunächst die Borsten: Während
Plutellus, Megascolides, Trinephrus und *Notoscolex* noch, wie die acanthodriline Urform, eine lumbricine Borstenanordnung aufweisen, findet innerhalb
der Gattung *Megascolex* ein Uebergang zu der perichaetinen Borstenanordnung
statt. Manche *Megascolex*-Arten besitzen am Vorderkörper noch die lumbricine
Borstenanordnung, während am Mittelkörper schon eine Vermehrung der
Borsten eines Segmentes stattfindet, anfangs durch Hinzukommen einzelner
Borstenpaare, sodass eine regelmässige Anordnung der Borsten in Längslinien noch innegehalten bleibt, später eine unregelmässigere Zunahme der
Borstenzahl, wobei die paarige Anordnung, wie auch die Anordnung in
regelmässigen Längslinien ganz verloren geht. Die Art der Borstenzunahme,
ob durch Hinzufügen einzelner oder paariger Borsten und ob gleichzeitig
in ganzer Körperlänge oder zunächst nur an einem mehr oder weniger
grossen hinteren Theilstück, zeigt eine grosse Mannigfaltigkeit. Eine scharfe
Sonderung der verschiedenen Stadien erscheint mir ganz unmöglich. Ich
kann deshalb auch die SPENCER'sche Gattung *Trichaeta*[1]) nicht anerkennen,
die für ein ganz spezielles derartiges Uebergangsstadium und ohne Rücksicht
auf die vielen übrigen unter- oder oberhalb oder daneben stehenden Ueber-
gangsstadien aufgestellt wurde. Wo man die Grenze zwischen den lumbricin
beborsteten *Notoscolex* und den perichaetin beborsteten *Megascolex* ziehen
will, ist lediglich Sache der Uebereinkunft. Es war bisher üblich (bei allen
in Frage kommenden Monographien durchgeführt), die Formen, die schon
die ersten Spuren der Borstenvermehrung zeigten, der Gattung *Megascolex*
zuzuordnen, und dieses Verfahren adoptire ich auch bei der vorliegenden
Zusammenstellung, wenngleich dadurch manche Arten zu dieser Gattung
gestellt werden müssen, die man bei Kenntniss allein des Vorderendes der
Thiere zur Gattung *Notoscolex* stellen müsste. Die meisten *Megascolex*-Arten,
sowie sämmtliche Arten der höchsten Megascolecinen-Gattung, *Pheretima*,
besitzen eine rein perichaetine Borstenanordnung. Die Nephridien sind bei
Plutellus, wie bei der acanthodrilinen Urform, reine Meganephridien, während
die höheren Gattungen von *Notoscolex* (incl.) an plectonephridisch sind. Der
Uebergang geht in den kleinen Gattungen *Megascolides* (vorn rein plectonephridisch, im Hinterkörper Meganephridien neben diffusen Nephridien) und
Trinephrus (je 3 bis 5 Paar Micronephridien in den einzelnen Segmenten)
vor sich. Welche dieser beiden kleinen Gattungen als das eigentliche Ueber-
gangsglied und welche als seitliche Abzweigung vom Hauptstamm anzusehen
ist, mit anderen Worten, ob sich der plectonephridische Zustand von *Notoscolex* durch Abschnürung zahlreicher Nephridialschläuche vom Meganephridium
(*Megascolides*-Zustand) oder durch Theilung des Meganephridiums in anfangs
wenige, später mehrere gleichartige Theile (*Trinephrus*-Zustand) gebildet
hat, entzieht sich meiner Kenntniss. Für die geographischen Erörterungen ist
es auch ziemlich belanglos, da beide Gattungen, *Megascolides* wie *Trinephrus*,
annähernd die gleiche Verbreitung besitzen. Eine besondere Entwicklung
zeigen die Samentaschen. Bei *Plutellus* findet man vielfach noch die
für die acanthodriline Urform charakteristische Anordnung, nämlich zwei
Paar, auf Intersegmentalfurche $\frac{7}{8}$ und $\frac{8}{9}$ ausmündend. Aber schon innerhalb der Gattung *Plutellus* findet eine Vermehrung der Samentaschen durch

---

[1]) W. B. SPENCER: Further Descriptions of Australian Earthworms, Part I; in:
Proc. R. Soc. Victoria, n, s., Vol. XIII, 1900, p. 50.

Aureihung überzähliger Paare nach vorn hin statt; die hintersten Samentaschen-Poren liegen dabei stets unverändert auf Intersegmentalfurche $^5_{19}$.
Innerhalb der höheren Gattungen findet dann zum Theil eine Reduktion der
Samentaschen-Zahl statt, und zwar geht diese Reduktion nicht ausschliesslich
in derselben Linie vor sich, wie die frühere Vermehrung; es schwinden nicht
stets die neu hinzugekommenen vorderen Paare, sondern vielfach die hinteren,
so dass wir in der höchsten Gattung, *Pheretima*, fast alle Anordnungs-
Möglichkeiten innerhalb der Grenzen der Maximal-Anordnung — 6 Paar
Samentaschen auf Intersegmentalfurche $^3_4 - ^8_9$ ausmündend — vorfinden.
Die Zwischenglieder schliessen sich entsprechend ihrer Stellung enger an
Plutellus oder an *Pheretima* an. Auch in Bezug auf die vorderen
männlichen Geschlechtsorgane finden wir eine aufsteigende Entwicklung.
deren einfaches Grundglied, bei vielen *Plutellus*-Arten, aber auch in anderen
niederen Gattungen vertreten, genau gewissen *Notiodrilus*-Arten entspricht.
Je weiter wir in der Reihe der Megascolecinen in die Höhe steigen, um so
mehr komplizirt sich der vordere männliche Geschlechtsapparat, bis wir in
den höchsten Formen der Gattung *Megascolex* die für die Gattung *Pheretima*
charakteristische Gestaltung erreichen. Schliesslich ist noch in der Ausbildung
der Prostaten eine Entwicklung von der einfacheren schlauchförmigen zu
der komplizirteren dendritischen Form in der Reihe der Gattungen erkennbar.

Von der Hauptreihe *Plutellus*, *Megascolides-Trinephrus*, *Notoscolex*, *Megascolex*, *Pheretima* — gehen verschiedene **Nebenäste** ab. Die
Gattungen *Pontodrilus* (mit rudimentärem Muskelmagen) und *Fletcherodrilus* (mit unpaarigen männlichen Poren und Samentaschen-Poren) sind
kleine von *Plutellus* ausgehende Abzweigungen, erstere wie die Grund-
glieder von *Plutellus* lediglich mit den zwei ursprünglichen Samentaschen-
Paaren, letztere wie die höheren *Plutellus*-Arten mit überzähligen Samentaschen. Von *Plutellus* direkt abzuleiten ist auch der ziemlich umfangreiche
Ast der Gattung *Diporochaeta* mit dem kleineren Nebenzweig *Perionyx*.
Die Gattung *Diporochaeta* unterscheidet sich von *Plutellus* nur durch eine
mehr oder weniger streng durchgeführte perichaetine Borstenanordnung, die
sich also, falls die obige Feststellung über die Entwicklung der Gattung
Megascolex aus *Notoscolex* zutreffend ist, zweimal unabhängig voneinander
innerhalb der Unterfamilie *Megascolecinae* ausgebildet haben muss. Dieser
Annahme steht nichts entgegen (vergl. die obigen Erörterungen über die
systematische Bedeutung der perichaetinen Borstenanordnung). Es mag
aber die Frage aufgeworfen werden, ob sich die perichaetin beborstete
Gattung *Megascolex* nicht aus der schon perichaetinen Gattung *Diporochaeta*
entwickelt haben könnte. Diese Frage muss ich entschieden verneinen. Wir
sehen die Entwicklung der perichaetinen Beborstung erst innerhalb der rein
plectonephridischen Gattung *Megascolex* vor sich gehen; man könnte sie
also, will man keinen Rückschritt in dieser Entwicklung bei *Megascolex*
annehmen, höchstens von jenen *Diporochaeta*-Formen ableiten, bei denen
die Beborstung noch auf der niedrigsten Stufe der perichaetinen Entwicklung
steht, müsste also von dieser niedrigsten Stufe (am Vorderkörper noch
lumbricin, nur am Mittel- und Hinterkörper perichaetin) nach den rein
perichaetinen *Diporochaeta*- und *Megascolex*-Formen doch eine konvergente
Entwicklung in zwei systematisch gesonderten Reihen annehmen. Auch
fehlen in der hypothetischen Reihe *Diporochaeta-Megascolex* jegliche Uebergänge in Bezug auf die Entwicklung des plectonephridischen Zustandes aus
dem meganephridischen, wie sie innerhalb der Reihe *Plutellus-Notoscolex-
Megascolex* durch die Gattungen *Megascolides* und *Trinephrus* repräsentirt

werden. Die Uebergänge in der letzteren Reihe sind so kontinuirlich, dass
diese sich entschieden als die natürliche Entwicklungsreihe darstellt, während
bei jener hypothetisch aufgestellten Reihe mehrfach unerklärbare Sprünge
oder Rückschritte angenommen werden müssten. Die Gattung *Diporochaeta*
steht selbst in ihren höchsten Formen (nach dem perichaetinen Charakter
bestimmt) noch auf gleicher Stufe mit *Plutellus*. Anscheinend spricht auch
die geographische Verbreitung (siehe unten!) für die obige Feststellung. Es
scheint nämlich die artenreiche Gattung *Diporochaeta* ganz auf Australien
beschränkt zu sein, ist also wohl aus *Plutellus* hervorgegangen in einer
verhältnissmässig jungen Periode, als der australische Kontinent schon vom
asiatischen Festlande mit Ceylon abgetrennt war, also zu einer Zeit, da die
Gattung *Megascolex* schon längst existirte. Die Gattung *Perionyx* repräsentirt
anscheinend lediglich einen kleinen Seitenast von *Diporochaeta*, ausgezeichnet
durch das Fehlen eines deutlichen Muskelmagens und durch die Annäherung
der männlichen Poren an die ventrale Medianlinie. Als Abzweigung von
der Gattung *Notoscolex* sind die kleinen, wahrscheinlich nahe mit einander
verwandten, von BEDDARD zu einer einzigen Gattung vereinigten Gattungen
Digaster, *Perissogaster* und *Didymogaster*, mit zwei oder drei Muskelmagen,
anzusehen. Ziemlich hoch in der Hauptreihe der Megascolecinen muss der
Ursprung der Gattung *Plionogaster* gesucht werden, die von *Megascolex*
und *Pheretima* durch den Besitz mehrerer Muskelmagen am Mitteldarm
und durch eine besondere, aber nicht ganz genau bekannte Bildung der
Nephridien (3—7 Paar Micronephrien + 1 Paar Meganephridien in einem
Segment?) unterschieden ist. Durch den Besitz eines allerdings nur kleinen
Muskelmagens im 8. Segment stellt sie sich in die Nähe der Gattung
Pheretima; in dem Vorhandensein sämmtlicher Dissepimente in der Samen-
taschen-Region und dem Fehlen von Darmblindsäcken gleicht sie den niedrigsten
Formen dieser Gattung und der eine Stufe niedriger stehenden Gattung
Megascolex. Die Organisation der Gattung *Plionogaster* bedarf jedoch zur
endgültigen Entscheidung über ihre verwandtschaftlichen Beziehungen noch
einer eingehenderen Untersuchung.

Die nebenstehende Skizze mag die oben niedergelegte Anschauung über
die Verwandtschaftsverhältnisse der Unterfamilie *Megascoleinae* illustriren.

Zur **speziellen Systematik** sind folgende Notizen zu machen: Die
Gattung *Trichaeta* W. B. Sp.[1]) ist nicht anerkannt, sondern als Theil der
grossen Gattung *Megascolex* aufgefasst worden: da ein *M. australis* schon
von FLETCHER aufgestellt wurde, so ist die SPENCER'sche Art *Trichaeta
australis* mit dem neuen Namen *Megascolex Spenceri* belegt worden. Die
Gattung *Diplotrema* ist der Unterfamilie *Acanthodrilinae* zugeordnet. Die
in demselben Werke aufgestellten Arten der Gattungen *Megascolides*, *Cryptodrilus*, *Megascolex* und *Diporochaeta* mussten zum grossen Theil nach
Maassgabe der von mir im „Tierreich" festgestellten Gattungs-Diagnosen in
andere Gattungen gestellt werden, *Megascolides diaphanus* zu *Trinephrus*,
die übrigen *Megascolides*-Arten zu *Plutellus*, *Cryptodrilus Shephardi* und
C. cooranensis ebenfalls zu *Plutellus*, *Cryptodrilus queenslandicus* zu *Notoscolex*, *Megascolex Pritchardi* zu *Diporochaeta* und *Diporochaeta notabilis*
und *D. Maplestoni* zu *Megascolex*. Der grossen Gattung *Pheretima* lege
ich im Allgemeinen die jüngst von BEDDARD ausgeführte verdienstvolle

---

[1]) W. B. SPENCER: Further Descriptions of Australian Earthworms, Part I; in:
Proc. R. Soc. Victoria, n. s., Vol. XIII, p. 30.

Revision [1]) zu Grunde. Abgesehen davon, dass ich die Gattung nicht *Amyntas* (Name vorher vergeben) sondern *Pheretima* nenne, welche ich nur in folgenden Punkten von der in jener Abhandlung angenommenen Synonymie ab: *Pheretima Guillelmi* (MICHLSN.) von China (Wuchang und Tiensin) ist von *Ph. Houlleti* (E. PERRIER) abgesondert, da sie, wie die Nachuntersuchung ergab, am Gürtel meist gar keine, selten ganz vereinzelte normal gestaltete Borsten besitzt und eine Kopulationstasche nicht vorhanden ist; die Prostaten münden direkt durch die kompakte männliche Papille aus. *Amyntas trinitatis* (BEDD.) ist als *Pheretima rodericensis* (GRUBE) aufgeführt, da die Nachuntersuchung des GRUBE'schen Originals die Zusammengehörigkeit der betreffenden Arten ergab. *Ph. spectabilis* (ROSA) führe ich als gesonderte Art, nicht als Varietät von *Ph. neoguinensis* (MICHLSN.) auf, ebenso *Ph. athecca* (ROSA) gesondert

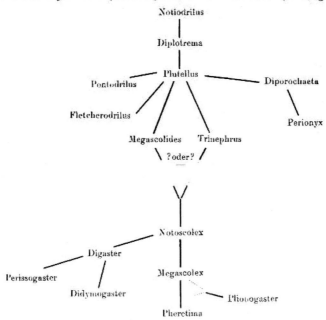

von *Ph. montana* (KINB.). *Perichaeta caducichaeta* (BENHAM) stelle ich zu *Pheretima capensis* (HORST). *Perichaeta agrestis, P. flavescens, P. producta, P. glandularis* GOTO & HATAI kann ich als sichere und selbständige Arten nicht anerkennen, es bleiben für mich „species inquirendae". *P. leris* GOTO & HATAI stelle ich zu *Pheretima Hilgendorfi* (MICHLSN.). Die Vereinigung der *P. jampeana* BENHAM, *P. fissigera* MICHLSN. und *P. purpurea* BENHAM mit *Perichaeta halmaherae* MICHLSN. nehme ich an, führe jedoch die verschiedenen Formen als Unterarten der *Pheretima halmaherae* auf, ebenso wie die verschiedenen Formen von *Perichaeta Stelleri* MICHLSN. als Unterarten von *Pheretima Stelleri*.

---

[1]) F. E. BEDDARD: A Revision of the Earthworms of the Genus Amyntas (Perichaeta); in: Proc. Zool. Soc. London, 1900.

Subfam. **Megascolecinae.**

Gen. **Plutellus** . . . . . tr
P. attenuatus (W. B. Sp.) .   Victoria (Warragul).
P. bassanus (W. B. Sp.) .   Tasmanien (King-Insel).
P. canaliculatus (Fletch.)   New-South-Wales(Forb.).
P. collinus (Eisen) . .   Kalifornien(Distrikt Napa,
                                       Marin und Sonoma).
P. cooraniensis (W. B. Sp.)   Queensland (Cooran).
P. Ellisi (W. B. Sp.) . .   Tasmanien (Dee Bridge).
P. eucalypti (W. B. Sp.) .   Victoria (Gippsland).
P. Fletcheri (Bedd.) . . .   Queensland (Oxley bei
                                       Brisbane).
P. Frenchi (W. B. Sp.) . .   Victoria (Croajingolong).
P. gippslandicus (W. B. Sp.)   Victoria (Croajingolong).
P. Halyi (Michlsn.) . .   Ceylon (Colombo).
P. heteroporus E. Perrier   Pennsylvanien.
P. hobartensis (W. B. Sp.)   Tasmanien (Parattah,
                                       Mount Wellington).
P. hyalinus (Eisen) . . .   Guatemala (Coban).
P. incertus (W. B. Sp.) . .   Victoria.
P. insularis (W. B. Sp.) .   Tasmanien (Parattah).
P. intermedius (W. B. Sp.)   Victoria (Süd-Warragul).
P. Lucasi (W. B. Sp.) . .   New-South-Wales (Talla-
                                       rook, Goulburn River).
P. macedonensis (W. B. Sp.)   Victoria(Mount Macedon).
P. manifestus (Fletch.) .   New-South-Wales (Natio-
                                       nal Park).
P. Manni (W. B. Sp.) . .   Victoria (Süd-Warragul).
P. marmoratus (Eisen) . .   Kalifornien (Distr. San
                                       Francisco, Santa Clara,
                                       Monterey und Fresno).
P. mediterreus (Fletch.) .   New-South-Wales (Dar-
                                       ling River).
P. minor (W. B. Sp.) . .   Victoria (Süd-Warragul).
P. Mortoni (W. B. Sp.). .   Tasmanien (Dee Bridge,
                                       Mount Wellington).
P. narrensis (W. B. Sp.) .   Victoria (Narre Warren).
P. Perrieri Benh. . . . .   British Columbia (Queen
                                       Charlotte-Insel).
P. punctatus (W. B. Sp.) .   Victoria (Warrandyte).
P. roseus (W. B. Sp.) . .   Victoria (Warragul).
P. rubens (Fletch.) . . .   New-South-Wales (Mount
                                       Wilson).
P. semicinctus (Fletch.) .   New-South-Wales (Graf-
                                       ton am Clarence River).
P. Shepardi (W. B. Sp.).   Victoria (Horsham).
P. singhalensis (Michlsn.)   Ceylon (Nuwara Eliya).
P. Sloani (Fletch.) . . .   New-South-Wales(Coona-
                                       barabran).
P. Smithi (Fletch.) . . .   Victoria (Eltham).
P. Steeli (W. B. Sp.) . .   Victoria (Warragul).

P. tanjilensis (W. B. Sp.) .		Victoria (Tanjil Track).
P. tasmanianus (Fletch.) .		Tasmanien (Thomas' plains).
P. tessellatus (W. B. Sp.) .		Tasmanien (Mount Olympus, Lake St. Clair).
P. Tisdalli (W. B. Sp.) .		Victoria (Walhalla).
P. Tryoni (Fletch.) . .		Queensland (Milton bei Brisbane).
P. tuberculatus (Fletch.) .		Victoria (Warragul, Camperdown).
P. victoriae (W. B. Sp.) .		Victoria (Warburton, Tanjil Track).
P. volcens (W. B. Sp.) . .		Victoria (Yarra River).
P. warragulensis (W. B. Sp.)		Victoria (Warragul).
P. willsiensis (W. B. Sp.) .		Victoria (Mount Wills).
Gen. Fletcherodrilus . . .	tr	
F. unicus (Fletch.) forma typica		New-South-Wales (Coonabarabran, Cudgellico-See), Queensland (Gayndah, Peak Downs).
subsp. fasciatus (Michl.)		New-South-Wales (Richmond River Distr.), Queensland (Cape York).
subsp. major W. B. Sp.		Queensland (Gayndah).
Gen. Pontodrilus	lt	
P. arenae Michlsn. . . .		Brasilien (Insel Desterro).
P. chathamianus (Michlsn.)		Chatham-Inseln (Te One, Shelly Land, Waitangi Stream).
P. ephippiger Rosa . . .		Christmas-Ins. südl.v.Java, Celebes (Pare-Pare), Hawaii-Ins. (Laysan).
P. hesperidum Bedd. . .		Westindien (Jamaica).
P. insularis (Rosa) . . .		Ceylon (Belligamme), Aru-Ins. südwestl. v. Neu-Guinea.
P. litoralis (Grube) . .		Süd-Frankreich (Villafranca, Nizza, Marseille), Sardinien (Porto torres).
P. matsushimensis Jizuka		Japan (Prov. Rikuzen), Neu-Kaledonien (Kunie-od. Fichten-Insel).
P. Michaelseni Eisen . .		West-Mexiko (Guaymas).
P. sp. div. inquirendae . .		Nieder-Kaliforn. (Loreto), Florida (Hillsborough), Bermuda-Ins., Westindien (Jamaica).
Gen. Diporochaeta		
D. alsophila W. B. Sp. . .		Victoria (FernTree-Gully).
D. arnoldi W. B. Sp. . .		Victoria (Mount Arnold, Marysville).

D. Bakeri (FLETCH.). . .   **Victoria** (Warragul, Fern Tree-Gully, Narre Warren. Gembrook, Healesville).

D. barronensis (FLETCH.) .   **Nord-Queensland** (Cairns im Distr. d. Barron River).

D. canaliculata (FLETCH.)   **Nord-Queensland** (Mossman River im Cairns-Distrikt).

D. chathamensis BENH.. .   **Chatham-Inseln.**   Peregrin? s. unten!

D. Copelandi (W. B. SP.).   **Victoria**(WarragulDistr.).

D. darallia W. B. SP. . .   **Victoria**(FernTree-Gully).

D. Dendyi (W. B. SP.). .   **Victoria** (Healesville).

D. dicksonia (W. B. SP.) .   **Victoria**(FernTree-Gully).

D. dihwynnia (W. B. SP.) .   **Tasmanien** (Dee Bridge).

D. dubia (W. B. SP.) . .   **Victoria** (Süd-Warragul).

D. euzona W. B. SP. . . .   **Victoria** (Warrandyte).

D. Frosti W. B. SP. . . .   **Victoria** (Mount Baw-Baw).

D. grandis W. B. SP. . .   **Queensland**(Upper Endeavour River).

D. intermedia (BEDD.) . .   **Neuseeland** (bei Lake Brunner in Westland).   Peregrin? s. unten!

D. irregularis (W. B. SP.)   **Tasmanien** (Thal des King River).

D. Lindti W. B. SP. . . .   **Victoria** (Blacks Spur).

D. lochensis (W. B. SP.) .   **Victoria** (Loch in Süd-Gippsland).

D. Manni W. B. SP. . . .   **Victoria** (Süd-Warragul).

D. mediocincta W. B. SP. .   **Victoria** (Süd-Warragul).

D. morea (W. B. SP.) . .   **Tasmanien** (Distr. Lake St. Clair).

D. nemoralis W. B. SP. . .   **Victoria** (Neerim).

D. obscura (W. B. SP.) .   **Victoria**(FernTree-Gully, Warragul).

D. pellucida (BOURNE) . .   Wahrscheinlich Vorderindien.   Der Fundort ist nicht angegeben. Es ist jedenfalls fraglich, ob es sich um Freiland-Thiere oder um eingeschleppteGewächshaus-Thiere handelt.

D. Pritchardi (W. B. SP.)   **Victoria** (Mornington).

D. richea (W. B. SP.) . .   **Tasmanien** (Mount Olympus).

D. Richardi W. B. SP. . . .   **Victoria** (Loch in Süd-Gippsland).

D. scolecoidea (W. B. SP.)   **Tasmanien** (Thal des King River).

D. tanjilensis (W. B. Sp.).	**Victoria** (Gembrook, Warburton, Tanjil Track. Fern Tree-Gully, Dandenong).	
D. telopea W. B. Sp...	**Victoria** (Waratah Bay).	
D. terraereginae (Fletch.)	**Nordost-Queensl.** (Mount Bellender-Ker).	
D. walhallae (W. B. Sp.).	**Victoria** (Walhalla).	
D. yarraensis (W. B. Sp.).	**Victoria** (Tanjil Track, Warragul, Warburton).	
Gen. **Perionyx** . . . . . tr		
P. arboricola Rosa . . .	**Birma** (Distr. Chebá od. Biapó).	
P. excavatus E. Perrier .	Philippinen (Manila auf Luzon), Sangi, Java (Tjibodas), Sumatra, Mentawai, Nias, Cochinchina (Saigon), Siam (Bangkok). Birma(Distr. Rhamó und Ghecu).	Peregrin.
P. intermedius Bedd. . .	**Birma** (Seebpore).	Art nicht ganz sicher!
P. M'Intoshi Bedd. . . .	Birma (Seebpore) oder Bengalen (Darjiling).	Fundort zweifelh.
P. saltans Bourne . . .	**Vorderindien** (Ootacomund, Naduvatam).	Artlich zusammen gehörig u. peregrin?
P. sansibaricus Michlsn. .	**Sansibar.**	
P. violaceus Horst . . .	Java (Buitenzorg, Tjibodas), Sumatra (Singkarah, Manindjan, Paninggahan).	Peregrin.
P. sp. div. inquirendae . .	Hinterindien (Akhyab), Madagaskar (Farandrana).	
Gen. **Megascolides** . . . tr		
M. australis Mc. Coy . .	**Victoria** (Warragul, Brandy Creek).	
M. cameroni W. B. Sp. . .	**Victoria** (Croajingolong).	
M. illawarrae Fletch. . .	**New-South-Wales** (Mount Kembla bei Illawarra).	
M. insignis W. B. Sp. . .	**Victoria** (Dandenong Ranges).	
Gen. **Trinephrus** . . . . tr		
T. diaphanus (W. B. Sp.)	**Victoria** (Mallee Distr.).	
T. dubius (W. B. Sp.) . .	**Victoria.**	
T. fastigatus (Fletch.) .	**New-South-Wales** (Burrawang, Illawarra).	
T. mediocris (Fletch.) .	**New - South - Wales** (bei Parramatta).	
T. Officeri (W. B. Sp.) . .	**Tasmanien** (Thal des King River).	

T. polynephricus (W. B. Sv.) — Tasmanien (Mount Wellington. Hobart, Parattah).

T. Simsoni (W. B. Sv.). — Tasmanien (Emu - Bai, Launceston). New-South-Wales (Braidwood).

T. tennis (FLETCH.) . . . — New-South-Wales (Braidwood).

Gen. **Notoscolex**

N. americanus (FRANK SM.) — Washington [Staat] (Pullman).

N. camdenensis FLETCH. . — New-South-Wales (Burrawang in County of Camden).

N. campestris (W. B. Sv.) — Tasmanien (Parattah).
N. ceylanensis (MICHLSN.). — Ceylon (Nuwara Eliya).
N. crassicystis (MICHLSN.). — Ceylon (Nuwara Eliya).
N. dambullaensis (MICHLSN.) — Ceylon (nördl. v. Dambulla u. Trincomali).

N. decipiens (MICHLSN.) . — Ceylon (Colombo).
N. grandis FLETCH. . . . — New-South-Wales (Burrawang).

N. Hulmei (W. B. Sv.) — Victoria (Dandenong Ranges).

N. illawarrae (FLETCH.) . — New-South-Wales (Illawarra, Springwood in den Blue-Mountains).

N. irregularis (W. B. Sv.) — Tasmanien (Taiei Kap).
N. Jacksoni (BEDD.) — Ceylon (Nuwara Eliya, Nordprov., Trincomali).

N. mudgeanus (FLETCH.) . — New-South-Wales (Cullenbone bei Mudgee).

N. obscurus (W. B. Sv.) . — Victoria (Dandenong Ranges).

N. orthostichon (SCHMARDA) — Neuseeland (Mount Wellington). Eingeschleppt?

N. pygmaeus (FLETCH.) . — New-South-Wales (Illawarra).

N. queenslandicus (W. B. Sv.). — Victoria (Maryborough).
N. rusticus (FLETCH.) . . — New-South-Wales (Burrawang).

N. sarcarius (FLETCH.) . . — New-South-Wales (Hornsby, Springwood, Gosford).

N. Sarasinorum (MICHLSN.) — Ceylon.
N. simulans (FLETCH.) . . — New-South-Wales (Bulli bei Illawarra).

N. singularis (FLETCH.) . — New-South-Wales (Burrawang).

N. sinuosus (W. B. Sv.) — Victoria (Dandenong Ranges).

N. trincomaliensis (MICHLSN.) — Ceylon (nördl. v. Dambulla u. Trincomali).

N. *victoriensis* (W. B. Sp.)

N. *wellingtonensis* (W. B. Sp.)

Gen. **Digaster** . . . . . tr

D. *armifera* FLETCH. . .

D. *brunneus* W. B. Sp. . .

D. *gayndahensis* W. B. Sp.

D. *lumbricoides* E. PERRIER

D. *minor* W. B. Sp. . .

D. *Perrieri* FLETCH. .

Gen. **Perissogaster** . . . tr

P. *excavata* FLETCH. .

P. *nemoralis* FLETCH.

P. *queenslandica* FLETCH. .

Gen. **Didymogaster**

D. *sylvatica* FLETCH.

Gen. **Megascolex** . . . . tr

M. *acanthodriloides* MICHLS.

M. *Andersoni* W. B. Sp. .

M. *attenuatus* (FLETCH.) .

M. *australis* (FLETCH.) . . |

M. *austrinus* (FLETCH.) .

M. *brachycyclus* (SCHMARDA)

M. *caeruleus* R. TEMPL.

M. *ceylonicus* (BEDD.) . .

M. *cingulatus* (SCHMARDA)

M. *Cori* (FLETCH.)

M. *dorsalis* (FLETCH.) . .

M. *enormis* (FLETCH.) . .

M. *exiguus* (FLETCH.) forma typica . . . .

Victoria.

Tasmanien (Mount Wellington).

New-South-Wales (Marrickville bei Sydney, Auburn bei Paramatta).

Queensland (Gayndah).

Queensland (Gayndah).

New-South-Wales (Port Macquarie).

Queensland (Gayndah).

New-South-Wales (Springwood i.d. BlueMountains).

New-South-Wales (Morpeth, Distr. des Hawkesbury River).

New-South-Wales (Gosford).

Queensland (Oxford bei Brisbane).

New-South-Wales (Burrawang, Springwood, Jervis-Bai, Sydney). Neuseeland.

In geringem Maasse peregrin.

Ceylon (Peradeniya).

Victoria (Gerangamete).

New-South-Wales (Mount Wilson).

New-South-Wales (Burrawang, Sydney).

New-South-Wales (Burrawang).

Ceylon (Ratnapura am Adams Peak).

Ceylon (Candy, Peradeniya, Nuwara Eliya).

Ceylon.

Ceylon (östlich von Badulla).

New-South-Wales (Mount Wilson).

Victoria (an vielen Orten).

New-South-Wales (Gosford).

New-South-Wales (Springwood, Randwick, Manly Beach).

var. *murrayana* (FLETCH.)

M. Fardyi W. B. Sp. . .
M. fernandus (FLETCH.) .

M. Fieldri (W. B. Sp.)

M. Frenchi (W. B. Sp.)

M. Frosti (W. B. Sp.) . .
M. funis MICHLSN. . . . .
M. goonmurk (W. B. Sp.) .

M. gracilis (FLETCH.) . .

M. Halli (W. B. Sp.) . .
M. Hoggi (W. B. Sp.) . .

M. Illidgei W. B. Sp. . .
M. imperatrix (BOURNE) .

New-South-Wales (Mulwala).
Victoria (Heathcote).
New-South-Wales (Mount Wilson, Lawson).
Victoria (Narre Warren, Fern Tree-Gully, Sassafras Gully).
Victoria (Narre Warren, Loch in Süd-Gippsland).
Victoria (Croajingolong).
Ceylon.
Victoria (Mount Goonmurk, Croajingolong).
New-South-Wales (Auburn bei Parramatta).
Victoria (Castlemaine).
Victoria (Mount Macedon, Hoalesville).
Queensland (Cooran).
Wahrscheinlich Vorderindien.

Der Fundort ist nicht angegeben; es ist jedenfalls fraglich, ob es sich um Freiland-Thiere oder um eingeschleppteGewächshaus-Thiere handelt.

M. indissimilis (FLETCH.) .

M. konkanensis FEDARB

M. larpentensis W. B. Sp. .
M. lateralis (W. B. Sp.) .

M. leucocyclus (SCHMARDA)

M. lobulatus W. B. Sp. . .
M. Lorenzi ROSA . . . .
M. Macleayi (FLETCH.) . .

M. macquariensis (FLETCH.)

M. Maplestoni (W. B. Sp.)
M. mauritii (KINB.) . . .

Süd-Australien (See Alexandrina).
Vorderindien (Travankur, Nord-Konkan).
Victoria (Gerangamete).
Victoria (Castlemaine, Tallarook, GoulburnValley).
Ceylon (Nuwara Eliya, Candy).
Victoria (Nar-Nar-Goon).
Ceylon (Candy).
New-South-Wales (an vielen Orten).
New-South-Wales (Dubbo am Macquerie-River).
Victoria (Warrandyte).
Christmas Insel südlich von Java, Sumatra, Nias, Borneo. China (Kowloon), Singapore, Birma, Vorderindien.

Peregrin.

M. mauritii (Kinb.) (Forts.)	Ceylon, Minikoy, Seychellen, Mauritius, Nordwest-Madagaskar. Sansibar.
M. minor W. B. Sp. . . .	**Queensland** (Cooran. Gayndah).
M. montanus W. B. Sp.. .	**Victoria** (MountBaw-Baw).
M. monticola (Fletch.)	**New-South-Wales** (Mount Wilson).
M. multispinus Michlsn. .	**Ceylon.**
M. Newcombei (Bedd.) .	**Queensland.**
M. notabilis W. B. Sp. . .	**Victoria** (Dimboola).
M. nureliyensis Michlsn. .	**Ceylon** (Nuwara Eliya).
M. pharetratus Rosa . . .	**Ceylon** (Candy).
M. raymondianus (Fletch.)	**New-South-Wales** (Raymond Terrace am Hunter River).
M. ruber (W. B. Sp.)	**Victoria** (Tallarook am Goulburn River).
M. Sarasinorum Michlsn.	**Ceylon** (Nord-Provinz).
M. Schmardae Michlsn. .	**Ceylon** (Ratnapura am Adams Peak).
M. singhalensis Michlsn. .	**Ceylon** (Nuwara Eliya).
M. Spenceri Mich.(nov. nom.)	**Victoria** (Narre Warren).
M. Steeli (W. B. Sp.) . .	**Victoria** (Woodend).
M. Stirlingi (Fletch.) . .	**Süd-Australien**(Adelaide).
M. sylvaticus (W. B. Sp.) .	**Victoria** (Fern Tree-Gully bei Warragul).
M. tasmanicus (W. B. Sp.)	**Tasmanien** (Emu-Bay, King Insel).
M. templetonianus Rosa .	**Ceylon** (Colombo).
M. tenax (Fletch.) . . .	**New-South-Wales** (Auburn bei Parramatta, County of Cumberland, Springwood).
	(Marquesas de Mendoza?) Zweifelhafte Angabe, d. einen Händler übermittelt.
M. terangiensis W. B. Sp. .	**Victoria** (Terang).
M. varians Michlsn. typicus	**Ceylon** (Nuwara Eliya).
var. *simplex* Michlsn. .	**Ceylon** (Nuwara Eliya).
M. zygochaetus Michlsn. .	**Ceylon** (Ratnapura am Adams Peak).
M. sp. div. inquirendae . .	Neuseeland. New-South-Wales (Burrawang, Guntawang, Mount Wilson). Vorderindien (Naduvatam).
Gen. **Plionogaster** . . . . tr	
P. Horsti (Bedd.) . . .	**Philippinen** (Manila auf Luzon).

P. Jagori MICHLSN. . . .	**Philippinen** (Daraga auf Luzon).
P. samariensis MICHLSN. .	**Philippinen** (Loquilocun auf Samar).
P. ternatae MICHLSN. .	**Molukken** (Ternate).
Gen. **Pheretima**	fast aus-schliess-lich **tr**
P. acincta (GOTO & HATAI)	**Japan** (Tokio).
P. acrophila (ROSA) . . .	**Sumatra** (Si-Rambé).
P. aeliana (ROSA) . . .	**Sunda-Insel Engano** (Bua bua).
P. aeruginosa (KINB.) forma typica	Marianen - Insel Guam, Peregrin. Java (Buitenzorg. Tji-bodas), Sunda - Insel Engano.
forma *musica* (HORST) .	Java (Buitenzorg, Tji-bodas, Gedeh, Bantam). Sumatra (Kepahiang). · In geringem Mansse peregrin.
P. Alexandri (BEDD.) . .	Vorderindien (Calcutta). Herkunftsnotiz durch die Kew gardens vermittelt.
P. annulata (HORST) . . .	**Sunda-Inseln.**
P. aringeana (BEDD.) . .	**Malayische Halbinsel** (Aring, Kelantan).
P. asiatica (MICHLSN.) . .	China (Tientsin), Tibet Peregrin. (Oberlauf des Mekong).
P. aspergillum (E. PERRIER)	**Formosa** (Taipei - fu) [1], **China** (Amoy, Kowloon).
P. atheca (ROSA)	**Sumatra** (Baligue, Si-Rambé, Toba-See, Sta-bat-Deli).
P. biporus (BEDD.) . . .	**Malayische Halbinsel.**
P. birmanica (ROSA) . .	**Birma** (Bhamó).
P. biserialis (E. PERRIER)	Philippinen (Manila auf Peregrin. Luzon), Sumatra (Bind-jey-Estate): Nordwest-Madagaskar: Surinam (Paramaribo), Westindien (Arecibo auf Puerto Rico).
P. Bosschae (HORST)	**Borneo** (Baram - Fluss, Sambas), **Malayische Halbinsel** (KhotuBharu).
P. Bournei (ROSA) . . .	**Birma** (Distr. Chebà od. Biapó).
P. brevis (ROSA)	**Christmas-Insel** südl. v. Westende Javas.

[1] BEDDARD'S Angabe „Japan" ist wohl irrthümlich. für „Formosa". Fandort des Synonyms *Perichaeta Takatorii* GOTO & HATAI.

P. Burchardi (Michlsn.) .	**Sumatra** (Bindjey-Estate, Stabat-Deli).	
P. californica (Kinb.) .	Aegypten (Alexandria, Kairo); Madeira (Funchal); Mexiko (Umgegend von Veracruz), Kalifornien (Sausolita-Bay).	Peregrin.
P. capensis (Horst) . . .	China (Hongkong), Timor, Flores, Sumba, Java, Sumatra; Kapland; Westindien (Barbados).	Peregrin.
P. carinensis (Rosa).	**Birma** (Berg Carin im Distr. Chebà od. Biapò).	
P. castanea (Michlsn.) . .	**Celebes** (Matinang-Gebirge).	
P. celebensis (Michlsn.) .	**Celebes** (Takalekadjo-Gebirge).	
P. cingulata (Vaillant) .	Darnley-Insel in der Torres-Str., Java, Banka, Sumatra, Mentawei-Ins., Nord-Celebes, Nord-Borneo, Philippinen-Inseln Mindoro u. Luzon; Malayische Halbinsel.	Peregrin.
P. culminis (Michlsn.) . .	**Celebes** (Pic v. Bonthain).	
P. densipapillata (Michls.)	**Molukken** (Insel Batjan).	
P. divergens (Michlsn.) .	**Japan** (Kamakura, Tokio, Tokorosawa, Kawaguchi in der Prov. Kai).	
P. Dunckeri Michlsn. . .	lmu, amph?	Malayische Halbinsel (Pahang-Fluss).
P. elongata (E. Perrier) .	Peru.	Zweifelhafte Art!
P. enganensis (Rosa) . .	**Sunda-Insel Engano** (Malacoani. Bua-Bua).	
P. esafatae (Bedd.) . . .	**Neu-Hebriden** (Esafate).	Peregrin? s. unten!
P. Evansi (Bedd.) . . .	**Malayische Halbinsel** (Biserat).	
P. Feae (Rosa)	**Birma** (Kokareet in Tenasserim.	
P. Ferdinandi (Michlsn.)	**Sangi-Inseln** (GrossSangi).	
P. Forbesi (Bedd.) . . .	**Neu-Guinea.**	
P. glandulosa (Rosa) . .	**Sumatra** (Baligue, Benkoelen, Padang), Mentawei-Ins.	
P. Godeffroyi (Michlsn.) .	**Viti-Ins.**	Peregrin? s. unten!
P. Guillelmi (Michlsn.) .	China (Wuchang in der Prov. Hupei, Tientsin).	In geringem Maasse peregrin.
P. halmaherae (Mich.) f. typica	**Molukken** (Nord-Halmahera, Soah-Konorah u. Galela auf Halmahera).	

subsp. *batjanensis* (Mich.)

subsp. *bonthainensis* (Ben.)

subsp. *coecilia* (Michlsn.)

subsp. *digitata* (Benham)

subsp. *fissigera* (Michlsn.)
subsp. *fumigata* (Michls.)

subsp. *goletensis* (Michls.)

subsp. *qamsungi* (Michl.)

subsp. *imparicystis* (Mich.)
subsp. *jamprana* (Benh.)

subsp. *kauensis* (Michls.)

subsp. *purpurea* (Benh.)
subsp. *tigrina* (Michlsn.)
P. *Hasselti* (Horst) .　　.
P. *hawayana* (Rosa)　.　.

P. *hesperidum* (Benn.) .　.

P. *heterochaeta* (Michlsn.)

Molukken (Batjan. Oba auf Halmahera).
Celebes(Pic von Bonthain. Pic von Moros, Grenzgebirge zw. Minahassa u. Balaang-Mongodow).
Molukken (Soah-Konorah auf Halmahera, Nord-Halmahera).
Djampeah-Ins. südl. v. Celebes.
Celebes (Pic v. Bonthain).
Celebes (Takalekadjo-Gebirge südl. v. Posso-See).
Molukken (Galela anf Halmahera).
Molukken (Patani auf Halmahera).
Molukken (Batjan).
Djampeah-Ins. südl. v. Celebes.
Molukken (Kau auf Halmahera).
Celebes (Pic v. Bonthain).
Celebes (Pic v. Bonthain).
Sumatra (Lebong.)
Hawaii-Ins. (Hawaii, Molokai, Waimea, Oahu); Japan (Tokio), China (Hongkong), Borneo (Mandhor), Sumatra (Padang), Insel Pinang bei Malakka; Vorderindien (Dehra-Dun); Mauritius; Kanarische Inseln (Teneriffa); Brasilien (Porto Alegre, Santos, Saŭ Paulo, Petropolis, Manaos), Chile (Santiago); Westindien (Barbados), Bermuda-Ins.
Hawaii - Inseln (Lanai, Hawaii, Molokai); China (Wuchang in der Prov. Hupei, Honkong); Westindien (Barbados).
Hawaii-Inseln; Japan, Sunda-Inseln, Neu-Kaledonien;

Peregrin, nachweislich verschleppbar.

Peregrin.

Peregrin, nachweislich verschleppbar.

P. heterochaeta (Michlsn.) (Forts.) . . .	Vorderindien: Madagaskar; [Europa (in Warmhäusern)]: Azoren: Kolumbien: Florida, Georgia, Kalifornien.	
P. hexatheca (Benh.) . .	Celebes (Pic v. Bonthain).	
P. Hilgendorfi (Michlsn.)	Japan (Hakodate, Yokohama, Tokio, Nakahama in der Prov. Setsu, Takahashi in der Prov. Bitchu, Kumamoto, Nwajima auf Shikoku).	
P. Houlleti (E. Perrier) .	Philippinen (Luzon), Cochinchina, Birma (Distr. Pegu), Java, Sumatra; Ceylon, Vorderindien; Madagaskar; Bahama-Ins.	Peregrin.
P. hupeiensis (Michlsn.) .	Japan (Nakahama in der Prov. Setsu), China (Wuchang in der Prov. Hupei).	In geringem Maasse peregrin.
P. Iizukai (Goto & Hatai)	Japan (Musashi).	
P. Ijimae (Rosa)	Japan (Tokio, Kamakura).	
P. impudens (Michlsn.) .	Borneo (Tandjong im Südosten d. Ins.).	
P. iris (Michlsn.)	Philippinen (Loquilocun auf Samar).	
P. japonica (Horst) . . .	Japan.	
P. juloides (Michlsn.) . .	Celebes (Bone Thal. Buol).	
P. kalaenensis (Michlsn.) .	Celebes.	
P. kelantanensis (Bedd.) .	Malayische Halbinsel (Aring. Kelantan).	
P. lompobatangensis (Michl.)	Celebes (Pic v. Bonthain).	
P. Loriae (Rosa)	Neu-Guinea (Hughibagu), Salomons-Ins. (Guadalcanar).	
P. malayana (Bedd.) . .	Malayische Halbinsel (Aring).	
P. margaritacea (Michlsn.)	Philippinen (Loquilocun auf Samar).	
P. Masatakae (Bedd.) . .	Japan (Kamakura).	
P. Mazarredoi (Rosa) . .	Philippinen (Marinduque).	
P. megascolioides (Goto & Hatai)	Japan (Tokio).	
P. merabahensis (Bedd. & Fedarb)	Borneo (Padas-Thal).	

P. minahassae (Michlsn.)　Celebes (Minahassa, Lo-
kon-Gipfel, Sudara-Gipf..
Masarang-Gebirge).

P. minima (Horst)　　Java (Tjibodas).
P. minuta (Bedd.)　　Malayische Halbinsel
　　　　　　　　　　　　(Aring).

P. montana (Kinb.)　Tahiti.Samoa-Ins.(Upolu). Peregrin.
　　　　　　　　　　Viti-Ins.. Neu-Kale-
　　　　　　　　　　donien. Loyalty-Ins..
　　　　　　　　　　Neu-Hebriden, Neu-
　　　　　　　　　　Pommern, Nord-Celebes,
　　　　　　　　　　Molukken (Halmahera.
　　　　　　　　　　Ternate), Sangi-Ins. (Gr.
　　　　　　　　　　Sangi). Philippinen (Ma-
　　　　　　　　　　lamani, Daraga auf
　　　　　　　　　　Luzon).

P. nana (Rosa) . . . .　Sumatra (Si-Rambé).
P. neoguinensis (Michlsn.)　Neu-Guinea.
P. novaebritannicae (Benh.)　Neu-Pommern (Gazelle-
　　　　　　　　　　　　Halbinsel).

P. ocellata (Michlsn.) . .　Sumatra(Bindjey-Estate).
P. pacifica (Bedd.) . . .　Neu-Pommern (Gazelle-
　　　　　　　　　　　　Halbinsel).

P. padasensis (Bedd. & Fed.)　Borneo (Merabab, Padas-
　　　　　　　　　　　　Thal).

P. papua (Rosa) . .　　Neu-Guinea (Haveri).
P. papulosa (Rosa) . . .　Sumatra (Balighe).
　　　　　　　　　　　Malayische Halbinsel
　　　　　　　　　　　(Biserat).

P. pataniensis (Michlsn.)　Molukken (Patani auf Hal-
　　　　　　　　　　　mahera, Batjan).

P. peguana (Rosa) . . .　Siam (Chan), Birma (Ran-
　　　　　　　　　　　gun).

P. pentacystis (Rosa) . .　Seychellen (Mahé), Mada-　In geringem Maasse
　　　　　　　　　　　gaskar (Nossi-Bé).　　peregrin.

P. peregrina (Fletch.) . .　New-South-Wales (Syd-　Peregrin.
　　　　　　　　　　　ney), (von Mauritius ein-
　　　　　　　　　　　geschleppt?);
　　　　　　　　　　　Sumatra (Balighe), Singa-
　　　　　　　　　　　pore (Bukit Timah);
　　　　　　　　　　　Hawaii-Ins. (Molokai).

P. perichaeta (Bedd.) . .　Malayische Halbinsel.
P. phacellotheca (Michlsn.)　Celebes (Masarang-Ge-
　　　　　　　　　　　birge).

P. philippina (Rosa) . .　Sumatra (Bidjey-Estate), Peregrin.
　　　　　　　　　　　Philippinen (Cebu).

P. picta (Michlsn.) . . .　Borneo (Sampit).
P. Pieteli (Rosa) . .　　Sumatra (Stabat-Deli).
P. polytheca (Bedd.)　.　Malayische Halbinsel
　　　　　　　　　　　(Aring, Kelantan).

P. posthuma (L. Vaill.)　Groot-Bastaard-Ins. bei Peregrin.
　　　　　　　　　　　Flores, Christmas-Ins.,

P. posthuma (L. Vaill.) (Forts.)	Java, Celebes(Makassar), Molukken (Ternate, Amboina), Philippinen (Manila auf Luzon), Cochinchina (Saigun), Malayische Halbinsel: Vorderindien (Calcutta); Bahama-Ins.	
P. propora (Rosa) . . .	**Sumatra** (Si-Rambé).	
P. palauensis (Bedd.) .	**Malayische Halbinsel** (Pulau, Bidang, Kelah, Aring).	
P. pura (Rosa)	**Sunda-Ins. Lombok.**	
P. pusilla (Ude)	**Java** (Buitenzorg).	
P. quadragenaria (E. Perr.)	Vorderindien.	Aeltere, fragl. Art!
P. quadripapillata (Michl.)	**Sumatra**(Bindjey-Estate).	
P. queenslandica (Fletch.)	**Queensland** (Distr. d. Barron-River).	Peregrin? s. unten!
P. racemosa (Rosa) . . .	**Borneo, Java.**	
P. robusta (E. Perrier) .	Philippinen (Manila auf Luzon): Mauritius.	Peregrin.
P. rodericensis (Grube)	Japan (Shima), China (Foochow): Rodriguez, Madagaskar (Nossi-Bé): Ober-Guinea (Lagos): [Europa (in Warmhäusern)]: Westindien (Trinidad, Areciba auf PuertoRico), Bermudas; Venezuela (Caracas).	Peregrin, nachweislich verschleppbar.
P. Sarasinorum (Michlsn.)	**Celebes** (Gebirge südl. v. Posso-See, Matinang-Gebirge).	
P. Schmardae (Horst) .	Hawaii-Ins. (Oahu): Japan (Prov. Bitchu, Prov. Hidachi). China (Tientsin): Westindien (Barbados), Bermudas.	Peregrin.
P. Sedgwicki (Benham) .	**Neu - Pommern** (Blanche Baie).	
P. semifasciata (Michlsn.)	**Celebes** (Matinang-Gebirge).	
P. Sieboldi (Horst) . . .	**Japan** (Nakahama in der Prov. Setsu, Tokio, Sendai. Tsugaru, Shizuoka, Ibaraki, Bitchu).	
P. Shüteri (Horst) . . .	**Sunda-Ins. Billiton.**	

7*

P. solomonis (Bedd.) — **Salomons-Ins.** (Narovo), **Neu-Guinea** (Rabiana).

P. spectabilis (Rosa) . . — **Neu-Guinea** (Hoghubagu).

P. Stelleri (Michl.) f. typica — Borneo (Sarawak. Mera- In geringem Maasse lah. Baram-Fluss. Poe- peregrin. toes Sibau, Nanga Raoen. Liang Koeboëng. Bend- jermasin), Sangi - Ins. (Gross-Sangi).

subsp. *annectens* (Michl.) — **Celebes** (Bone-Thal).

subsp. *barami* (Michlsn.) — Nord-Borneo od. Nord- Fundort zweifelh. Celebes.

subsp. *bonensis* (Michl.) — **Celebes** (Bone-Thal).

subsp. *Everetti* (Bedd.) — **Borneo** (Tamburungare, Kinabalu), **Celebes** (Ma- tinang-Gebirge).

subsp. *klabatensis* (Mich.) — **Celebes** (Klabat).

subsp. *seriata* (Michls.) — **Celebes** (Nangkahulu- Thal, Buol, Matinang- Gebirge).

P. subulata (Michlsn.) . . — **Celebes** (Vorberge des Takalekadjo, Lucou).

P. supuensis (Michlsn.) — **Molukken** (Supu auf Hal- mahera).

P. taitensis (Grube) . . . — **Gesellschafts-Ins.**(Tahiti). Peregrin? s. unten!

P. taprobanae (Bedd.) . . — **Ceylon.**

P. tobaënsis (Michlsn.) . — **Sumatra** (Toba-See).

P. tokioensis (Bedd.) . . — Japan (Uwajima auf Shi- In geringem Maasse koku. Oarai in der Prov. peregrin. Hidachi), Formosa (Tai- pei-fu).

P. travancorensis (Fedar) — Vorderindien (Dehra Dun, Mit *P. dubia* (Horst) Travankur); identisch?, pere- Sumatra? grin?

P. Udei (Rosa) — **Sumatra**(Si-Rambé,Toba- See).

P. upolnensis (Bedd.) — Samoa-Ins. (Upolu), Neu- Peregrin. Hebriden (Esafate).

P. urceolata (Horst) — Timor (Koepang), Suma- In geringem Maasse tra (Lampong). peregrin.

P. violacea (Bedd.) . . . — Ins. Pinang bei Malakka; Peregrin. Westindien (Grenada).

P. virgo (Bedd.) . . . . — **Malayische Halbinsel** (Tale. Paddy-fields).

P. vittata (Goto & Hatai) — **Japan** (Tokio, Kamakura).

P. Vordermani (Horst) . — **Sunda-Ins. Billiton.**

P. zebra (Benh.) . . . . — **Celebes** (Pic v. Bonthain).

P. sp. (*Köllickeri* Mich. Ms.)* — **Japan.**[1]

P. sp. div. inquirendae . . — Groot-Bastaard bei Flores, Java, Sumatra, Japan.

---

[1] Die mit einem Sternchen ausgezeichneten Arten oder Fundortsangaben sind nach- träglich eingeschoben und weder im Vorhergehenden, noch auf den Karten berücksichtigt.

Geographische Verbreitung: Keine andere Oligochaeten-Gruppe lässt die Geschicke ihres Stammes in den verschiedenen geologischen Perioden an der recenten Verbreitung so plastisch hervortreten, wie die Unterfamilie der *Megascolecinae*. Die Gebiete der verschiedenen Altersklassen, z. T. nur an spärlichen Relikten feststellbar, lassen deutlich verschiedenartige Macht-Perioden erkennen, in denen sich das Gebiet des Stammes ausweitete und wieder einengte, um sich später in anderer Richtung wieder zu dehnen.

Die Hauptmasse der Megascolecinen ist auf eine rein terricole Lebensweise angewiesen. Eine Ausnahme bilden nur eine limnische *Pheretima*-Art, *P. Dunckeri* Michlsn., und die littorale Gattung *Pontodrilus*. Die Glieder dieser Gattung haben sich an das Leben am Meeresstrande gewöhnt und zwar anscheinend in so hohem Grade, dass sie an anderen, nicht-halinen Oertlichkeiten überhaupt nicht mehr leben können. Sie repräsentiren eine der wenigen Gruppen, die rein littoral sind und nie in bedeutender Entfernung vom Meeresstrande gefunden werden. Wenn wir die eine limnische Form, zweifellos eine sekundäre, ziemlich junge Anpassung, auch nicht von ihren Gattungsgenossen zu sondern brauchen, so müssen wir doch bei der Erörterung der geographischen Verbreitung die Gattung *Pontodrilus* gesondert betrachten. Kein anderer Fall zeigt so deutlich den Einfluss der Lebensweise auf die Art der Verbreitung, wie die geographische Verbreitung der littoralen Gattung *Pontodrilus* verglichen mit der der nächstverwandten, aber rein terricolen Gattung *Plutellus*.

Betrachten wir zunächst die geographische Verbreitung der rein **terricolen Megascolecinen**, das heisst der Megascolecinen mit Ausschluss der Gattung *Pontodrilus*.

Die Megascolecinen sind zweifellos entsprossen aus den Notiodrilen Australiens, die in den ganz isolirten und durch breite Wüstenbezirke vor der Einwanderung jüngerer Formen geschützten Oasen Zentral- und Nordwest-, Australiens noch jetzt die Alleinherrschaft ausüben und in einzelnen Funden auch in Nord-Australien und Queensland beobachtet worden sind. Als wenig veränderter Ueberrest des zwischen *Notiodrilus* und den Megascolecinen vermittelnden Uebergangsgliedes ist die queensländische Form *Diplotrema fragile* W. B. Sp. anzusehen.

Die Sprossung der Megascolecinen aus *Diplotrema*-artigen Acanthodrilinen geschah höchst wahrscheinlich in einer Periode, da Neuseeland schon vom australischen Kontinent abgetrennt war; denn hier entwickelten sich aus *Notiodrilus* andere Gruppen, die *Neodrilus*-Gruppe der Acanthodrilinen und die *Octochaetinae*, während die Megascolecinen hier nur durch ganz spärliche, fragliche Vorkommnisse vertreten sind, die aller Wahrscheinlichkeit nach erst durch den Menschen eingeschleppt wurden. Für *Didymogaster sylvatica* Fletch., die zugleich in Neuseeland und Australien beobachtet wurde, also eine peregrine Form ist, dürfen wir das als sicher annehmen; aber auch für die anderen Formen (*Notoscolex orthostichon* (Schmarda) und *Diporochaeta intermedia* (Bedd.) von Neuseeland, sowie *D. chathamensis* Benham von den Chatham-Inseln) ist es wahrscheinlich, denn sie gehören nicht der niedrigsten Megascolecinen-Stufe (*Plutellus*) an, sondern mittleren Stufen. Zumal das Vorkommen einer Arten der Gattung *Diporochaeta* kann schwerlich als ein praekulturelles angesehen werden. Diese Gattung ist wahrscheinlich vollkommen auf Australien beschränkt (von der zweifelhaften *D. pellucida* (Bourne), fraglicherweise von Vorderindien, müssen wir absehen) und nahm anscheinend nicht Theil an der unten zu schildernden Ausbreitung der Megascolecinen nach Norden

und Nordwesten über Australien hinaus. Der Ursprung dieser Gattung ist
also wahrscheinlich jünger als die Isolirung Australiens gegen Norden und
Nordwesten und also auch viel jünger als die Isolirung Neuseelands von
Australien. Es darf aber nicht ausser Acht gelassen werden, dass die obigen
Schlussfolgerungen nicht absolut sicher sind. Es könnten ja auch in Neuseeland später noch *Plutellus*-Arten, die niedrigsten Stufen der Megascolecinen-
reihe, die sonst überall das Auftreten der mittleren Stufen, *Notoscolex*,
begleiten, gefunden werden. Auch das auf der sonst so beschränkten Verbreitung der Gattung *Diporochaeta* beruhende Argument ist nicht ganz
einwandfrei, einentheils wegen des allerdings fraglichen Vorkommens einer
Art dieser Gattung in Vorderindien (*D. pellucida* (BOURNE)), anderentheils
wegen der Verbreitung der nahe verwandten Gattung *Perionyx* ausserhalb
Australiens.

Verfolgen wir nun die Geschichte des Hauptstammes der Mega-
scolecinen, der Reihe *Plutellus-Megascolides-* (oder *Trinephrus-*) *Notoscolex-*
Megascolex-Pheretima. Die Megascolecinen der ältesten Form, *Plutellus*,
nahmen zunächst Besitz von der östlichen Hälfte Australiens einschliesslich
Tasmaniens. Ob sie jemals auch in die zentralen und westlichen Gebiete
Australiens eingedrungen sind, oder ob die Wüstenbildung frühzeitig genug
eine Schranke für ihr Vordringen westwärts bildete, muss dahingestellt bleiben.
Die spärlichen bis jetzt vorliegenden Terricolen-Funde aus den Oasen dieser
Wüsten gehören jedenfalls ausnahmslos der Wurzelgattung *Notiodrilus* an.
Die Gattung *Plutellus* verbreitete sich aber nordwärts weit über die Grenzen
Australiens hinaus, und zwar einerseits bis Ceylon (2 Arten), andererseits
bis in das Cordilleren-Gebiet Nord- und Zentral-Amerikas (5 Arten). Die
kleinen Gattungen *Megascolides* und *Trinephrus*, die zwischen der niedersten
Megascolecinen-Gattung *Plutellus* und der höheren Stufe, der Gattung
Notoscolex, vermitteln, sind ganz auf Australien (incl. Tasmanien) beschränkt.
Es ist wohl kaum anzunehmen, dass diese Beschränkung in der Verbreitung
auf einer Beschränkung der Verbreitungsmöglichkeit beruht. Vielleicht ist
die Ursache derselben darin zu sehen, dass die Verbreitungsmöglichkeit nicht
voll ausgenutzt wurde. Vielleicht auch sind etwaige ausseraustralische Glieder
dieser Gattungen im Kampfe ums Dasein zu Grunde gegangen; finden wir
doch auch von der in Australien durch 38 Arten vertretenen Gattung *Plutellus*
nur 7 reliktenartige ausseraustralische Arten. Wir dürften also von vornherein
von jenen kleinen Gattungen, die im Hauptquartier Australien nur in 4 bezw.
8 Arten aufgefunden sind, nur eine sehr geringe Zahl ausseraustralische
Arten erwarten. Die wahrscheinlich durch Vermittelung dieser kleineren
Gattungen aus *Plutellus* entsprossene Gattung *Notoscolex*, die die nächst
höhere Stufe in der Hauptreihe der Megascolecinen bildet, nahm noch Theil
an der weiten Verbreitungsmöglichkeit der ältesten Megascolecinen. Wir
finden diese Gattung *Notoscolex*, als deren Hauptquartier ebenfalls die östliche
Hälfte Australiens erscheint, in Ceylon durch 7 Arten, in Nordamerika durch
1 Art vertreten. Welcher Gestalt die Verbindung zwischen diesen weit-
vorgeschobenen Posten und Australien war, lässt sich nicht feststellen, da
diese niedrigsten Megascolecinen in den Gebieten, die jetzt zwischen jenen
extremen Posten und dem Hauptquartier liegen, vollständig ausgerottet
erscheinen, im indo-malayischen Gebiet zweifellos durch den alles erdrückenden
jüngsten Megascolecinen-Spross, die Gattung *Pheretima*, verdrängt. Jene
vorgeschobenen Posten haben sich als typische, weit isolirte Relikte erhalten.
Auf der nächsten Stufe, repräsentirt durch die Gattung *Megascolex*, sehen
wir die frühere Ausbreitungsmöglichkeit sehr stark eingeschränkt, insofern

die Verbindung mit Nordamerika aufgehoben war. Die Gattung *Megascolex* ist beschränkt auf Australien (40 endemische Arten) und Ceylon (20 endemische Arten). Die verbindenden Glieder sind wiederum, wie bei den älteren Stufen der Megascolecinen, verschwunden. In die Zeit der Entwicklung der Gattung *Megascolex* fällt zweifellos das schwerwiegende Ereigniss der Lostrennung des australischen Kontinentes, und zwar auf einen Zeitpunkt, da die Entwicklung dieser Gattung noch nicht ganz den Höhepunkt erreicht hatte, der durch die höchst entwickelten noch zu *Megascolex* gerechneten Formen markirt wird. Während ausserhalb Australiens eine Weiterentwicklung in der Richtung auf *Pheretima* vor sich ging (weitere Komplizirung des männlichen Geschlechts-apparates bei einzelnen *Megascolex* von Ceylon), blieben die *Megascolex*-Arten Australiens auf einem bestimmten Punkte stehen. Wenn nach der Abtrennung Australiens überhaupt noch eine Weiterentwicklung der Terricolen-Fauna dieses jetzt insularen Kontinents erfolgte, so geschah sie jedenfalls nach anderer Richtung hin, durch Ausbildung von Nebenzweigen. Ausserhalb Australiens jedoch ging die Umformung in der oben skizzirten Linie weiter, indem sich im indo-malayischen Gebiet aus den Ueber-*Megascolex*, wie sie uns in einzelnen Arten aus Ceylon noch erhalten geblieben sind, der jüngste Spross der Megascolecinen-Reihe, die Gattung *Pheretima*, entwickelte. Der Entstehungs- und Verbreitungsherd dieser Gattung scheint das Gebiet des jetzigen Malayischen Archipels gewesen zu sein. Sie dehnte ihr Gebiet zunächst durch einen weiten Vorstoss westwärts über Ceylon nach dem Gebiet des jetzigen madagassischen Archipels aus. Dieser westliche Vorstoss ist nicht von nachhaltiger Wirkung gewesen. Nur eine Art von Madagaskar und den Seychellen *(Pheretima pentacystis* (Rosa)) und eine Art von Ceylon (*P. taprobanae* (Bedd.)) sind als sichere Zeugen desselben anzurufen. Bedeutsam ist, dass diese beiden Arten durch gewisse Charaktere (wie übrigens auch einzelne *Pheretima*-Arten aus dem malayischen Hauptquartier) an die Ahnen-Gattung *Megascolex* erinnern, so durch das Fehlen der Darmblindsäcke, sowie dadurch, dass nur ein einziges Dissepiment (*P. taprobanae*) oder selbst gar keines (*P. pentacystis*) in der Region des Muskelmagens fehlt; es sind also wahrscheinlich phylogenetisch ältere Formen. Dieser westliche Vorstoss fällt also wohl in die älteste Zeit der *Pheretima*-Periode. Die westlichen Gebiete wurden aber bald wieder aufgegeben und selbst Ceylon, die alte Hochburg und östliche Grenz-Feste des Megascolecinen-Stammes von den Zeiten der *Plutellus* an, ging verloren. So intensiv auch die Machtentfaltung der jüngeren *Pheretima* jenseits des Bengalischen Meerbusens, in Hinter-indien und auf den Sunda-Inseln, vor sich ging, nach Ceylon gelangten sie nicht mehr; jener Meereseinschnitt bildete jetzt eine unüberwindliche Ver-breitungsschranke. Als das Hauptquartier der Gattung *Pheretima* ist der malayische Archipel anzusehen. Hier errang sich dieser jüngste Mega-scolecinen-Spross in entschiedenem Grade die Vorherrschaft, ja, so weit wir bis jetzt wissen, auf manchen Inseln dieses Gebietes sogar die Alleinherrschaft. Sehen wir ab von den littoralen und limnischen Formen, die wegen ihrer abweichenden Lebensweise nicht in Konkurrenz mit den terricolen Formen treten, sowie von den höchst wahrscheinlich sämmtlich eingeschleppten, peregrinen *Dichogaster*-Arten, so bleiben in diesem Gebiet als Konkurrenten der *Pheretima* (76 endemische Arten und Unterarten) nur einige wenige Moniligastriden auf Sumatra und Borneo (8 endemische Arten) und einige wenige Arten, die kleine, tiefer stehende Seitenzweige an der Megascolecinen-Hauptreihe repräsentiren (4 endemische *Pionogaster*-Arten auf den Philippinen und Molukken und 1 *Perionyx*-Art auf Java und Sumatra, deren endemische

Natur nicht über jeden Zweifel erhaben ist). Beachtenswerth ist, dass sich unter diesen terricolen Mitbewohnern im malayischen Archipel keine Formen finden, die den mittleren und unteren Stufen der Megascolecinen-Hauptreihe, den Gattungen *Megascolex*, *Notoscolex* und *Plutellus*, angehören. Diese schwächeren Ahnen-Gattungen haben sich, falls sie hier überhaupt je existirt haben, nicht neben ihren kräftigen Nachkommen halten können. Das Gebiet der jüngeren *Pheretima* ist aber nicht auf den malayischen Archipel beschränkt geblieben. Es erstreckt sich einerseits nordwärts auf den asiatischen Kontinent hinauf. Viele endemische Arten finden sich auf der Malayischen Halbinsel und in Birma, andere in Cochinchina (im Ganzen 17 endemische Arten auf dem asiatischen Kontinent). Leider ist das innere Asien in dieser Beziehung noch so wenig durchforscht, dass wir die diesseitige Grenze des *Pheretima*-Gebietes nicht sicher feststellen können. Auf der Malayischen Halbinsel und in Birma erscheint diese Gattung entschieden noch vorherrschend. In dem nördlicheren Gebiet, Tibet und China, sind zwar manche *Pheretima*-Vorkommnisse nachgewiesen worden (9 verschiedene Arten betreffend), auffallenderweise aber darunter nicht ein einziges sicher endemisches. Wir dürfen dieses Gebiet also nicht in das eigentliche *Pheretima*-Gebiet einbeziehen. Dieses Tibetanisch-Mongolisch-Chinesische Gebiet besitzt dem Anscheine nach überhaupt keine endemischen Terricolen (vergl. unten das Kapitel: Gebiete ohne endemische Terricolen. Abschnitt: Gebiete jüngeren geologischen Alters). In anderer Linie, der ostasiatischen Inselreihe, erstreckt sich das Gebiet der Gattung *Pheretima* dagegen weit nordwärts, von den Philippinen (3 endem. Arten) nach Formosa (1 endem. Art) und bis über den ganzen bis jetzt durchforschten Theil von Japan (11 endem. Arten). Es kommt an dieser Stelle in Berührung mit dem nordasiatischen Gebiet der Familie *Lumbricidae*, die auch auf Japan eine endemische Art aufweist. Im Uebrigen theilen sie sich das japanische Inselreich nur noch mit einem Moniligastriden, dessen endemische Natur jedoch etwas zweifelhaft ist. Ostwärts erstreckt sich das *Pheretima*-Gebiet zunächst von Neu-Guinea (hier 6 endemische Arten) nach den Inseln des Bismarck-Archipels, die durch eine allerdings sehr kleine Zahl endemischer Arten als zu dem eigentlichen Gebiet der Gattung *Pheretima* gehörig gekennzeichnet sind. Anscheinend endemische Arten finden sich auch auf noch weiter auswärts liegenden Inseln der Südsee (je 1 anscheinend endemische Art auf den Neu-Hebriden, den Samoa- und den Gesellschafts-Inseln). Es erscheint mir aber fraglich, ob man es hier wirklich mit endemischen Formen zu thun habe. Die grössere Zahl der von diesen Inseln bekannten Formen sind peregriner Natur und es ist wahrscheinlich, dass auch diese anscheinend endemischen Formen noch im eigentlichen Gebiet der Gattung *Pheretima* nachgewiesen werden. Bei der Schwierigkeit der Art-Sonderung in dieser Gattung kann jedenfalls aus diesen ganz vereinzelten Vorkommnissen ein sicherer Schluss über den Faunen-Charakter dieser Inseln nicht gezogen werden (zu erwähnen ist übrigens, dass die anscheinend endemische Art von dem äusserst vorgeschobenen Posten *Pheretima taitensis* (GRUBE), eine sehr ungenügend bekannte, etwas zweifelhafte Art ist). Aehnlich verhält es sich mit der südlichen Begrenzung des *Pheretima*-Gebietes. Auch hier finden wir nur eine einzige, anscheinend endemische Art, *P. queenslandica* (FLETCH.), über die Grenze des indo-malayischen Gebietes vorgeschoben. Ist diese einzige *Pheretima*-Art, die nach unserer jetzigen Kenntniss Australien eigenthümlich ist, hier wirklich endemisch? Jedenfalls ist dieses Vorkommniss nicht im Stande, das charakteristische Bild der Terricolen-Fauna Australiens und die scharfe Grenze zwischen dieser und der Fauna des benachbarten

Inselgebietes zu verwischen. Diese scharfe Grenze ist eines der auffallendsten Ergebnisse der Oligochaeten-Forschung. Einerseits haben wir Australien mit seiner reichen Fauna an niederen Megascolecinen, von der Gattung *Plutellus* bis *Megascolex* (und dabei nur jenes einzige verdächtige *Pheretima*-Vorkommniss), andererseits, nur durch die Torresstrasse von Australien getrennt, Neu-Guinea, von welcher Insel bisher nur Oligochaeten aus der Gattung *Pheretima* bekannt sind.

Die von der Megascolecinen-Hauptreihe ausgehenden terricolen Nebenzweige sind in ihrer Verbreitung mit wenigen Ausnahmen ganz auf das Gebiet beschränkt, das als das Hauptquartier ihrer in der Hauptreihe liegenden Wurzelgattung anzusehen ist. Die kleinen Gattungen *Fletcherodrilus* (aus *Plutellus* entsprossen), *Digaster*, *Perissogaster* und *Didymogaster* (aus *Notoscolex* entsprossen) finden sich lediglich in der östlichen Hälfte Australiens (incl. Tasmanien), die kleine Gattung *Plionogaster* (aus den niedrigsten *Pheretima*-Formen entsprossen?) lediglich auf den Philippinen und den Molukken. Auch die grosse Gattung *Diporochaeta* (aus *Plutellus* entsprossen) ist wahrscheinlich auf Australien beschränkt (siehe oben). Eine Verbreitung, die mit der ihrer nächsten Verwandten schwer in Einklang zu bringen ist, zeigt die Gattung *Perionyx*, zunächst mit *Diporochaeta* verwandt. Während *Diporochaeta* auf Australien beschränkt erscheint, finden sich anscheinend endemische *Perionyx*-Arten auf Java-Sumatra (1 gemeinsame endemische Art), in Birma (2 endemische Arten), in Vorderindien und auf Sansibar (je 1 anscheinend endemische Art, vielleicht aber sind diese beiden Arten zu vereinen). In Australien sind bislang keine *Perionyx* gefunden worden. *Perionyx* ist also ausser der höchsten Stufe der Megascolecinen, *Pheretima* + *Plionogaster*, die einzige Megascolecinen-Gattung, die nicht in Australien vertreten ist. Das ist schwer erklärbar, wenn alle oben für die Verbreitung der Gattungen *Diporochaeta* und *Perionyx* und ihre Verwandtschaftsbeziehungen als wahrscheinlich hingestellten Momente zutreffen, wenn *Diporochaeta* praekulturell auf Australien beschränkt war und hier entstand erst nach der Isolirung Australiens, wenn *Perionyx* von *Diporochaeta* abzuleiten ist und ausserhalb Australiens, nicht aber in Australien endemisch vorkommt. Hier liegen Verhältnisse vor, die ich zur Zeit nicht klarzustellen vermag. Beachtenswerth bei einem Versuch zur Lösung dieses Problems ist, dass die zur Zeit maassgebende Art-Sonderung in der Gattung *Perionyx* von sehr zweifelhaftem Werthe ist, und dass damit auch die Feststellung über die endemische Natur der Vorkommnisse an Sicherheit verliert. Es erscheint mir z. B. fraglich, ob *P. sansibaricus* (MICHLSN.) von Sansibar von dem vorderindischen *P. saltans* BOURNE zu trennen ist; sie sind mindestens sehr nahe miteinander verwandt. Mit ihrer Vereinigung würde die Art in die Reihe der peregrinen rücken müssen. Etwas zweifelhaft erscheint mir auch die Berechtigung anderer Arten. Sie sind zum Theil schwer von *P. excavatus* P. PERRIER, einer entschieden peregrinen Form, zu trennen. Um Missverständnisse zu vermeiden, hebe ich aber hervor, dass diese Unklarheit lediglich den Megascolecinen-Seitenzweig *Diporochaeta-Perionyx* betrifft, nicht die Hauptreihe der Unterfamilie *Plutellus-Pheretima*, und die sich an dieselbe anknüpfenden Erörterungen.

Die Verbreitung der rein **littoralen Megascolecinen**, der Gattung *Pontodrilus*, ist eine typische Littoralform-Verbreitung, die in keiner Hinsicht in Beziehung zu der Verbreitung der verwandten terricolen Formen zu stehen scheint. Die ganze Gattung ist über die Küsten wohl sämmtlicher wärmeren Meere verbreitet und einzelne Arten zeigen eine ungemein weite Verbreitung.

Die Gattung *Pontodrilus* findet sich an den Küsten des Atlantischen Ozeans von Florida und den Bermuda-Inseln bis Brasilien, am Mittelmeer, am Meeresstrande auf Ceylon und den Inseln des Malayischen Archipels, an den Küsten des Pazifischen Ozeans, auf Japan und den Hawaiischen Inseln, auf Neu-Kaledonien und den Chatham-Inseln, in Nieder-Kalifornien und Mexiko. Was die Weite der Verbreitung anbetrifft, so sind besonders hervor zu heben *P. ephippiger* Rosa, der zugleich auf der Christmas-Insel südlich von Java, auf Celebes und auf den Hawaiischen Inseln angetroffen wurde, und *P. matsushimensis* Izuka, der zugleich auf Japan und Neu-Kaledonien vorkommt. Uebrigens sind die Verwandtschaftsbeziehungen zwischen den verschiedenen Arten und zum Theil auch die Art-Umgrenzungen noch so unklar, dass sich weitere charakteristische Züge der geographischen Verbreitung nicht erkennen lassen (Hierzu Karte V).

Gruppe Octochaetinen-Trigastrinen.

Die drei Unterfamilien *Octochaetinae*, *Diplocardiinae* und *Trigastrinae* bilden eine grosse Verwandtschaftsgruppe, die aber keine gerade aufsteigende Reihe darstellt. Das weitest vorragende Glied dieser Gruppe, die Unterfamilie *Trigastrinae*, ist charakterisirt durch den Besitz von zwei oder drei Muskelmagen, einen plectonephridischen Zustand, eine lumbricine Borstenanordnung (meist sämmtliche Borsten an der Bauchseite $dd < {}^{1}_{2}u\cdots$) und einen acanthodrilinen oder microscolecinen, selten balantin umgewandelten $\mathcal{J}$ Geschlechtsapparat. Die Trigastrinen zerfallen in 3 Gattungen. *Dichogaster* mit zwei oder drei Paar Kalkdrüsen hinter dem Ovarialsegment, *Eudichogaster* mit zwei oder drei Paar Kalkdrüsen vor dem Ovarialsegment und *Trigaster* ohne Kalkdrüsen. Die Art des Geschlechtsapparates, ob acanthodrilin, microscolecin oder balantin, kann in dieser Gruppe zur Gattungssonderung nicht benutzt werden, da zahlreiche Zwischenstufen eine Sonderung unausführbar machen. Die Gattung *Dichogaster* repräsentirt zweifellos den jüngsten, stark spezialisirten Zweig, während *Eudichogaster* und *Trigaster* ältere Formen sind. Nicht sicher feststellbar erscheint mir zur Zeit die Art des Zusammenhanges der *Trigastrinae* mit der acanthodrilinen Urform (Gattung *Notiodrilus*). Es erscheint mir fraglich, ob dieser Zusammenhang durch die Unterfamilie *Octochaetinae* oder die Unterfamilie *Diplocardiinae* gebildet wird. Die Trigastrinen-Gattung *Eudichogaster* scheint sich enger an die *Octochaetinae*, die Trigastrinen-Gattung *Trigaster* sich enger an die *Diplocardiinae* anzuschliessen. Die scheinbaren Verwandtschaftsbeziehungen repräsentiren verschiedene Wege, einen, der von der Stammform *Notiodrilus* ausgehend über *Octochaetus* und *Eudichogaster* zu *Dichogaster* führt, einen anderen, der über die *Diplocardiinae* und *Trigaster* zu *Dichogaster* hinleitet. An irgend einer Stelle muss hier also eine nur scheinbare, nicht wirkliche Verwandtschaftbeziehung, eine Konvergenz, vorliegen. Vielleicht ist die Verwandtschaft zwischen *Trigaster* und *Dichogaster* nur eine scheinbare. Das würde der Anschauung Eisen's[1]) entsprechen, der die Gattung *Trigaster* von der Unterfamilie *Benhamiinae* (Hauptgattung *Benhamia*, synonym zu *Dichogaster*) abtrennt und der Unterfamilie *Diplocardiinae* zuordnet. Vielleicht aber ist die Trennung zwischen den *Octochaetinae* und der Gattung *Eudichogaster*, oder zwischen dieser letzteren und *Dichogaster* vorzunehmen.

---

[1]) G. Eisen: Researches in American Oligochaeta, with Especial Reference to those of the Pacific Coast and Adjacent Islands; in Proc. Calif. Ac., 3. Ser: Vol. II; p. 165.

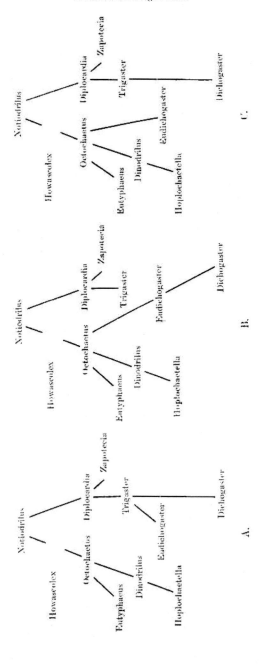

Ich neige mich zur Zeit der Ansicht EISEN's zu, möchte aber die hierfür
nothwendig werdende Umordnung im System nicht vornehmen, bevor nicht
weitere Untersuchungen diese Anschauung stärker fundirt haben.

In der Unterfamilie *Octochaetinae* (plectonephridisch, mit einem einzigen
Muskelmagen) finden sich nicht nur acanthodriline *(Octochaetus)* und microscolecine Formen *(Eutyphoeus)*, sondern auch Formen, die mit acanthodrilinem
männlichen Geschlechtsapparat eine perichaetine Borstenanordnung verbinden,
die beiden Gattungen *Dinodrilus* und *Hoplochaetella*, die einen kleinen
Seitenzweig dieser Unterfamilie repräsentiren. Als vermittelndes Glied
zwischen der *Octochaetinae* und der allgemeinen Wurzelform *Notiodrilus*
ist vielleicht die Gattung *Howascolex* anzusehen. Sie unterscheidet sich von
der Octochaetinen-Gattung *Octochaetus* im Wesentlichen nur darin, dass neben
den diffusen Nephridien je ein Paar Meganephridien auftreten. Es liesse
sich vielleicht rechtfertigen, dass die Gattung *Howascolex*, die ich noch zur
Unterfamilie *Acanthodrilinae* stelle, schon der Unterfamilie *Octochaetinae*
zugeordnet würde.

In der Unterfamilie *Diplocardiinae* (meganephridisch, mit 2 oder
3 Muskelmagen) findet sich lediglich die lumbricine Borstenanordnung und
der acanthodriline männliche Geschlechtsapparat vertreten. Die Spaltung
dieser Unterfamilie in die beiden Gattungen *Diplocardia* und *Zapotecia*,
jene mit 2, diese mit 3 Muskelmagen, steht in Parallele zu der Spaltung
der Gattung *Trigaster* in Formen mit 2 und solche mit 3 Muskelmagen.
Vielleicht wäre es richtiger, beiden Fällen die gleiche systematische Behandlung
zu Theil werden zu lassen, entweder also jene beiden Diplocardiinen-Gattungen
zu einer zu vereinen, oder aber die Gattung *Trigaster* zu spalten.

Die vorstehenden 3 Skizzen mögen die verschiedenen oben erörterten
Anschauungen über den verwandtschaftlichen Zusammenhang der Glieder
dieser Gruppe illustriren.

Subfam. **Octochaetinae**.

Gen. **Octochaetus** . .	tr	
O. Aitkeni (FEDARB).		**Vorderindien** (Travankur).
O. antarcticus (BEDD.) . .		**Neuseeland** (Ashburton auf der Südinsel).
O. Huttoni BEDD. . .		**Neuseeland** (Süd-Canterbury auf der Südinsel).
O. levis (F. W. HUTT.) . .		**Neuseeland** (Hampden auf Auckland).
O. multiporus (BEDD.) . .		**Neuseeland** (Ashburton und Dunedin auf der Südinsel).
Gen. **Dinodrilus** .	tr	
D. Benhami BEDD. .		**Neuseeland** (Lake Brunner in Westland auf der Südinsel).
Gen. **Hoplochaetella** .		
H. Stuarti (BOURNE)		**Vorderindien** (Yercaud, Salem).
Gen. **Eutyphaeus** . .	tr	
E. foveatus (ROSA) .		**Birma** (Rangun).
E. Gammiei (BEDD.)		**Vorderindien** (Darjiling).

E. incommodus (BEDD.)	Vorderindien (Calcutta).	Aus den gardens.	Kew
E. Masoni (BOURNE)	**Vorderindien** (DehraDun).		
E. Nicholsoni (BEDD.) . .	Vorderindien (Calcutta).	Aus den gardens.	Kew
E. orientalis (BEDD.) . .	**Vorderindien** (Calcutta).		
E. levis (ROSA), sp. inquir. .	Birma (Distr. Cheba od. Binpó), Ceylon.	Peregrin?	

Subfam. Diplocardiinae.

Gen. **Diplocardia** . .	amph	
D. caroliniana EISEN		**Nord-Carolina** (Raleigh).
D. communis GARMAN .		**Illinois** (Havana, Urbana, Champaign, Danville).
D. Eiseni (MICHLSN.)		**Florida** (Ceder Hammock, Lake Eola, Orlando, Lake Leonore, Arkadia, Sanford, Lake Gatlin), **Georgia** (Savannah).
D. Keyesi (EISEN)		**Nieder-Kalifornien** (Ensenada de todos Santos).
D. Koebelei EISEN		**Mexiko** (Morelos bei Mexiko).
D. Michaelseni EISEN . .		**Nord-Carolina** (Raleigh).
D. riparia FRANK SM. . .		**Illinois** (Havana).
D. Udei EISEN		**Nord-Carolina** (Raleigh).
D. verrucosa UDE . .		**Nebraska** (Omaha).
Gen. **Zapotecia**	tr	
Z. amecameeae EISEN . .		**Mexiko** (Amecameca).
Z. Keiteli MICHLSN. . . .		**Haiti** (Port au Prince).

Subfam. Trigastrinae.

Gen. **Trigaster**	tr	
T. Lankesteri BENHAM . .		**Westindien** (St. Thomas).
T. toltecu EISEN . . .		**Mexiko** (Toluca).
Gen. **Eudichogaster** . . .	tr	
E. Ashworthi MICHLSN.. . .		**Vorderindien** (Nagpur).
E. indica (BEDD.) . .		**Vorderindien** (Thana, Bombay).
E. parva (FEDARB) . . .		**Vorderindien**(DehraDun).
E. poonensis (FEDARB) . .		**Vorderindien** (Puna).
Gen. **Dichogaster**	tr	
D. aequatorialis (MICHLSN.)		Uganda(Runssoro), Galla-Länder (Djamdjam). In geringem Maasse peregrin.
D. affinis (MICHLSN.) . .		Deutsch-Ost-Afrika(Danda am Kingani), Mosambique (Quilimane), Ober-Guinea (Victoria in Kamerun); Haiti (Port au Prince); Kolumbien (Honda). Peregrin.

116

D. Annae (Horst)	Java (Buitenzorg):	Peregrin.
	Ober-Guinea (Kamerun).	
D. Austeni (Bedd.) . . .	**Nyassa-Land** (Blantyre).	
D. Baumanni (Michlsn.) .	**Ober-Guinea**(StationMisa-	
	Höhe in Togo).	
D. Beddardi (Horst) . .	**Liberien.**	
D. Bolaui (Michlsn.) . .	Vorderindien (Seebpore	Peregrin, nachweis-
	bei Calcutta);	lich verschleppt.
	Madagaskar (Majunga,	
	Andrahomana);	
	Ober-Guinea (Kamerun,	
	Togo, Lagos):	
	Galla-Länder;	
	[Deutschland (Bergedorf	
	bei Hamburg)];	
	Westindien (Jamaica,	
	Dominica, St. Vincent,	
	St. Thomas, Trinidad),	
	Nieder-Kalifornien (Mi-	
	raflores), Mexiko (Tepic,	
	Huatusco);	
	Venezuela(Caracas),Para-	
	guay (San Bernardino,	
	Asuncion), Argentinien	
	(Resistencia in Provinz	
	Chaco).	
D. Braunsi Michlsn.	**Sierra Leone.**	
D. Budgetti (Bedd.)	**Senegambien** (Mc Carthy-	
	Ins. im Gambia).	
D. Büttikoferi (Horst).	**Liberien.**	
D. Büttneri (Michlsn.)	**Ober-Guinea** (Bismarck-	
	burg in Togo).	
D. caecifera (Horst)	**Ober-Guinea** (Axim im	
	Ashanti-Lande).	
D. castanea (Michlsn.) .	**Uganda** (Runssoro).	
D. complanata (Michlsn.)	**Ober-Guinea** (Bismarck-	
	burg in Togo).	
D. congica (Horst) . . .	**Kongo-Staat** (am Ober-	
	lauf des Kongo).	
D. corticis (Michlsn.) . .	**Celebes** (Masarang-Ge-	Peregrin?
	birge).	
D. crassa (Bedd.)	Ober-Guinea (Lagos).	Aus den Kew
		gardens.
D. Crawi Eisen	[Kalifornien (Del Monte,	In Gewächshäusern
	San Francisco), angeb-	und in Pflanzen-
	lich von den Hawaii-	sendungen (A.
	Ins. eingeschleppt].	Craw).
D. culmänis (Michlsn.). .	**Uganda** (Runssoro).	
D. cultrijera (Michlsn.) .	**Kaffa.**	
D. curta (Michlsn.) . . .	**Uganda** (Runssoro).	
D. Damonis Bedd.	Viti-Ins.	Fundnotiz durch
		Händler übermitt.

D. dokoensis MICHLSN. . .	**Kaffa** (Omo-Gebiet).
D. Ehrhordti (MICHLSN.) .	**Portugiesisch-Guinea**(Ins. Bissao).
D. Erlangeri MICHLSN.. .	**Galla-Länder**(Abassi-See).
D. Ernesti (MICHLSN.) . .	**Ober-Guinea**(StationMisa-Höhei.Togo,Kamerun*).
D. floresiana (HORST)	Sumatra (Fort de Kock, Peregrin. Padang). Flores (Maumeri, Kotting, Wuknr), Timor (Amarassi).
D. gambiana (BEDD.) . .	**Senegambien** (McCarthy-Ins. im Gambia).
D. gardullaensis MICHLSN.	**Galla-Länder** (Gardulla).
D. Godeffroyi (MICHLSN.) .	**Westindien** (Puerto Plata auf Haiti).
D. gojaensis MICHLSN. . .	**Kaffa** (Gofa).
D. gracilis (MICHLSN.) . .	Ober-Guinea (Bismarck- Peregrin. burg in Togo): Surinam (Paramaribo).
D. Greeffi MICHLSN. . . .	**St. Thomé.**
D. guatemalae (EISEN) . .	**Guatemala** (Guatemala).
D. heteronephra (MICHLSN.)	**Ober-Guinea**(StationMisa-Höhe in Togo).
D. Horsti (MICHLSN.)	**Portugiesisch-Guinea**(Ins. Bissao).
D. Hupferi MICHLSN. . .	**Tropisches West-Afrika.** Genauer Fundort nicht angegeben; Sammlerhatnurin dem bezeichneten Gebiet gesammelt.
D. inermis (MICHLSN.) . .	**Ober-Guinea** (Adeli bei Bismarckburg in Togo).
D. insularis (MICHLSN.) .	**Sierra Leone** (Scherbro-Ins.).
D. intermedia (MICHLSN.) .	**Ober-Guinea** (Bismarck-burg in Togo).
D. itoliensis (MICHL.) typica	**Deutsch-Ost-Afrika** (Itoli u. Bukoba am Victoria-Nyansa).
var. *coerulea* (MICHLSN.)	**Deutsch-Ost-Afrika** (Kawende am Ostufer des Tanganyika-Sees).
D. jamaicae (EISEN) . . .	**Westindien** (Jamaika).
D. Johnstoni (BEDD.) . .	**Uganda** (Ruwenzori).
D. kaffaensis MICHLSN. . .	**Kaffa.**
D. kafurnensis (MICHLSN.)	**Deutsch-Ost-Afrika** (Kafuru, Karagwe u. Nsindja am Victoria-Nyansa).
D. kamerunensis MICHLSN.*)	**Ober-Guinea** (Kamerun).
D. Keiteli (MICHLSN.) . .	**Westindien**(PortauPrince auf Haiti).
D. liberiensis (HORST) . .	**Liberien.**

D. litnifera MICHLSN.   **Nordost-Afrika** (Schoa?).

D. naturnata (ROSA) . .   **Neu-Guinea** (Haveri).   Peregrin?

D. nudayana (HORST) . .   Celebes(Makassar), Flores Peregrin.
(Bari, Manmeri, Kotting, Wnknr). Samao am Westende von Timor, Sumatra (Singkarah, Balighe, Padang, Doloe Surugnan, Tandjong, Morawa).

D. mexicana (ROSA). .   **Mexiko** (Durango).

D. Michaelseni (BEDD.)   **Senegambien** (Mc Carthy-Ins. im Gambia).

D. minus MICHLSN. . .   **Ob.-Guinea**(Accra,Lagos).

D. misaensis MICHLSN. . .   **Ober-Guinea**(StationMisa-Höhe in Togo).

D. modesta MICHLSN. . .   **Kaffa.**

D. Modiglianii (ROSA) . .   **Sumatra** (Padang).

D. mollis (BEDD.). . .   **Kongo-Staat** (Kurungn-Berge im Norden vom Kiwu-See).

D. monticola (MICHLSN.) .   **Uganda** (Runssoro).

D. Moorii (BEDD.) . .   **Kongo-Staat** (Kurungn-Berge im Norden vom Kiwu-See).

D. mulataensis MICHLSN. .   **Nordost-Afrika** (Hacar).

D. mundamensis (MICHLSN.)   **Ober-Guinea** (Johann Albrechts-Höhe bei Mundame und Victoria in Kamerun).

D. nana (EISEN) . .   **Mexiko** (San Blas im Distr. Tepic).

D. Neumanni (MICHLSN.) .   **Uganda** (Chagre).

D. nigra (BEDD.) . . . .   **Ober-Guinea** (Lagos).

D. pallida (MICHLSN.) . .   **Ober-Guinea** (Bismarck-burg in Togo).

D. papillota (EISEN)   Mexiko (Tepic), [Kali- Peregrin, in Pflan-fornien (San Francisco, zensendungen (A. angeblich v. den Hawaii- CRAW). Inseln und von Samoa eingeschleppt)].

D. parva (MICHLSN.)   Uganda(Bataiboam Duki- In geringem Maasse Ufer), Galla-Länder. peregrin.

D. proboscidea MICHLSN. .   **Ober-Guinea**(StationMisa-Höhe in Togo).

D. Reinckei (MICHLSN.). .   **Samoa-Inseln.**   Peregrin?

D. Ribaucourti EISEN . .   **Mexiko** (Mexiko).

D. rosea (MICHLSN.) . . .   **Ober-Guinea** (Gabun, Sei-lange).

D. rugosa (EISEN) . . .   [Kalifornien (Golden Gate Nur im Warmhaus. park in San Francisco)].

D. salivus (Bedd.)	Java; Singapore, Insel Pinang, westlich von Malakka.	Aus den Kew gardens.
D. Schlegeli (Horst)	**Liberien. Sierra Leone.**	
D. scioana (Rosa) . .	**Nordost-Afrika** (Let-Marefiá in Schoa).	
D. silvestris (Michlsn.) . .	**Uganda** (Runssoro).	
D. Stampflii (Horst) . .	**Liberien.**	
D. Stuhlmanni (Michlsn.)	**Mosambique** (Quilimane, Mopeia am Rio Quaqua).	
D. tenuis (Michlsn.) . . .	**Ober-Guinea** (Kamerun).	
D. togoensis (Michlsn.) .	**Ober-Guinea** (Bismarckburg in Togo).	
D. Townsendi Eisen . .	**Westindien** (Jamaika).	
D. travancorensis . . .	**Vorderindien** (Travankur).	Peregrin? s. unten!
D. viridis (Eisen) . . .	**Mexiko** (Tolnca, Mexiko).	
D. Whytei (Bedd.) . . .	**Nyassa-Land.**	
D. sp. inquirendae . . .	Neu-Britannien, Neu-Kaledonien (Lifu); Malayische Halbinsel. Galapagos Inseln.	

Geographische Verbreitung: Bei der Unklarheit, die in Betreff der verwandtschaftlichen Verhältnisse in dieser Oligochaeten-Gruppe herrscht, ist an eine einigermaassen sichere Feststellung der geologischen Geschichte der Gruppe nicht zu denken. Die Gebiete der anscheinend zunächst miteinander verwandten Abtheilungen dieser Gruppe stossen aneinander, so zwar, dass die Summe der Gebiete einen die Erde umspannenden geschlossenen Ring bildet. Es trifft hier also die Konvergenz in der Gestaltung mit einer Konvergenz in der geographischen Verbreitung zusammen. Wurde oben bei der Erörterung der Systematik die Frage aufgeworfen, auf welche Weise sich die höchste Gattung *Dichogaster* aus der Stammgattung *Notiodrilus* entwickelt habe (über *Diplocardia* oder über *Octochaetus*), so muss hier die Frage aufgestellt werden, an welchem Punkte das Gebiet, vom Entstehungsherd der Gruppe sich nach verschiedenen Richtungen hin ausbreitend und nach Umfassung des Erdballs den Ring schliessend, sich wieder traf. Ist die Stelle des Zusammentreffens der beiden Verbreitungsarme entsprechend der in Fig. A dargestellten Verwandtschaftshypothese in Vorderindien zu suchen?

$$\left(\begin{array}{ccccc} \text{Vorderindien} & \text{Neuseeland} & \text{Nordamerika} & \text{Westindien} & \text{Afrika} & \text{Vorderindien} \\ \textit{Octochaetus,} & \textit{Notiodrilus,} & \textit{Diplocardia,} & \textit{Trigaster,} & \textit{Dichogaster,} & \textit{Eudichogaster} \end{array} \right)$$

Liegt dieser Punkt entsprechend der Hypothese von Fig. B im Atlantischen Ozean?

$$\left(\begin{array}{ccccc} \text{Afrika} & \text{Vorderindien} & \text{Neuseeland} - \text{Nordamerika} & \text{Westindien} \\ \textit{Dichogaster,} & \textit{Eudichogaster, Octochaetus.} & \textit{Notiodrilus, Diplocardia,} & \textit{Trigaster} \end{array} \right)$$

Oder liegt er entsprechend der Fig. C zwischen Afrika und Vorderindien?

$$\left(\begin{array}{ccccc} \text{Vorderindien} & \text{Neuseeland} - \text{Nordamerika} & \text{Westindien} & \text{Afrika} \\ \textit{Eudichogaster,} & \textit{Octochaetus,} & \textit{Notiodrilus,} \textit{Diplocardia,} & \textit{Trigaster,} & \textit{Dichogaster} \end{array} \right)$$

Die Lösung dieser Frage würde zugleich eine Lösung jener Verwandtschaftsfrage bedeuten und umgekehrt. Einstweilen muss sie wie diese unbeantwortet bleiben. Gehen wir nun zur Betrachtung der Gebiete der verschiedenen Abtheilungen dieser Gruppe über.

Michaelsen, Geographische Verbreitung der Oligochaeten. 8

Die Unterfamilie *Octochaetinae* besitzt ein zersprengtes Gebiet, dessen einstmalige grösste Ausdehnung anscheinend, d. h. nach Maassgabe der erhalten gebliebenen Relikte, die Länder des Indischen Ozeans und des südwestlichen Pazifischen Ozeans umfasste. Octochaetinen finden sich in Neuseeland (5 endemische Arten) und in Vorderindien-Birma (8 endemische Arten). Beachtenswerth ist das Vorkommen des *Howascolex*, der höchst wahrscheinlich dem Wurzelglied dieser Unterfamilie nahe steht, in Madagaskar. Da schon das nächst höhere Glied der Octochaetinen-Hauptreihe, die Gattung *Octochaetus*, sowohl in Neuseeland wie in Vorderindien vorkommt, so ist wohl anzunehmen, dass jene muthmaassliche Wurzel-Gattung *Howascolex* einst eine viel weitere Verbreitung besass, und dass jenes madagassische Vorkommen nur als ein Relikt anzusehen ist.

Die Gattung *Eudichogaster* schliesst sich in ihrer Verbreitung eng an die Octochaetinen-Unterfamilie an, insofern sie lediglich in Vorderindien vorzukommen scheint (4 endemische Arten).

Die höchste Gattung dieser Gruppe, die Gattung *Dichogaster*, hat ihr Hauptquartier westwärts vom Gebiet der Octochaetinen und der Gattung *Eudichogaster*, im tropischen Afrika. Wir kennen von hier nicht weniger als 58 endemische Arten. Ihr Gebiet erstreckt sich, soweit bekannt, nordwärts bis zum blauen Nil (Schoa) und zum Gambia, südwärts bis zum Sambesi (Mosambique). Als äusserste Grenzen sind wahrscheinlich die regenarmen und regenlosen Gebiete Nord- und Süd-Afrikas anzusehen. Das Gebiet dieser Gattung scheint aber nicht auf dieses Hauptquartier beschränkt zu sein; es finden sich anscheinend endemische Arten auch ausserhalb Afrikas, in Westindien und Zentralamerika in grösserer Zahl, wenn auch gegen die afrikanische Truppe zurücktretend (anscheinend 4 und 5 endemische Arten), in Vorderindien, im Malayischen Gebiet und auf den Südsee-Inseln in einzelnen zerstreuten Vorkommnissen. Sind diese Vorkommnisse wirklich endemisch, oder handelt es sich um verschleppte Formen, die im eigentlichen Gebiet noch aufgesucht werden müssen? Ich glaube das letztere annehmen zu sollen, und zwar aus folgendem Grunde: Wie die afrikanischen Dichogastren zeigen, handelt es sich um eine Gattung, die zur Hervorbringung grosser und riesiger Formen befähigt ist. Von den 58 in Afrika endemischen Arten übertreffen nicht weniger als 26, also fast die Hälfte, eine Länge von 90 mm, nicht weniger als 6 eine Länge von 360 mm, 4 können länger als ½ m werden. Ausserhalb Afrikas finden sich dagegen fast ausschliesslich kleine und sehr kleine Formen. Nur eine Art, *D. Keiteli* (Michlsx.), von Haiti übertrifft mit ihrer Länge von 240 mm beträchtlich die 90 mm-Grenze, die sonst nur noch von einer zweiten ausserafrikanischen Art um ein Geringes überschritten wird, nämlich von der mexikanischen *D. viridis* (Eisen) mit 110 mm. Wie wir oben bei der Erörterung der Merkmale der Verschleppungsvorkommnisse (p. 14) gesehen haben, ist das Auftreten von lediglich kleineren Formen einer Gruppe, die auch grössere hervorzubringen vermag, ein Verdachtsmoment in Bezug auf die endemische Natur der betreffenden Vorkommnisse. Es kann demnach für die Feststellung des eigentlichen Gebietes der Gattung *Dichogaster* ausser Afrika nur noch das westindisch-zentralamerikanische Gebiet mit 9 Arten, darunter zwei mittelgrosse, in Betracht kommen, während die übrigen Gebiete augenscheinlich nur Verschleppungsvorkommnisse aufweisen, darunter allerdings manche, bei denen es sich um den ersten und einzigen Nachweis der betreffenden Art handelt, die also anscheinend endemisch sind.

Das Gebiet der Gattung *Trigaster*. Westindien und Mexiko, schliesst sich eng an das Gebiet der Gattung *Dichogaster* an; es deckt sich mit dem westlichen, ausserafrikanischen Theile desselben.

An das Gebiet der Gattung *Trigaster* schliesst sich endlich das der Unterfamilie *Diplocardiinae* an. Die Gattung *Zapotecia* findet sich in dem gleichen Gebiet wie *Trigaster*, in Westindien und Mexiko; die Gattung *Diplocardia* schliesslich ist charakteristisch für das kontinentale Zentral- und Nordamerika, beherrscht sie doch mit 9 endemischen Arten das Gebiet von Mexiko und Nieder-Kalifornien bis Nord-Carolina, Illinois und Nebraska (Hierzu Karte VI).

Gruppe Ocnerodrilinen-Eudrilinen.

Systematik: Die Vereinigung der Ocnerodrilinen und Eudrilinen zu einer Gruppe mag gewagt erscheinen: hier die kleinen, pigmentlosen, im Allgemeinen so einfach organisirten Ocnerodrilinen, die mehr an limnische Oligochaeten erinnern, dort die meist grösseren, manchmal riesigen, meist stark pigmentirten Eudrilinen, echte Regenwürmer, mit einem so hochentwickelten und so überraschende Komplikationen aufweisenden weiblichen Geschlechtsapparat — und doch bin ich zur Zeit mehr denn je davon überzeugt, dass die Eudrilinen thatsächlich aus Ocnerodrilinen hervorgegangen sind. Der grosse Unterschied im Habitus beruht wohl nur auf verschiedener Lebensweise. Die kleinen, pigmentlosen Ocnerodrilinen sind meist limnisch oder amphibisch, die grösseren pigmentirten Eudrilinen terricol. Dabei ist nicht zu vergessen, dass es auch kleine pigmentlose Eudrilinen giebt, die ihrem Habitus nach den Ocnerodrilinen gleichen (vergl. *Gordiodrilus tenuis* Bedd. und *Megachaetina tenuis* (Michlsn.), auf deren Aehnlichkeit im Habitus schon Beddard hinwies). Auch die komplexe Natur des weiblichen Geschlechtsapparates bei den Eudrilinen spricht nicht gegen die angenommene Verwandtschaft. Die grosse Verschiedenartigkeit in der Gestaltung dieses Organsystems giebt uns zwar bedeutsame Merkmale für die verwandtschaftlichen Beziehungen innerhalb der Unterfamilie *Eudrilinae* an die Hand; für die Feststellung der verwandtschaftlichen Beziehungen dieser Unterfamilie als Ganzes zu anderen Terricolengruppen ist aber ein Organsystem von derartig wechselnder Gestaltung unverwendbar. Beachtenswerth ist, dass die verschiedenen Gattungen der Eudrilinen in Bezug auf dieses Organsystem eine Stufenleiter von der einfachsten bis zu der höchst komplizirten Gestaltung bilden; dass also diese letztere kein Hinderniss ist bei der Ableitung der Eudrilinen von Terricolen mit einfach gestaltetem weiblichem Geschlechtsapparat.

Es sprechen verschiedene Umstände für die Verwandtschaft zwischen Eudrilinen und Ocnerodrilinen: zunächst das Vorkommen unpaariger ventraler Chylustaschen am Oesophagus bei den Eudrilaceen. Derartige Organe finden sich nur bei Ocnerodrilinen wieder, und zwar, wie mir die Untersuchung einer *Nematogenia*-Art zeigte, in genau der gleichen Ausbildung wie bei den Eudrilaceen. Die Ocnerodrilinen geben ferner (in der Komplizirung des männlichen Ausführungsapparates bei der Gattung *Nannodrilus*) eine gute Erklärung für die bei den Eudrilinen so stark von dem Ursprünglichen, dem acanthodrilinen Geschlechtsapparat, abweichende Gestaltung des männlichen Ausführungsapparates (Euprostaten).

Es muss aber zugegeben werden, dass diese wenigen Momente nicht genügend beweiskräftig sind. Wenn ich sie trotzdem zur Konstruktion des Stammbaumes benutze, so kann dies nur dadurch gerechtfertigt werden, dass anderes Baumaterial nicht vorhanden ist. Die Eudrilinen sind Angehörige der

8*

Familie *Megascolecidae*, das geht sicher hervor aus der Beschränkung der männlichen Poren auf die Region der Segmente 17 bis 19 und aus der allgemeinen Lage des Gürtels. Ein kontinuirlicher Uebergang von den Eudrilinen zur gemeinsamen Familienwurzel, der Gattung *Notiodrilus*, ist nicht vorhanden oder wenigstens zur Zeit nicht erkennbar. Die jedenfalls weit unter den Eudrilinen stehende Untergattung *Ocnerodrilinae* bietet die einzigen Hinweise auf verwandtschaftliche Beziehungen der Eudrilinen zu anderen Megascoleciden dar. Die Gruppe der Ocnerodrilinen-Eudrilinen ist dadurch von allen übrigen Megascoleciden-Gruppen ausgezeichnet, dass sie in keinem Falle Abweichungen von der ursprünglichen lumbricinen Borstenanordnung und vom ursprünglichen meganephridischen Zustand aufweist.

Die niedrigere Abtheilung dieser Gruppe, die Unterfamilie *Ocnerodrilinae*, ist hauptsächlich charakterisirt durch das konstante Vorkommen eines einzigen Paares von Chylustaschen oder einer einzigen, unpaarigen Chylustasche im 9. Segment. Das Wurzelglied dieser Unterfamilie, die Gattung *Kerria*, zeigt noch die von *Notiodrilus* überkommene acanthodriline Form des männlichen Geschlechtsapparates in reiner Ausbildung. Aus *Kerria* entwickelte sich einerseits die Gattung *Ocnerodrilus* durch rein microscolecine Umwandlung des männlichen Geschlechtsapparates, andererseits die Gattung *Gordiodrilus* durch unvollständige microscolecine Umwandlung (Beibehaltung der ursprünglichen Lage der männlichen Poren am 18. Segment und meist auch zweier Prostaten-Paare, deren Mündungen den männlichen Poren aber genähert sind). Aus der Gattung *Gordiodrilus*, die wie die übrigen bisher erwähnten Ocnerodrilinen-Gattungen einen einzigen oder gar keinen Muskelmagen aufweist, entspross die Gattung *Nannodrilus* mit zwei Muskelmagen, und aus dieser durch Vollendung des bei *Nannodrilus* noch unvollständigen microscolecinen Zustandes die ebenfalls zwei Muskelmagen besitzende Gattung *Nematogenia*. Von allen anderen Ocnerodrilinen-Gattungen unterscheidet sich schliesslich die Gattung *Pygmaeodrilus* durch den Besitz echter Divertikel an den Ausführgängen der Samentaschen. Der Ursprung dieser Gattung ist mir nicht ganz klar. Es erscheint zweifelhaft, ob sie aus *Ocnerodrilus*, dem sie durch die einfache Struktur der Chylustaschen und das Fehlen des Muskelmagens nahe zu stehen scheint, oder direkt aus *Kerria*, bei der die Chylustaschen jedenfalls zum Theil schon den komplizirteren, für *Gordiodrilus*, *Nanno-drilus* und *Nematogenia* charakteristischen Bau aufweisen, herzuleiten ist.

Was die höhere Abtheilung dieser Gruppe, die Unterfamilie *Eudrilinae* anbetrifft, so ist sie, falls überhaupt von Ocnerodrilinen, wohl von der Gattung *Gordiodrilus* abzuleiten. Ihr wesentlichster Charakter liegt in der Ersetzung der alten acanthodrilinen Prostaten durch Neubildungen, Euprostaten, sowie in der mehr oder weniger komplizirten Gestaltung des weiblichen Geschlechtsapparates, hervorgerufen durch Bildung von Kommunikationen (theilweise cölomatischer Neubildungen) und Verwachsungen verschiedener Theile dieses Apparates, im niedrigsten Zustand lediglich repräsentirt durch die Annäherung der Samentaschen an die übrigen weiblichen Organe und der dieser Annäherung entsprechenden Verschiebung der Samentaschen-Poren nach hinten. Die Verwandtschaftsverhältnisse innerhalb der Unterfamilie *Eudrilinae* sind noch zu wenig klargestellt, als dass ich es wagen könnte, einen detaillirten Stammbaum der Unterfamilie zu konstruiren. Es lassen sich zwei hauptsächliche Verwandtschaftsgruppen, die Sektionen *Pareudrilacea* und *Eudrilacea*, erkennen. Die Sektion *Pareudrilacea* enthält verschiedene Gattungen, die einen relativ einfachen weiblichen Geschlechtsapparat aufweisen, nämlich die Gattungen *Eudriloides* und *Platydrilus*. Bei *Eudriloides* ist z. B. überhaupt noch keine Verbindung zwischen Samentasche und den übrigen weiblichen Organen geschaffen, nur vorbereitet, insofern die Samentaschen diesen Organen nahe gerückt sind. Man könnte versucht sein, diese Gattung an die Wurzel des Stammbaumes zu stellen. Dann müsste man aber die Chylustaschen der Eudrilinen als jüngere, von den Chylustaschen der Oenerodrilinen unabhängige Gebilde ansehen und damit auf die Hypothese der Verwandtschaft zwischen Oenerodrilinen und Eudrilinen verzichten; denn gerade jene Eudrilinen-Gattungen, *Eudriloides* und Verwandte, besitzen keine ventralen unpaarigen Chylustaschen. Vielleicht aber ist die Einfachheit des weiblichen Geschlechtsapparates, sowie auch das Fehlen der Chylustaschen bei *Eudriloides* und Verwandten nur eine Reduktionserscheinung. Für diese letztere Anschauung spricht folgende Ueberlegung: Man kann nicht wohl annehmen, dass die Herausbildung der komplexen Gestaltung des weiblichen Geschlechtsapparates mit der Verschiebung der Samentaschen nach hinten begonnen habe. Es erscheint weit annehmbarer, dass diese Verschiebung erst durch die Kommunikationsbildung zwischen Samentaschen und Eileitern hervorgerufen sei, dass sich zunächst also eine Kommunikation zwischen den Eileitern und den weit nach hinten ragenden, aber normal auf Intersegmentalfurche $^5/_6$ ausmündenden Samentaschen gebildet habe (der Art etwa, wie wir es jetzt noch bei *Hyperiodrilus Millsoni* (BEDD.) finden: bei dieser Art mündet die Samentasche zwar auch schon nicht mehr, wie es dem microscolecinen Geschlechtsapparat zukommt, auf Intersegmentalfurche $^8/_9$ aus, aber doch noch am 10. Segment, also nur sehr wenig weiter hinten). Nach dieser Anschauung kann also *Eudriloides*, bei dem keine Kommunikation zwischen Samentasche und Eileitern besteht, die Samentasche aber doch schon weit nach hinten gerückt ist, nicht das ursprüngliche Eudrilinen-Stadium sein, wäre also als Reduktionsform anzusehen.

All diese Ueberlegungen haben aber zu viel des Hypothetischen an sich, als dass wir darauf weiter bauen und Schlüsse über die geographischen Beziehungen daraus ziehen könnten. Ich verzichte deshalb auf die Aufstellung eines Stammbaumes der *Eudrilinae* und setze diese Unterfamilie nur als Ganzes in fragweise Beziehung zu dem unten mehr detaillirt ausgeführten Stammbaum der *Oenerodrilinae*.

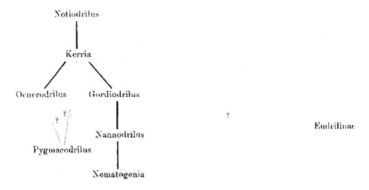

Zur speziellen Systematik ist folgendes zu bemerken: Die artliche Selbständigkeit der *Kerria Borellii* COGNETTI kann ich auch nach den neueren Ausführungen Cognetti's[1]) nicht anerkennen. Die Gestaltung des männlichen Geschlechtsfeldes ist zu sehr von Kontraktion und dem Stadium der Pubertät abhängig, und der geringfügige Unterschied in der Borstenanordnung findet genügenden systematischen Ausdruck, wenn man die brasilianische Form Cognetti's als Varietät der bolivianisch-argentinischen Rosa's bezeichnet.

Subfam. **Ocnerodrilinae.**

Gen. **Kerria** . . .	Vor-wieg. **lm**	
K. asuncionis Rosa . . .		Paraguay (Asuncion).
K. eiseniana Rosa . . .		Paraguay(Asuncion,Rio Apa), Nordwest-Argentinien(San Lorenzo in der Provinz Jujuy).
K. Guirmani Rosa		Paraguay(Zentral-Paraguay).
K. halophila Bedd. . . .	sl	*Bolivien* (Oberlauf des Pilcomayo).
K. Mcdonaldi Eisen	lm	Nieder-Kalifornien (San José del Cabo, Miraflores, Santa Ana).
K. papillifera Rosa . . .		Paraguay.
K. Rosae Bedd.	lm	Argentinien (Buenos Aires).
K. saltensis Bedd.	amph	Chile(Salto b.Valparaiso, Quillota, Coquimbo); Ins. Juan Fernandez.
K. stagnalis (Kinb.) . . .	lm	Argentinien (Buenos Aires, Temperley), Uruguay (Cerro bei Montevideo).
K. subandina Rosa f. typica		Argentinien (Prov. Salta u. Jujuy), Süd-Bolivien (Caiza u. Aguajrenda).
forma *Borellii* (Cognet.)		Brasilien (Urucúm bei, Corumbá i. MattoGrosso).
K. zonalis Eisen	lm	Nieder-Kalifornien (SanJosé del Cabo, Miraflores).
Gen. **Ocnerodrilus**	Vor-wieg. **tr**	
Subgen. Ocnerodrilus *O. (O.) occidentalis* Eisen f. typica		Kalifornien (Fresno im Thal des San Joaquin, San Francisco [angeblich v. China eingeschleppt]), Mexiko (Durango). Peregrin, in Pflanzensendungen (A. Craw.)

[1]) L. Cognetti: Terricoli boliviani ed argentini; in: Boll. Mus. Torino. Vol. XVII, nr. 420. p. 3.

var. *arizonae* EISEN . .		**Arizona** (Phoenix).	
Subgen. Liodrilus			
O. (L.) Eiseni BEDD. . .	tr	Britisch-Guayana.	Aus den Kew gardens.
Subgen. Hyogenia			
O. (L.) africanus (BEDD.) .		Natal (Durban).	Aus den Kew gardens.
O. (L.) agricola EISEN . .	tr	**Guatemala** (Guatemala).	
O. (L.) Beddardi EISEN .		**Nieder-Kalifornien** (San José del Cabo).	
O. (L.) Calwoodi MICHLSN.		**Westindien** (St. Thomas).	
O. (L.) comondui EISEN .		**Nieder-Kalifornien** (Thal von Comondu).	
O. (L.) contractus EISEN .	lm	Guatemala (Llano Grande).	
O. (L.) guatemalae EISEN .	tr	**Guatemala** (Guatemala, Tamaju).	
O. (L.) Hendriei EISEN . .	tr	**Guatemala** (Santo Tomas).	
O. (L.) limicola EISEN . .	lm	Guatemala (Antigua Guatemala).	
O. (L.) mexicanus EISEN f. typica	tr	**Mexiko** (Mazatlan).	
var. *hawaiiensis* EISEN .		Kalifornien (San Francisco [angeblich von Honolulu eingeschleppt]).	Aus Pflanzen-Sendungen(A.CRAW).
O. (L.) paraguayensis ROSA		**Paraguay** (Asuncion), **Nordwest - Argentinien** (San Lorenzo i. d. Prov. Jujuy). **Süd - Bolivien** (Aguajrenda).	
O. (L.) Rosae EISEN . .		**Guatemala** (San Antonio).	
O. (L.) santixavieri EISEN .		**Nieder - Kalifornien** (Loreto, San Xavier).	
O. (L.) sonorae EISEN . .		**Mexiko** (Sonora, San Miguel de Horcasitas).	
O. (L.) toste (EISEN) . . .		**Nieder-Kalifornien** (Kap Region), **Mexiko** (Tepic, Mexiko, Morelos, San Blas).	
O. (L.) tepicensis (EISEN) .		**Mexiko** (Tepic).	
O. (L.) tuberculatus (EISEN)		**Guatemala** (Guatemala).	
Subgen. Haplodrilus			
O. (H.) Borellii ROSA . .		**Paraguay** (Asuncion).	
O. (H.) Michaelseni COGN.		**Paraguay** (Asuncion), **Brasilien** (Urucúm bei Corumbá i. MattoGrosso).	
Gen. **Pygmaeodrilus** . . .	Vorwieg. lm		
P. affinis MICHLSN. . . .	lm	Deutsch -Ost - Afrika (Victoria - Nyansa bei Bukoba).	

P. bipunctatus (MICHLSN.).		Uganda (Kassénye am Südwest-Ufer des Albert-Nyansa).
P. bukobensis MICHLSN..	Im	Deutsch - Ost - Afrika (Victoria - Nyansa bei Bukoba).
P. Neumanni MICHLSN.	Im	Nordost-Afrika(Harar, Didda).
P. quilimanensis MICHLSN.	tr	**Mosambique** (Quilimane).
Gen. **Gordiodrilus** . . .	Vorwieg. tr	
G. ditheca BEDD.		Ober-Guinea (Lagos). Aus den Kew gardens.
G. dominicensis BEDD. . .		Westindien (Dominica). Aus den Kew gardens.
G. elegans BEDD. . .		Ober-Guinea (Lagos). Aus den Kew gardens.
G. papillatus BEDD. . . .		**Ober-Guinea** (Lagos).
G. robustus BEDD.. . .		**Ober-Guinea** (Lagos).
G. tenuis BEDD.		Ober-Guinea (Asaba). Aus den Kew gardens.
G. zanzibaricus BEDD. .		**Sansibar.**
Gen. **Nannodrilus**		
N. africanus BEDD. . .		Ober-Guinea.
N. phreoryctes MICHLSN.[*].		Ober-Guinea (Bonge in Kamerun).
N. Staudei MICHLSN.	Im	Aegypten (Ismailia, Kairo. Bedraschin).
Gen. **Nematogenia**. . . .	tr?	
N. lacuum (BEDD.) . .		Ober-Guinea (Lagos). Aus den Kew gardens.
N. panamensis (EISEN) .		Zentralamerika (Panama): Peregrin. Ober-Guinea (Kamerun).[*]

Subfam. **Eudrilinae.**

Sect. **Parendrilacea**		
Gen. **Eudriloides**	Vorwieg. tr	
E. brunneus BEDD. . .		**Britisch-Ost-Afrika** (Mombassa-Insel).
E. Cotterilli BEDD.		**Britisch-Ost-Afrika** (Mombassa-Insel).
E. durbanensis BEDD. . .	tr	Natal (Durban). Aus den Kew gardens.
E. gypsatus MICHLSN. . .		**Sansibar, Deutsch - Ost-Afrika** (Userann).
E. kiupaniensis MICHLSN..		**Deutsch-Ost-Afrika** (Danda am Kingani).
E. parcus MICHLSN. . . .	tr	**Mosambique** (Quilimane).
E. titanotus MICHLSN. . .		**Sansibar.**

Gen. **Metschaina**	**tr**	
M. suctoria MICHLSN. . .		**Nordost-Afrika** (Schoa, Didda).
Gen. **Platydrilus**		
P. callichaetus MICHLSN. .		**Deutsch-Ost-Afrika** (Mbusini am Rukajurd).
P. lewaensis MICHLSN. . .		**Deutsch - Ost - Afrika** (Lewa).
P. megachaeta MICHLSN. .		**Deutsch-Ost-Afrika** (Makakalla in Ost-Unguru, Bach Msangasi).
Gen. **Megachaetina**		
M. alba (MICHLSN.) . . .		**Deutsch-Ost-Afrika** (Mbnsini am Rukajurd).
M. tennis (MICHLSN.) .		**Deutsch-Ost-Afrika** (Korogwe am Rufu).
Gen. **Reithrodrilus**		
R. minutus MICHLSN. . .		**Deutsch-Ost-Afrika** (Makakalla-Thal in Ost-Unguru, Bach Msangasi).
Gen. **Stuhlmannia** . .	**tr**	
S. gracilis MICHLSN. . .		**Uganda** (Kassénye am Südwest-Uferdes Albert-Nyansa).
S. variabilis MICH. f. typica	**tr**	**Sansibar, Deutsch - Ost-Afrika** (Korogwe am Rufu, Kihengo, Bukoba), **Britisch-Ost-Afrika** (Magila, Insel Mombassa), **Uganda** (Kassénye am Südwest-Uferdes Albert-Nyansa).
		In geringem Maasse peregrin.
var. *patelligera* MICHLSN.		**Deutsch-Ost-Afrika** (südlich von Kitángule, Nongo).
var. *ugandensis* MICHLSN.		**Uganda.**
S. asymmetrica MICHLSN. .		**Nordost-Afrika** (Kalfa).
Gen. **Notykus**		
N. Emini MICHLSN. . . .		**Deutsch-Ost-Afrika** (Bach Longa, Mrogoro).
Gen. **Metadrilus**		
M. rukajurdi MICHLSN. . .		**Deutsch-Ost-Afrika** (Mbusini am Rukajurd, Mangwalla am Bach Hansha, Mrogoro, Bach Longa).
Gen. **Pareudrilus**		
P. papillatus (MICHLSN.) .		**Uganda** (Kassénye am Südwest-Uferdes Albert-Nyansa).
P. stagnalis (BEDD.) .		**Britisch-Ost-Afrika** (Mombassa-Ins. u. gegenüberliegendes Festland).

Gen. **Libyodrilus**
L. ciolaceus BEDD. . . .   **Ober-Guinea** (Lagos). |
Gen. **Nemertodrilus**
N. grisens MICHLSN. .   **Mosambique** (Quilimane).
Sect. Eudrilacea
Gen. **Eudrilus** . . . . .   tr
E. Eugeniae (KINB.) . .   Neuseeland, Neu - Kale- Peregrin.
           donien;
           Ceylon;
           Madagaskar;
           Lunda, Ober-Guinea (Ka-
           merun, Togo), Liberia;
           St. Helena;
           Westindien (Antillen, Ber-
           mudas), Zentralamerika
           (Panama);
           Venezuela, Britisch-Gua-
           yana, Surinam.
E. kamerunensis MICHLSN..   **Ober-Guinea** (Kamerun).
E. pallidus MICHLSN. . .   **Ober - Guinea** (Togo,
           Accra).

Gen. **Kaffania** . . . . .   tr
K. Neumanni MICHLSN. .   **Nordost - Afrika** (Süd-
           Kaffa).

Gen. **Malodrilus** . . . .   tr
M. gardullaensis MICHLSN.   **Nordost-Afrika** (Gardulla).
M. Neumanni MICHLSN. .   **Nordost-Afrika** (Kaffa).
Gen. **Metascolex**
M. jnnnigatus MICHLSN.*   **Ober-Guinea** (Kamerun).
Gen. **Parascolex** . .   tr
P. purpureus (MICHLSN.) .   **Ober-Guinea** (Kamerun).
P. Rosae (MICHLSN.) .   **Ober-Guinea** (Kamerun).
           Insel Fernando-Poo.
P. ruber (MICHLSN.) .   **Ober-Guinea** (Kamerun,
           Togo).
P. Sjöstedti MICHLSN.* .   **Ober-Guinea** (Kamerun).
Gen. **Euscolex** . . . . .   tr
E. rietoriensis MICHLSN. .   **Ober-Guinea** (Kamerun).
Gen. **Preussiella** . . . .   tr
P. lundaensis (MICHLSN.) .   **Lunda.**
P. siphonochaeta (MICHLSN.)   tr   **Ober-Guinea** (Kamerun).
Gen. **Büttneriodrilus**
B. congicus MICHLSN. . .   **Kongo - Staat** (zwischen
           Kuako und Kimpoko
           am Kongo).

Gen. **Hyperiodrilus** . . .   tr
H. africanus BEDD. . . .   **Ober-Guinea** (Lagos, Bis-
           marckburg in Togo).
H. lagosensis (BEDD.)   tr   Ober-Guinea (Lagos).   Aus den Kew gar-
           dens.
H. Millsoni (BEDD.) . .   **Ober-Guinea** (Lagos).
Gen. **Iridodrilus** . . . . | tr

I. Prenssi Michlsn.		Ober-Guinea (Kamerun).
I. roseus Bedd.		Ober-Guinea (Lagos).
Gen. **Eminoscolex**	tr	
E. affinis Michlsn.		Nordost-Afrika (Kaffa).
E. ater Michlsn.		Nordost - Afrika (Kaffa, Maschango).
E. Boruimi Michlsn.		Hoch - Sennaar (Hellet Idris).
E. kaffaensis Michlsn.		Nordost-Afrika (Kaffa).
E. montanus Michlsn.		Nordost-Afrika (Kaffa).
E. Neumanni Michlsn.		Uganda (Mlema).
E. silvestris Michlsn.		Nordost - Afrika (Kaffa, Maschango).
E. torculus Michlsn.		Uganda (Runssoro, Kirima).
E. variabilis Michlsn.		Nordost-Afrika (Kaffa).
E. viridescens Michlsn.		Uganda (Runssoro).
Gen. **Gardullaria**	tr	
G. armata Michlsn.		Nordost-Afrika(Gardulla).
Gen. **Neumanniella**	tr	
N. gracilis Michlsn.		Nordost-Afrika (Kaffa).
N. pallida Michlsn.		Nordost - Afrika (Kaffa, Schoa).
N. siphonochaeta Michlsn.		Nordost-Afrika(Gardulla).
N. tenuis Michlsn.		Nordost-Afrika (Schoa).
Gen. **Teleudrilus**		
T. abassiensis Michlsn.		Nordost-Afrika (Abassi-See).
T. annulicystis Michlsn.		Nordost-Afrika (Abassi-See).
T. arussiensis Michlsn.		Nordost-Afrika (Didda).
T. assimilis Michlsn.		Nordost-Afrika (Harar).
T. Beddardi Michlsn.		Nordost-Afrika (Harar).
T. diddaensis Michlsn.		Nordost-Afrika (Didda).
T. Ellenberki Michlsn.		Nordost-Afrika (Harar).
T. Erlangeri Michlsn.		Nordost-Afrika (Abassi-See).
T. fumigatus Michlsn.		Nordost-Afrika (Schoa?).
T. gulla Michlsn.		Nordost-Afrika (Didda).
T. parcus Michlsn.		Nordost-Afrika (Schoa?).
T. Ragazzi Rosa f. typica var. *papillatus* Michls.		Nordost-Afrika (Schoa). Nordost - Afrika (Schoa. Wabbi-Gebiet).
T. Rosae Michlsn.		Nordost-Afrika (Schoa).
T. suctorius Michlsn.		Nordost-Afrika (Abassi-See).
Gen. **Teleutoreutus**	tr	
T. Neumanni Michlsn.		Nordost-Afrika (S.-Kaffa).
Gen. **Polytoreutus**	tr	
P. Arningi Michlsn.	tr	Deutsch - Ost - Afrika (Uhehe-Gebiet).

P. caeruleus Mich.. f. typica	Deutsch-Ost-Afrika (Makakalla-Thal in Ost-Unguru).
var. *ajunis* Michlsx.	Deutsch-Ost-Afrika (Korogwe am Rufu).
var. *korogweensis* Michl.	Deutsch-Ost-Afrika (Korogwe am Rufu).
var. *mhondaensis* Michls.	Deutsch - Ost - Afrika (Mhonda).
P. Fünni Bedd. . . .	Britisch-Ost-Afrika (Mombassa-Insel).
P. gregorianus Bedd. . .	Britisch-Ost-Afrika (Giriama bei Fuladoya).
P. Hindei Bedd. . . .	Tropisch - Ost - Afrika (Titui).
P. kilindinensis Bedd. . .	Britisch-Ost-Afrika (Mombassa-Insel).
P. kirimaensis Michlsx. .	Uganda (Kirima am Nordwest-Ufer des Albert-Nyansa).
P. magilensis Bedd. . .	Britisch - Ost - Afrika (Magila).
P. silvestris Michlsx.	Uganda (Nordwest-Runssoro, Mlenna an dem Maianga, Chagwe, Gebiet nördlich vom Albert-Nyansa).
P. Stierlingi Michlsx. . . tr	Deutsch-Ost-Afrika (Kuirenga i. Thal d. Ruaha).
P. usindjaensis Michlsx. .	Deutsch - Ost - Afrika (Sumpfbach Tschangaéra, Bukoba, Mtagata, Amranda).
P. violaceus Bedd. f. typica	Britisch-Ost-Afrika (Mombassa - Insel), Deutsch-Ost-Afrika (Mrogoro).
var. *variabilis* Michlsx.	Deutsch-Ost-Afrika (Dar-es-Salaam).

Geographische Verbreitung: Das Gebiet der vorwiegend limnischen oder amphibischen, z. T. auch salinen Unterfamilie *Oenerodrilinae* erstreckt sich über die wärmeren Regionen Amerikas und Afrikas. Die Stammgattung *Kerria* beschränkt sich auf den amerikanischen Theil dieses Gebietes. Südwärts reicht ihr Gebiet bis Buenos Aires und Valparaiso, nordwärts bis Nieder-Kalifornien. Die Verbreitung von *Oenerodrilus* unterscheidet sich von der der Gattung *Kerria* nur dadurch, dass sie südwärts nicht ganz so weit reicht südlichstes endemisches Vorkommen: Paraguay —, während sie im Norden etwas weiter dehnt nördlichstes endemisches Vorkommen: Arizona — und sich auch auf Westindien (St. Thomas) erstreckt. Das Gebiet von *Oenerodrilus* scheint also in Bezug auf das von *Kerria* etwas nordwärts verschoben, und dem entspricht auch die Häufigkeit der endemischen Vorkommnisse. In Südamerika ist *Kerria* der vorherrschende Oenerodriline.

in Zentralamerika und dem südlichen Nordamerika dagegen *Oenerodrilus.* Das Vorkommen der *Kerria saltans* Benn. auf der weit isolirten ozeanischen Insel Juan Fernandez schliesst sich an die zentral-chilenischen Vorkommnisse dieser Art an und ist zweifellos durch die euryhaline Natur der Kerrien. an *K. halophila* Benn. nachgewiesen. und die hiermit zusammenhängende Ausbreitungsmöglichkeit übersee zu erklären.

Der zweite aus *Kerria* entsprossene Hauptast *Gordiodrilus. Nannodrilus-Nematogenia* zeigt eine ganz andere Verbreitungsrichtung. Zwei Arten sind zwar auch im amerikanischen Gebiet vorgefunden. nämlich *Nematogenia panamaensis* (Eisen) in Zentral-Amerika (Panama) und *Gordiodrilus dominicensis* Benn. in Westindien (Dominica); diese Fundortsangaben. theils eine peregrine Art betreffend. theils auf Notizen aus den Kew gardens beruhend, sind jedoch für unsere Erörterungen belanglos. Die übrigen Arten sind im wärmeren Afrika beheimathet. und zwar sowohl im westlichen. in Ober-Guinea. wie im östlichen. auf Sansibar und in Aegypten. Das Vorkommen endemischer Formen dieser Gruppe in Ober-Aegypten (*Nannodrilus Staudei* Michlsn.) ist insofern interessant. als es einen fundamentalen Unterschied in der Verbreitung dieser limnischen Formen von der der terricolen Formen anzeigt. Während die terricolen tropisch-afrikanischen Gruppen (*Trigastrinae* und *Eudrilinae*) das regenarme bezw. regenlose Gebiet Nord-Afrikas nicht überschreiten. dringt diese limnische Form nordwärts den Nil abwärts bis dicht an die Küste des Mittelmeeres vor (vergl. auch die Verbreitung der limnischen Glossoscoleciden-Gattung *Alma*).

Das Gebiet der Gattung *Pygmaeodrilus* schliesst sich eng an das Gebiet der eben charakterisirten Gruppe an. oder vielmehr es keilt sich in dieses Gebiet ein. Es erstreckt sich in einer nord-südwärts gerichteten Linie von den Galla-Ländern über Uganda und das innere Deutsch-Ost-Afrika bis nach Mosambique. Ob sich die Gebiete der Gruppe *Gordiodrilus-Nannodrilus-Nematogenia* und der Gattung *Pygmaeodrilus* gegenseitig ausschliessen, wie es bis jetzt den Anschein hat, lässt sich aus der noch verhältnissmässig geringen Zahl der Funde wohl nicht feststellen. (Hierzu Karte VII.)

Das Gebiet der Unterfamilie *Eudrilinae* ist auf das wärmere Afrika beschränkt. Seine Grenze scheint durch die regenarmen und regenlosen Landstriche Nord- und Süd-Afrikas bestimmt zu sein. Südwärts reicht es bis Mosambique (wenn nicht bis Natal), nordwärts bis Abessinien und Hochsennaar einerseits. bis Ober-Guinea (Goldküste) andererseits. (Hierzu Karte VIII.)

Gruppe Glossoscoleciden-Lumbriciden.

Systematik: Die beiden jüngsten Familien, *Glossoscolecidae* und *Lumbricidae*. sind zweifellos nahe genug miteinander verwandt, um bei unseren Betrachtungen zu einer Gruppe vereinigt zu werden. Die Lumbriciden zeigen so deutliche Beziehungen zu gewissen Gliedern der Glossoscoleciden-Familie. zu *Criodrilus, Hormogaster* und *Kynotus,* dass wir einen gemeinsamen Ursprung für beide Familien annehmen müssen. wollen wir nicht die Lumbriciden direkt von einer jener Glossoscoleciden-Gattungen ableiten.

Die Schwierigkeit in der Feststellung der Verwandtschaftsbeziehungen innerhalb dieser Gruppe beruht hauptsächlich darauf, dass einzelne Abtheilungen derselben rein limnisch sind und, wahrscheinlich in Folge dieser Lebensweise. gewisse Organe, die für die Systematik von Bedeutung sind, zurückgebildet oder ganz abortirt zeigen. Diese Rückbildung betrifft besonders den Muskelmagen und manchmal auch die Samentaschen.

132

So sicher begründet und in sich abgeschlossen diese Gruppe und ihre beiden Familien sind, so schwer ist ein systematischer Ausdruck für sie zu finden. Nicht ein einziger der für die Scheidung von den übrigen Familien in Betracht kommenden Charaktere ist durchgehend. Von den Moniligastriden unterscheiden sie sich zwar scharf dadurch, dass nie mehr als ein Muskelmagen hinter dem Ovarial-Segment liegt. Von den Megascoleciden sind sie aber nicht durch ein einziges durchgehendes Merkmal zu sondern. Der Gürtel, der bei den Megascoleciden stets die Zone der weiblichen Poren in sich fasst, beginnt bei den Glossoscoleciden meist, bei den Lumbriciden stets hinter der Zone der weiblichen Poren. Die bei den Megascoleciden mit seltenen Ausnahmen auftretenden Prostaten — acanthodriline Prostaten und Euprostaten — fehlen den Glossoscoleciden meist, den Lumbriciden stets. Die männlichen Poren, bei den Megascoleciden mit ganz vereinzelten Ausnahmen (Abnormität in Folge der Rückbildung der Prostaten bei einigen *Pheretima*-Arten) im Bereich der Segmente 17 bis 19 gelegen, zeigen bei den Glossoscoleciden nicht diese Beschränkung, bei den Lumbriciden liegen sie stets weiter vorn. Ebenso zeigen die Samentaschen-Poren eine sehr verschiedenartige Lage, während sie bei den Megascoleciden, allerdings auch mit Ausnahme manchmal sehr umfangreicher Gruppen, z. B. der ganzen Unterfamilie *Eudrilinae*, in der Regel auf Intersegmentalfurche $\frac{7}{8}$ und $\frac{8}{9}$ oder einer derselben ausmünden. Trotz dieser auf den vielen Ausnahme-Fällen beruhenden Schwierigkeit der Diagnostizirung ist die Familien-Zugehörigkeit in der Praxis nicht schwer festzustellen, und zwar deshalb, weil in den meisten Fällen die Gattung der betreffenden Art leicht festzustellen ist. Es wird niemand in die Versuchung kommen, eine *Pheretima*-Art mit abortirten Prostaten in der Familie der Glossoscoleciden unterbringen zu wollen, ebenso wenig, wie er bei der Gattung *Kynotus* mit wohl ausgebildeten Prostaten an der Glossoscoleciden-Natur zweifeln kann.

Die beiden Familien *Glossoscolecidae* und *Lumbricidae* unterscheiden sich voneinander dadurch, dass die letzeren stets einen kräftigen Muskelmagen weit hinter dem Ovarialsegment, am Anfangstheil des Mitteldarms besitzen, die ersteren dagegen einen oder drei Muskelmagen vor dem Ovarialsegment aufweisen, oder nur rudimentäre oder gar keine; ferner dadurch, dass die Glossoscoleciden nie, die Lumbriciden stets (?, mit seltenen Ausnahmen?) Rückenporen besitzen.

Die Familie *Glossoscolecidae* zerfällt in vier Unterfamilien, die sich muthmaasslich so zueinander stellen, dass sie drei aus einer Wurzel entsprossene Stämme darstellen, während die vierte das gemeinsame Wurzelglied repräsentirt. Für dieses Wurzelglied halte ich die Unterfamilie der *Criodrilinae*. Die Anhaltspunkte für diese Muthmaassung sind allerdings sehr gering. Sämmtliche Criodrilinen sind rein limnisch, und zweien der drei Gattungen fehlen, wahrscheinlich im Zusammenhang mit dieser Lebensweise, die Samentaschen, deren Anordnung bei den Glossoscoleciden von so hoher systematischer Bedeutung ist. Die Criodrilinen sind jedenfalls, wenn nicht direkt das Wurzelglied der ganzen Familie, einer der ältesten Theile derselben, stehen sie doch auch der Wurzel der verwandten Familie *Lumbricidae* nahe, wenn diese nicht gar aus den Criodrilinen entsprossen ist.

Die drei muthmaasslich aus Criodrilinen entsprossenen Glossoscoleciden-Stämme unterscheiden sich voneinander hauptsächlich durch die Anordnung der Samentaschen und die Zahl der Muskelmagen. Die *Hormogastrinae* besitzen 3, die *Glossoscolecinae* und *Microchaetinae* nur einen Muskelmagen. Bei den *Glossoscolecinae* liegen die Samentaschen-Poren, falls sie überhaupt vorhanden sind. einzeln und wie bei der Criodrilinen-Gattung *Sparganophilus* vor den Hodensegmenten. Bei den *Microchaetinae* liegen sie meist. wie manchmal auch bei *Sparganophilus*, zu mehreren in Gruppen. und zwar weiter hinten als bei den *Glossoscolecinae* und bei *Sparganophilus*, die vordersten. von rudimentären Samentaschen abgesehen. mindestens auf Intersegmentalfurche ¹² ₁₃. Die Unterfamilie *Homogastrinae* steht in Bezug auf die Anordnung der Samentaschen zwischen den *Glossoscolecinae* und *Microchaetinae*. insofern sie einzeln und gerade im Bereich der Hodensegmente liegen. Die Anordnung der Samentaschen spricht für eine nähere Beziehung der *Glossoscolecinae* zur Criodrilinen-Gattung *Sparganophilus*. während die Lage der männlichen Poren bei den *Hormogastrinae* und der Microchaetinen-Gattung *Kynotus* auf die Criodrilinen-Gattung *Criodrilus* hinweist. Die dritte Criodrilinen-Gattung. *Alma*. zeigt keine spezielleren Beziehungen zu einem der drei jüngeren Stämme der Familie.

Während die *Hormogastrinae*. nur zwei Arten einer einzigen Gattung, keine weitere Gliederung aufweisen. erscheinen die Unterfamilien der *Glossoscolecinae* und *Microchaetinae* mehr oder weniger reich gegliedert.

Die *Microchaetinae* spalten sich in zwei Hauptzweige. an deren Grunde je eine rein limnische Gattung steht. während das jüngere Zweigende eine terricole Gattung oder Gattungsgruppe repräsentirt. Der eine Zweig wird von der limnischen Gattung *Callidrilus* und der terricolen Gattung *Kynotus*. der andere Zweig von der limnischen Gattung *Glyphidrilus* und den terricolen Gattungen *Microchaetus*. *Tritogenia* und *Geogenia* gebildet. In der *Kynotus*-Gruppe liegt der Muskelmagen etwas weiter vorn als bei der *Microchaetus*-Gruppe; auch andere Charaktere (Anordnung der Samentaschen-Poren, Prostaten oder Borstendrüsen) sprechen für die Natürlichkeit dieser beiden Gruppen.

Die Verwandtschaftsbeziehungen innerhalb der Unterfamilie *Glossoscolecinae* ergeben sich am augenscheinlichsten aus der Anordnung und Struktur der Chylustaschen. Wir können die verschiedenen Gattungen danach zu einem kontinuirlichen System zusammenstellen. Es ist nur die Frage, ob auch die einfachste Bildung die ursprünglichste ist. oder ob nicht etwa gewisse einfachere Formen als Rückbildungen anzusehen sind. Es liegt weiter kein Grund für diese letztere Annahme vor. und da auch die geographische Verbreitung nicht für dieselbe spricht, so darf sie bei Seite gestellt werden. An der Wurzel des Glossoscolecinen-Systems steht eine kleine Gruppe von Gattungen, die durch das häufige Auftreten einer Quincunx-Stellung der Borsten ausgezeichnet ist. Diese Borsten-Anordnung ist entweder für die ganze Gattung charakteristisch (z. B. für *Diachaeta*) oder tritt nur bei einzelnen Arten einer Gattung auf (z. B. bei *Hesperoscolex hesperidum* (BEDD.)); manchmal (z. B. bei *Pontoscolex corethrurus* (FR. MÜLL.)) ist in dieser Hinsicht selbst eine Variabilität der Art nachgewiesen. Einigen Gattungen dieser Gruppe fehlen Chylustaschen ganz (*Onychochaeta, Diachaeta*); bei *Hesperoscolex* fehlen sie oder sind sie in einfachster Form, als einfache Taschen, und in geringer Zahl, 1 oder 3 Paar in den Segmenten, die direkt auf das Muskelmagen-Segment folgen, vorhanden. Die Gattung *Pontoscolex* schliesslich, die auch noch dieser Gruppe angehört, zeigt die Anordnung der Chylustaschen wie bei der in dieser Hinsicht höchst entwickelten *Hesperoscolex*-Form; doch haben die Chylustaschen bei *Pontoscolex* eine viel komplizirtere Gestaltung. Wir können die holoandrische Gattung *Onychochaeta* an die Wurzel des Systems stellen und daraus die theils holoandrische. theils metandrische Gattung *Hesperoscolex* (ohne Chylustaschen oder mit 1 oder

3 Paar Chylustaschen) und aus dieser wieder die metandrische Gattung
Diachaeta (ohne Chylustaschen) ableiten. Aus den höheren Formen der Gattung
Hesperoscolex (Formen mit 3 Paar einfachen Chylustaschen) leitet sich dann
Pontoscolex (metandrisch und mit 3 Paar komplizirten Chylustaschen)
ungezwungen ab. Die nächst höhere Stufe, die Gattungen *Opisthodrilus*,
Rhinodrilus und *Andiodrilus*, stimmen in Bezug auf die Zahl und die
Komplizirtheit der Chylustaschen mit *Pontoscolex* überein. Die metandrische
Gattung *Opisthodrilus* mag direkt aus *Pontoscolex* entsprossen sein; *Rhino-
drilus* aber ist holoandrisch und muss von einem Punkt (zwischen *Hesperoscolex* und *Pontoscolex*) abgeleitet werden, an dem die Meroandrie des
Pontoscolex sich noch nicht ausgebildet hatte. *Andiodrilus* ist eine proandrische
Form, die sich im Uebrigen eng an die holoandrische Gattung *Rhinodrilus*
anschliesst. Zwei Gattungen der *Glossoscolecinae* zeichnen sich dadurch aus,
dass die Zahl der Chylustaschen mehr als 3 beträgt, nämlich 4 bei *Anteoides*
und 6 bis 8 bei *Thamnodrilus*. Die letztere Gattung ist holoandrisch und
schliesst sich der Gestalt der Chylustaschen nach eng an *Rhinodrilus* an.
Die Gattung *Anteoides* ist dagegen metandrisch und ihre Chylustaschen
zeigen die einfachere Gestaltung, wie wir sie bei *Hesperoscolex* finden. Da
die Zahl der Chylustaschen-Paare innerhalb der Gattung *Hesperoscolex*
schwankend ist, so würde die etwas höhere Zahl der Chylustaschen-Paare
von *Anteoides* nicht gegen einen engeren Anschluss dieser Gattung an
Hesperoscolex sprechen; auch die Metandrie findet sich bei beiden Gattungen.
Ich kann demnach die Anschauung Cognetti's, der *Anteoides* wegen der
Zahl der Chylustaschen-Paare als Mittelglied zwischen *Rhinodrilus* und
Andiodrilus einerseits und *Thamnodrilus* andererseits stellt, und zugleich
diese vier Gattungen nur als Untergattungen einer weiten Gattung, *Anteus*,
angesehen wissen will, nicht adoptiren und löse *Anteoides* aus dem engeren
Verbande jener mit komplizirten Chylustaschen versehenen Gattungen heraus,
um sie in die Nähe von *Hesperoscolex* zu stellen. Es bleibt noch eine kleine
Gruppe nahe miteinander verwandter Gattungen zu erörtern, als deren Kern
die Gattung *Glossoscolex* anzusehen ist, und zu der noch *Fimoscolex*, durch
die Unpaarigkeit der männlichen Poren, und *Enantiodrilus*, durch Hologynie
von *Glossoscolex* unterschieden, gehören. In dieser Gruppe findet sich nur
ein einziges Paar Chylustaschen von sehr komplizirtem Bau im 11. oder 11.
und 12. Segment, also durch eine Anzahl Segmente ohne Chylustaschen von
dem Segment des Muskelmagens getrennt. Da bei allen übrigen Glossoscolecinen das vorderste Chylustaschen-Paar stets gleich auf den Muskelmagen
folgt, so liegt die Annahme nahe, dass bei der in Rede stehenden Gruppe
die extremen Paare einer kontinuirlichen, sich an den Muskelmagen anschliessenden Reihe von Chylustaschen-Paaren zurückgebildet sind, so dass
nur ein einziges Paar von den mehreren im 7. bis 11. oder 12. Segment
übrig geblieben ist. Nach dieser Annahme würden *Glossoscolex*, *Fimoscolex*
und *Enantiodrilus* von Formen abzuleiten sein, die in Hinsicht der Chylustaschen der Gattung *Thamnodrilus* ähneln oder gleichen — vielleicht von
dieser Gattung selbst? Steht schon die obige Annahme auf schwachen Füssen,
so ist diese Spezialisirung des muthmasslichen Ursprunges der *Glossoscolex*-
Formen besonders unsicher. Dass kein anderer Anknüpfungspunkt an die übrige
Masse der Glossoscolecinen auffindbar ist, darf uns nicht verleiten, den Werth
der obigen Anknüpfung zu überschätzen. Vielleicht ist das einzige Chylustaschen-Paar der *Glossoscolex*-Formen eine selbständige Bildung und *Glossoscolex* sammt *Fimoscolex* und *Enantiodrilus* direkt von einer älteren Form,
etwa von *Hesperoscolex*, abzuleiten.

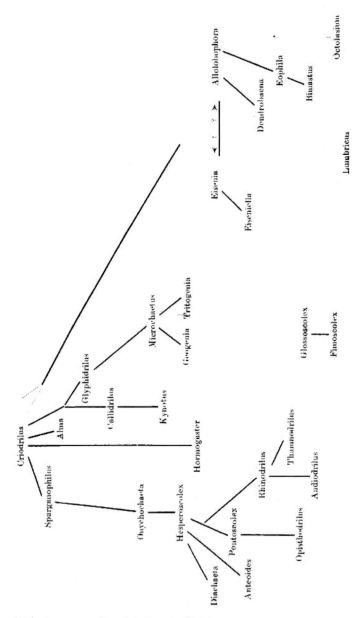

136

Die Familie *Lumbricidae* steht zweifellos zur Familie *Glossoscolecidae* in inniger Beziehung. Vieles spricht dafür, dass die Lumbriciden direkt von der Glossoscoleciden-Gattung *Criodrilus* abzuleiten sind, von jener Gattung, die noch bis in die jüngste Zeit als limnisch umgemodelter Zweig der Familie *Lumbricidae* angesehen wurde. Für die Verwandtschaft der Lumbriciden mit *Criodrilus* spricht nicht nur die Lage der männlichen Poren und des Gürtels, sondern auch gewisse muskulöse Verdickungen der Darmwandung (rudimentärer Muskelmagen), die ihrer Lage nach fast mit dem Muskelmagen der Lumbriciden übereinstimmen.

Die Verwandtschaftsverhältnisse innerhalb der Familie *Lumbricidae* sind nicht ganz klar übersichtlich. Als Ausgangspunkt können nur Formen angesehen werden, die wie der Glossoscolecide *Criodrilus* freie Hoden und Samentrichter besitzen und mit 4 Paar Samensäcken in Segment 9 bis 12 ausgestattet sind. Als solche stellen sich die beiden nahe miteinander verwandten Gattungen *Eisenia* und *Eiseniella*, sowie die Untergattung *Allolobophora* der Gattung *Helodrilus* dar. Die übrigen Untergattungen von *Helodrilus* leiten sich von *Allolobophora* leicht durch theilweise oder gänzliche Rückbildung der Samensäcke des 10. Segments (Untergattung *Dendrobaena*) oder derjenigen des 9. und 10. Segments (Untergattungen *Eophila* und *Bimastus*) ab. Die Abstammung der mit Testikelblasen ausgestatteten Gattungen *Octolasium* und *Lumbricus* ist nicht sicher zu ersehen. Bei beiden liegen die Samentaschen-Poren, wie bei *Helodrilus*, im Bereich der Borstenlinien *c* und *d*. Während *Octolasium* mit 4 Paar Samensäcken an die Untergattung *Allolobophora* erinnert, stimmt *Lumbricus* mit 3 Paar Samensäcken in dieser Hinsicht mit der Untergattung *Dendrobaena* überein.

Die vorhergehende Skizze mag die Verwandtschaftsbeziehungen innerhalb der Gruppe *Glossoscolecidae-Lumbricidae* erläutern.

Zur speziellen Systematik ist noch folgendes zu erwähnen: Der Art-Name „*Ribaucourti*" wurde ungefähr gleichzeitig von BRETSCHER und COGNETTI für einen *Helodrilus* verwandt. Ich gebe der COGNETTI'schen Form die Bezeichnung *H. (Eophila) Cognettii* und lasse der BRETSCHER'schen Form den Namen *H. (Allolobophora) Ribaucourti*. Die COGNETTI'sche Form *Eisenia rosea* (SAV.) forma *bimastoides* steht meiner Ansicht nach in keiner näheren verwandtschaftlichen Beziehung zu *Eisenia rosea*; sie gehört der Gattung *Helodrilus* und der Untergattung *Bimastus* an. Ich bezeichne sie als *Helodrilus (Bimastus) bimastoides* (COGNETTI). *Helodrilus latens* COGNETTI gehört meiner Ansicht nach der Untergattung *Dendrobaena* (nicht *Allolobophora*) an; er ist jedenfalls dem *H. (Dendrobaena) Handlirschi* (ROSA) nahe verwandt.

Fam. Glossoscolecidae.

Subfam. Criodrilinae.

Gen. **Criodrilus**	Im	
C. Breymanni MICHLSN. .		Kolumbien (Palmyra).
C. Bürgeri MICHLSN. . . .		Kolumbien (Bogotá).
C. Iheringi MICHLSN. . . .		Brasilien (Pericicaba-Fluss im Distr. São Paulo). Paraguay (Valenzuela, Rio Apa).

C. *lacuum* Hoffmstr. — Syrien und Palästina (Hauran, Orontes, Sehtoro am Libanon); Süd-Russland(Mariupol, Fluss Derkulj), Ungarn (Budapest), Italien (Pavia, Treviso, Turin, Riva am Garda-See), Oesterreich (Linz). Deutschland(Breslau, Berlin).

Gen. **Alma** . . . . Im
.1. *Emini* (Michlsn.) — Deutsch-Ost-Afrika (Bukoba).
.1. *Millsoni* (Bedd.) . . . — Ober-Guinea (Lagos).
.1. *nilotica* Grube . . — Aegypten (Mansurah, Kairo, Bedraschin).
.A. *Stuhlmanni* (Michlsn.) — Deutsch-Ost-Afrika (Bukoba),Uganda(Kasséaye am Südwest-Ufer des Albert-Nyansa, Kinyawanga).
.1. *Zebanguii* Duboscq¹ . — Französ.Congo(Bangi).
A. sp. inquirenda . . . . — Nordost-Afrika (Gardulla).

Gen. **Sparganophilus** . . . Im
S. *Benhami* Eisen f. typica — Mexiko (Tepic).
var. *carnea* Eisen . . — Jowa (Clayton).
var. *guatemalensis* Eisen — Guatemala(Guatemala).
S. *Eiseni* Frank Sm. . . — Illinois, Florida.
S. *Smithi* Eisen f. typica . — Kalifornien (Laguna Puerca bei San Francisco).
var. *sonomae* Eisen . . — Kalifornien(Sebastopol in Sonoma County).
S. *tamesis* Benham . . . — England (Goring-on-Thames, Oxford).

Subfam. **Glossoscolecinae.**

Gen. **Onychochaeta** . . . tr
O. *Windlei* (Bedd.) . . . — Venezuela (Puerto Cabello); Westindien (Port au Prince auf Haiti), Bermudas. — In geringem Maasse peregrin, nachweisl.verschleppb.

Gen. **Hesperoscolex** . . tr
H. *barbadensis* (Bedd.) . — Westindien (Barbados). — Aus den Kew gardens.
H. *columbianus* (Michlsn.) — **Kolumbien** (Umgegend von Bogotá).
H. *hesperidum* (Bedd.) . — Westindien (Trinidad, Jamaica). — Aus den Kew gardens.

9*

138

Gen. Diachaeta . . . . . lt
D. thomasi BENHAM . . .   **Westindien** (St. Thomas).
D. littoralis BEDD. . . .   **Westindien** (Kingston u.
     Port Royal auf.Jamaica).

Gen. Anteoides
A. Rosae COGNETTI .   **Süd-Bolivien** (Aguajreu-
     da), **Argentinien**(San Lo-
     renzo in der Prov. Jujuy).

Gen. Pontoscolex . . . . tr, lt
P. arenicola SCHMARDA . . ,   lt   **Westindien** (Kingston u.
     Port Royal auf.Jamaica).
P. corethrurus (FR. MULL.)   tr   Marquesas-Inseln, Hawaii-   Peregrin, nachweis-
     Inseln: lich verschleppbar.
     Neuseeland, Queensland:
     Molukken (Ternate, Am-
     boina), Sangi-Inseln, Ce-
     lebes, Borneo.,Java, Nias,
     Sumatra, Malayische
     Halbinsel, Singapore:
     Ceylon:
     Mauritius, Madagaskar:
     Fernando Naronha, Bra-
     silien (Neu - Freiburg,
     Desterro), Ecuador
     (Guayaquil):
     Westindien, Mexiko.
P. insignis (KINB.) . . .   **Guatemala** (La Antigua),
     Nord - Kolumbien (Insel
     St. Joseph bei Panama).

Gen. Opisthodrilus . . . tr
O. Borellii ROSA . . .   **Argentinien** (Resistencia,
     in der Prov. Chaco),
     Paraguay (Luque).

Gen. Rhinodrilus
R. brasiliensis (BENHAM) .   **Brasilien** (Pedza açu).
R. brunneus (MICHLSN.) .   **Venezuela** (Vorberge v.
     Galipan bei Caracas).
R. Horsti (BEDD.) . . .   **Brasilien.**
R. papillifer (MICHLSN.) .   **Brasilien** (Puerto Alegre
     u. Taquara di Mundo-
     nuevo in Rio Grande
     do Sul), **Paraguay** (San
     Bernardino).
R. paradoxus E. PERRIER   **Venezuela** (Caracas, Puer-
     to Cabello).
R. paraguayensis (ROSA) .   **Paraguay** (San Bernar-
     dino. Villa Rica, Rio
     Apa).
R. parvus (ROSA) . .   **Süd-Bolivien** (Caiza). **Ar-
     gentinien** (Resistencia in
     der Prov. Chaco).
R. sibatensis (MICHLSN.) .   **Kolumbien** (Fusagasuga).

Gen. **Andiodrilus**	tr		
A. affinis MICHLSN. . . .		Kolumbien (Bogotá, Fusagasuga).	
A. bogotoensis MICHLSN. .		Kolumb. (Bogotá, Fusagasuga, Guaduas, Fuquene).	
A. major MICHLSN. . . .		Kolumbien (Fusagasuga).	
A. pachoensis MICHLSN. .		Kolumbien (Pacho, Fusagasuga, La Union).	
A. Schütti (MICHLSN.) . .		Kolumbien(Bucaramanga).	
Gen. **Thamnodrilus** . . .	tr		
T. aberratus (MICHLSN.) .		?	
T. Buchwaldi MICHLSN. .		Ecuador (Guayaquil).	
T. cobumbianus (MICHLSN.)		Kolumbien (zwischen Villeta und Facatativa).	
T. crassus (ROSA) .		Ecuador (Coca).	
T. distinctus (UDE) . . .		Kolumbien (Antioquia).	Die Gattung dieser Art ist nicht ganz sicher.
T. ecuadoriensis (BENHAM)		Ecuador (Cayambe).	
T. gigas (E. PERRIER) . .		Französisch-Guayana.	Die Gattung dieser Art ist nicht ganz sicher.
T. Gulielmi BEDD. . . .		Britisch-Guayana.	
T. hamifer (MICHLSN.) . .		Kolumbien (Purnio, Consuelo bei Honda).	
T. heterostichon (SCHMARDA)		Ecuador (Cuenca, Quito).	
T. Iserni (ROSA)		Ecuador (Rio napo).	
T. Jordani (ROSA) . . .		Paraguay (S. Bernardino).	
T. monticola (MICHLSN.) .		Kolumbien (Fusagasuga).	
T. octocystis (MICHLSN.) .		?	
T. potarensis (ROSA) . .		Britisch-Guayana (Oberer Potaro-River-Distr.).	
T. purnio (MICHLSN.) . .		Kolumbien (Purnio bei Honda).	
T. Rehbergi MICHLSN. . .		Peru (Junin).	
T. savanicola (MICHLSN.) .		Kolumbien (Fuquene, Guaduas, Bogotá, La Union).	
T. Tenkatei (HORST) . .		Holländisch-Guayana.	
Gen. **Glossoscolex**			
G. Bergi (ROSA)		Argentinien (Provinz Missiones).	
G. Forquesi (E. PERRIER).		Argentinien (La Plata).	
G. giganteus F. S. LEUCK..		Brasilien (Rio de Janeiro).	
G. grandis (MICHLSN.) . .		Brasilien (Passo Fundo in Rio Grande do Sul).	
G. hondaensis (MICHLSN.) .		Kolumbien (Honda).	
G. paucisetis MICHLSN. . .		Kolumbien (Fluss Patia).	
G. peregrinus (MICHLSN.) .		Süd-Bolivien (Aguajrenda); [Hamburg, angeblich von Westindien importirt].	Nachweislich verschleppbar, in Pflanzen-Sendungen (Bot. Garten in Hamburg).

G. truncatus (ROSA) . . .		Paraguay (Asuncion).
G. Wiengreeni (MICHLSN.)		Brasilien (Neu-Freiburg).
Gen. **Enantiodrilus**		
E. Borellii COGNETTI . .		Nordwest - Argentinien (San Lorenzo i. d. Prov. Jujuy).
Gen. **Fimoscolex**	tr	
F. Ohausi MICHLSN. . .		Brasilien (Petropolis).

Subfam. **Hormogastrinae.**

Gen. **Hormogaster** . .	tr	
H. pretiosa MICHLSN. .		Sardinien (Cagliari).
H. Redii ROSA		Italien (Toscana, Rom), Sardinien (Cagliari, Sassari). Sicilien (Taormina, Palermo): Tunis.

Subfam. **Microchaetinae.**

Gen. **Glyphidrilus**	lm	
G. Kökenthali MICHLSN. .		Borneo (Baram-Fluss).
G. malayanus MICHLSN. .		Malayische Halbinsel (Pahang-Fluss).
G. papillatus (ROSA)		Birma (Distr. Cheba od. Biapò).
G. quadrangulus (HORST).		Sumatra (Se Danau di atas bei Alahan Pandjang).
G. Stuhlmanni MICHLSN. .		Deutsch - Ost -Afrika (Danda am Kingani).
G. Weberi HORST		Sumatra (Manindjau, See von Singkarah), Java (Buitenzorg). Celebes (Luwu), Flores.
Gen. **Microchaetus** . . .	tr	
M. algoensis ROSA . . .		Kapland (Port Elizabeth).
M. Beddardi BENHAM . .		Natal.
M. Belli BENHAM		Kapland (East London).
M. Benhami ROSA . . .		?
M. Braunsi MICHLSN. . .		Kapland (Port Elizabeth).
M. decipiens MICHLSN. . .		Kapland (Grahamstown).
M. griseus MICHLSN. . . .		Oestliches Süd - Afrika (wahrscheinlich Port Elizabeth). Genauerer Fundort nicht ganz sicher.
M. Marenzelleri ROSA . .		Kapland (Port Elizabeth).
M. microchaetus (RAPP) .		Kapland (Kapstadt).
M. modestus MICHLSN. . .		Kapland (Port Elizabeth).
M. papillatus BENHAM . .		Natal (Durban).
M. Pentheri ROSA f. typica		Kapland (Grahamstown).
var. elizabethae MICHLS.		Kapland (Port Elizabeth).
var. saxatilis ROSA . .		Kapland (Stoneshill).

Gen. **Geogenia**   tr
G. natalensis KINB. .   **Natal** (Durban).
Gen. **Tritogenia**
T. sulcata KINB.   .   **Natal** (Durban).
Gen. **Callidrilus** . . . .   lm
C. dandoniensis MICHLSN. .   Deutsch - Ost - Afrika
    (Dauda am Kingani).
C. scrobifer MICHLSN. . .   Mosambique (Quilim.).
Gen. **Kynotus** . . . . .   tr
K. Darwini (C. KELLER) .   **Madagaskar** (Nossi-Bé).
K. distichotheca MICHLSN. .   **Madagaskar.**
K. Kelleri MICHLSN. . .   **Madagaskar** (Lahosa. Ime-
    rina).
K. longus MICHLSN. . . .   **Madagaskar** (Sen Ben-
    drana).
K. Michaelseni ROSA . .   **Madagaskar** (Tananarivo).
K. Oswaldi MICHLSN. . .   **Madagaskar** (Tamatave).
K. schistocephalus MICHLSN.   **Madagaskar** (Majunga).
K. Sikorai MICHLSN. . . .   **Madagaskar** (Elakelaxa).
K. verticillatus (E. PERR.)   **Madagaskar.**
K. Voeltzkowi MICHLSN. .   **Madagaskar** (Majunga).
Gen. inc. **Brachydrilus**   Die systematische
    Stellung dieser
    Gattung ist sehr
    unsicher.
B. Benhami MICHLSN.   ?

Fam. Lumbricidae.

Gen. **Eiseniella** . . . . . amph
E. tetraedra (SAV.) f. typica | Neuseeland: Peregrin.
    New-South-Wales:
    Kapland;
    Palästina, Syrien, Europa
    v. Kreta, Ungarn, Polen
    und Nord-Norwegen bis
    Italien und Portugal;
    Azoren, Kanarische Inseln;
    Kanada, Pennsylvanien,
    Kalifornien;
    Chile.
f. *brenensis* (RIBAUCOURT)   Schweiz, Frankreich.   Es ist fraglich, ob
f. *hercynia* (MICHLSN.) .   Deutschland, Frankreich,   diese verschiede-
    Portugal;   nen Formen als
    Kalifornien.   Varietäten aufzu-
f. *neapolitana* (ÖRLEY)   Italien. Schweiz: fassen sind, oder
    Kalifornien.   ob sie mehr oder
f. *Ninnii* (ROSA) . . .   Palästina, Syrien: weniger häufig auf-
    Italien: tretende Anoma-
    Kalifornien.   lien oder Rück-
f. *pupa* (EISEN) . . .   Kanada — New York (Nia-   schlags - Formen
    gara).   darstellen.
f. *tetragonura* (FRIEND)   England.

Gen. Eisenia	Vorwieg. tr		
E. alpina (Rosa)		Syrien (Berg Hermon), Armenien (Gotschka-See); Italien (Piemonteser Alpen), Schweiz (Mörtschen-Gebiet).	Peregrin.
E. foetida (Sav.)		Neuseeland; Hawaii-Inseln: New-South-Wales: Japan, Nikobaren: Kapland; Sibirien, Armenien (Prov. des Schwarzen Meeres), Europa von der Krym, Italien, Sardinien und Portugal bis Nord-Russland, Norwegen und Grossbritannien. Kanarische Inseln, Azoren, Bermuda-Inseln: Georgia, Oregon, Vancouver, Kalifornien, Guatemala; Kolumbien, Peru, Süd-Brasilien, Argentinien, Chile.	Peregrin, nachweislich verschleppb.
E. Gordejeffi (Michlsn.) . E. Kucenkoi Michlsn. . .		Süd-Russland (Marinpol). Turkestan (Prschowalsk; am Issyk-kul).	
E. Lönnbergi (Michlsn.) .		Georgia (Savannah), Nord-Carolina (Raleigh).	
E. Nobili Cognetti * . .		Nord-Italien (Santo Stefano di Cadore).	
E. Nordenskiöldi (Eisen) f. typica		Sibirien (von Markowo am Anadyr bis zur Westgrenze, südlich bis zum Baikal-See, nördlich bis zur Insel Waigatsch), Russland (Gouv. Saratow. Krym).	Peregrin.
var. caucasica Michlsn.		Prov. des Schwarzen Meeres (Sotschi). Transkaukasien (Berg Schoatan-Jailag).	
E. rosea (Sav.)	ampl	Chatham-Ins., Neuseeland; Aegypten, Marokko: Sibirien, Syrien, Palästina, Europa von Süd- und Zentral-Russland und	Peregrin, nachweislich verschleppb.

E. rosea (Sav.) (Forts.)	Norwegen bis Italien u. Portugal; Kanarische Inseln; Neu-England, Georgia, Indiana, Louisiana, Arizona, Kalifornien, Nieder-Kalifornien, Mexiko; Süd-Brasilien. Argentinien, Chile.	
E. Skorikowi Michlsn. . .	Süd-Russland (Charkow).	
E. spelaea (Rosa) . . .	Nord-Italien (Monte Berici).	
E. tigrina (Rosa)	Rumänien (Castel Peles, Sinaia), Süd-Ungarn(Herkulesbad).	
E. Udei (Ribaucourt) . .	Schweiz (Heustrich).	
E. veneta (Rosa) f. typica	Palästina, Syrien, Armenien. Mingrelien, Prov. des Schwarzen Meeres, Kreta, Krym, Oesterreich, Nord-Italien.	Peregrin.
var. *hibernica* (Friend)	Nord-Italien. Irland:	Peregrin.
var. *hortensis* (Michls.)	Kapland; Nord-Italien, Schweiz, Deutschland, Portugal; Kalifornien; Argentinien, Chile.	Peregrin.
var. *zebra* Michlsn. . .	Prov. des Schwarzen Meeres (Sotschi).	
E. sp. (*carolinensis* Mich. Ms.)	Nord-Carolina (Fayetteville).	
Gen. **Helodrilus**	Vorwieg. tr	
Subgen. Allolobophora *H. acystis* Michlsn. . . .	Turkestan (Passhöhe Tschokur-Korul).	
H. aporatus (Bretscher) .	Schweiz (Fürstenalp, Obere Sandalp).	
H. caliginosus (Sav.) . .	Chatham-Inseln, Neuseeland, Hawaii-Ins., Japan; New-South-Wales; China, Persien, Syrien, Palästina, Sinai-Halbinsel, Europa von Korfu, Italien u. Portugal bis Nord-Norwegen u. Nord-Russland; Kapland, Aegypten, Algier, Marokko; Azoren, Madeira, Kanarische Inseln, St. Helena;	Peregrin, nachweislich verschleppb.

H. caliginosus (Sav.)(Forts.)	Kanada, Massachusetts, Georgia, Indiana, Illinois, Wisconsin, Arizona, Washington, Kalifornien, Nied.-Kaliforn., Mexiko; Bolivien, Süd-Brasilien, Argentinien, Chile.	
H. chlorotieus (Sav.)	Syrien:	Peregrin.
	Europa v. Korfu, Italien u. Portugal bis Norwegen u. Mittel-Russland. Azoren, Madeira. Kanarische Inseln, Bermudas; Grönland. Nord-Carolina. Vancouver, Kalifornien. Mexiko. Guatemala: Uruguay, Chile.	
H. Georgii Michlsn.	Syrien u. Palästina (Berg Hermon, Thal von Zebedani. Sehtora); Spanien (Valencia), Irland.	Peregrin.
H. japonicus (Michlsn.) .	Japan (Enoshima. Hakodate. Fusi-jama. Moji).	
H. jassyensis (Michlsn.) f. typica	Turkestan (Taschkent): Süd-Russland (Mariupol). Rumänien (Jassy).	Peregrin.
var. *orientalis* (Michls.)	Palästina (Jericho, östlich vom Jordan, Thal von Zebedani, Sehtora): Aegypten (Kairo).	
H. limicola (Michlsn.) . .	Schweiz(Zürich),Deutschland (Hamburg).	
H. longus (Ude) . .	Süd - Russland. Oesterreich. Schweiz, Deutschland, Norwegen, Belgien, Frankreich. England: Britisch - Nord - Amerika (Grand Manan), Indiana.	Ober-Peregrin.
H. mchadiensis (Rosa) . .	Rumänien(Bukarest),Süd-Ungarn (Mehadia, Herkulesbad).	
H. Möbii (Michlsn.) . .	Madeira (Funchal).	
H. Molleri (Rosa) . . .	Portugal (Coimbra, Pereira. Algarve, Alemteja. Portimao).	
H. persianus (Michlsn.) .	Persien (Haiderabad im Distr. Farsistan, Kalenderabad im Distr. Chusistan).	
H. Ribancourti Bretscher	Schweiz (Hasenberg).	

H. robustus (Rosa) . . .	**Süd-Ungarn** (Mehadia).
H. Savignyi (Guerne & Horst)	**Frankreich** (Cazau).
H. Schneideri (Michlsn.) .	**Ligurien** (San Remo).
H. smaragdinus (Rosa) .	**Oesterreich** (Salzburg, Kärnthen, Krain, Kroatien, Fiume).**Nord-Italien** (Cadore*).
H. Virei Cognetti . . .	**Frankreich** (Paris).
Subgen. Dendrobaena	
H. Attemsi Michlsn. . .	**Steiermark** (Strassengeler Wald bei Graz).
H. Fedschenkoi (Michlsn.)	**Turkestan** (Gebiet des oberen Sarafschan).
H. Ganglbaueri (Rosa) f. typica	**Krain** (Julische Alpen), **Steiermark** (Schneealpen, Strassengeler Wald bei Graz),**Nieder-Oesterreich** (Gutenstein).
var. *annectens* (Rosa) .	**Siebenbürgen** (Bulla-See i. d. Fogarascher Alpen).
var. *byblicus* (Rosa) . .	**Syrien. Palästina; Kreta.**
var. *olympiacus* Michls.	**Griechenland** (Olympia).
H. Handlirschi (Rosa) . .	**Nieder-Oesterreich** (Unterberg). **Steiermark** (Rax). **Schweiz** (Frutt, Sandalp).
H. hercu,leauus (Bretsch.)	**Schweiz** (Hasenberg).
H. intermedius (Michlsn.)	**Ost-Russland** (Irgizla im nördl. Orenburg-Gouv.).
H. latens Cognetti . . .	**Oesterreichisches Küstenland** (St. Canzian).
H. lumbricoides (Bretsch.)	**Schweiz** (Hasenberg).
H. madeirensis (Michlsn.)	**Portugal** (Caldas de Gerez); **Madeira.**
H. mammalis (Sav.)	Schottland, England, Frankreich(Brest,Paris).
H. mariupoliensis (Wyssot.)	**Süd-Russland** (Mariupol, Jeisk, Simferopol in der Krym); **Prov. des Schwarzen Meeres** (Sotschi).
H. octaedrus (Sav.) . . .	Sibirien (Baikal-See, Surgatskoje zwischen Tomsk u. Krasnojarsk), Nowaja-Semlja, ganz Europa; Island, Madeira; Grönland, Neu-Fundland, Mexiko.
H. Oliveirae (Rosa) . . .	**Portugal** (Guarda).

In geringem Maasse peregrin.

Peregrin.

H. platyurus (FITZ.) f. typ.	**Süd-Ungarn** (Mehadia), **Ober-Oesterreich**(Wels), **Nieder-Oesterreich** (Gutenstein).	
var. *depressus* (ROSA) . *H. pygmaeus* (SAV.) . . .	**Ober-Oesterreich** (Wels). Oesterreichisches Küstenland (St. Canzian), Italien (Piemont), Frankreich (Paris).	In geringem Maasse peregrin.
H. rhenani (BRETSCHER) .	**Nieder-Oesterreich** (Hinterbrühl bei Wien, Pfaffenstetten), **Schweiz**, **Süd-Deutschl.** (Urach).	
H. riparius (BRETSCHER) . *H. ruber* (BRETSCHER) . . *H. rubidus* (SAV.) f. typica	**Schweiz** (Mellingen). **Schweiz**. Sibirien (Gebiet d. Baikal-See), Russland (Nowgorod), Deutschland, Schweiz, Frankreich; Island.	Peregrin.
var. *subrubicundus* (EIS.)	Süd-Sibirien, Europa von d. Krym. Italien u. d. Balearen bis Schweden: Azoren: Neu-Fundland, Kaliforn.; Falkland-Inseln, Feuerland, Feuerländischer Archipel, Süd-Patagonien, Chile.	Peregrin.
H. samariger (ROSA) . .	**Palästina** (Jerusalem, Nodi - elj - Bagga am Toten Meer).	
H. semiticus (ROSA) . . .	**Palästina** (östlich vom Jordan, Mesraah am Libanon).	
H. victoris (E. PERRIER) . Subgen. **Eophila** *H. adaiensis* (MICHLSN.) .	**Aegypten** (Damiette). **Kaukasus-Länder** (Adai-Choch).	Unsichere Art.
H. Antipae (MICHLSN.) . . *H. asconensis* (BRETSCHER) *H. Cognettii* MICHLS. (nov. nom.)	**Rumänien** (Jassy). **Schweiz**.	
H. crassus (MICHLSN.) . .	**Sardinien** (Abealzu bei Sassari). **Transkaukasien** (Tkwibuli im Distr. Kutais).	
H. Dugèsi (ROSA) . . .	**Nord-Italien** (Ormea in den Seealpen), **Süd-Frankreich** (Nizza).	
H. Festae (ROSA)	**Tunis** (Tunis); **Sardinien** (Cagliari).	In sehr geringem Maasse peregrin.

H. ictericus (Sav.)	**Nord-Italien** (Piemonteser Alpen), **Schweiz** (Zürich, Bern), **Frankreich** (Valencienne, Paris).	In sehr geringem Maasse peregrin.
H. Leoni (Michlsn.)	**Rumänien** (Jassy, Bukarest, Dobrutscha).	
H. opisthocystis (Rosa) .	Süd-Ungarn (Mehadia).	
H. patriarchalis (Rosa) .	**Syrien, Palästina; Kreta** (Visari).	
H. sotschiensis Michlsn. .	**Prov. des Schwarzen Meeres** (Sotschi).	
H. Sturanyi (Rosa) . . .	**Kroatien** (Pljesevica Gola).	
H. taschkentensis (Michls.)	**Turkestan** (Taschkent).	
H. Tellinii (Rosa) . . .	**Venetien** (Ragogna).	
H. tyrtaeus (Ribaucourt)	**Schweiz** (Morgins).	
Subgen. Bimastus		
H. Beddardi (Michlsn.) .	Hawaii-Inseln (Honolulu); Nord-Ost-Mongolei (Sudžil-gola), Tibet (Oberlauf des Mekong): Irland: Florida (Orlando), Kalifornien (Siskiyou-County), Washington (Seattle).	Peregrin.
H. bimastoides (Cognetti)	**Sardinien** (Sassari).	
H. constrictus (Rosa) . .	Unalaschka*, Hawaii-Ins.; Süd-Sibirien (Baikal-See), Europa von Süd-Russland, Istrien u. Italien bis Norwegen, Deutschland und England; Pennsylvan., Kadiak*, Sitscha*. Vancouver, Kalifornien, Mexiko, Guatemala: Peru, Argentinien, Chile, Süd-Patag., Feuerland.	Peregrin.
H. Eiseni (Levins.) . . .	Kroatien, Nord-Italien, Deutschland, Dänemark, England, Portugal; Azoren, Madeira. Kanarische Inseln.	Peregrin.
H. Gieseleri (Ude) . . .	**Florida, Georgia** (Savannah).	
H. norvegicus (Eisen) . .	Norwegen.	Die artl. Selbständigkeit dies. Form ist nicht ganz sicher; vielleicht ist es nur eine Varietät od. Rückschlagsform von *H. constrictus*.

H. oculatus Hoffmstr. . . amph Italien (Pavia), Schweiz Peregrin.
(Zürich, Beckenried. Baumgarten), Deutschland(Württemberg.Thüringen, Harz, Hamburg, Ost-Holstein), Frankreich (Paris).

H. palustris (H. F. Moore) Im **Nord-Carolina** (Raleigh), **New Jersey. Pennsylvanien.**

H. parvus (Eisen)   Tibet(Oberlaufd.Mekong); Peregrin. Insel St. Paul im südl. Indischen Ozean; Kapland (Port Elizabeth); Neu-England, Louisiana, Kalifornien, Nieder-Kalifornien, Mexiko, Guatemala. Argentinien.

H. syriacus (Rosa) . . **Kleinasien** (Samsun).

H. tumidus (Eisen) . . **Neu-England** (Mount Lebanon).

Gen. **Octolasium**   Vorwieg. tr

O. complanatum (A. Dug.) typica . . . . . . Syrien (Berg Hermon), Peregrin. Prov. des Schwarzen Meeres (Sotschi), Kleinasien (Smyrna, Ala Chehir), Kreta, Griechenland (Athen), Rumänien (Bukarest, Comana), Ungarn,Oesterreich,Italien, Sizilien, Sardinien, Korsika. Süd-Schweiz, Süd-Frankreich (Nizza, Montpellier), Balearen, Süd-Spanien (Valencia), Portugal (Coimbra); Algerien (Algier, Constantine), Marokko (Tanger. Fez); Kanarische Inseln. Ilha do Principe.

var. *hemiandrium*(Cogn.) **Italien** (Spezia).
O. croaticum (Rosa) f. typ. **Korfu. Kroatien.**
var. *oroviense*(Bretsch.) **Kärnthen, Steiermark, Schweiz.**

O. cyaneum (Sav.)   Italien (Cuneo), Schweiz, Peregrin. Deutschland (Rostock. Hamburg, Bertrich an

O. cyaneum (Sav.) (Forts.)

O. exacystis (Rosa) .

O. hortensis Bretscher

O. lacteum (Oerley) — amph

O. lissaense (Michlsn.) . .

O. mima (Rosa) . .

O. nivalis (Bretscher) .

O. Rebeli (Rosa) . . . .

O. rectum (Ribaucourt) .

O. transpadanum (Rosa) .

O. sp. inquirenda . .

Gen. **Lumbricus** . . . . tr
L. baicalensis Michlsn. .
L. castaneus (Sav.) . . .

L. festivus (Sav.) . .

L. meliboeus Rosa

---

der Mosel), Frankreich
(Paris. Nantes):
Argentin. (Buenos Aires).
Siebenbürgen (Schuler
bei Kronstadt).
Schweiz (Zürich).
Algier (Atlas östlich von
Algier):
Russland (Volchow 35 km
unterhalb Nowgorod,
Kiew, Mariupol), Ru-
mänien, Ungarn, Oester-
reich, Italien, Schweiz,
Deutschland, England,
Frankreich, Spanien:
Azoren:
Illinois, Mexiko:
Uruguay (Montevideo).
Dalmatien (Spalato, Insel
Lissa).
**OesterreichischesKüsten-
land** (Rovigno, Triest),
Venetien (Udine).
Schweiz.
Bulgarien (Slivno).
Schweiz (Heustrich).
Kleinasien (Abullonia),
Rumänien (Bukarest,
Rassova), Bulgarien
(Slivno),Ungarn, Nieder-
Oesterreich(Gutenstein),
Istrien (Rodik), Nord-
Italien (Thal des Po, See-
Alpen). Süd-Schweiz.
New-South-Wales (Sid-
ney).

Süd-Sibirien (Baikal-See).
Nord-Sibirien (Boganida-
Gebiet), Europa (Polen,
Norwegen und England
bis Ungarn, Italien,
Korsika u. Frankreich).
Färöer-Inseln, Island:
Neu-England. Kanada.
Nord-Frankreich (Paris),
England, Schottland.
Nord-Italien (Piemonteser
Alpen, Rosazza, Monte
Asinare, Monte Soglio),
Schweiz (Rigi, Zürich,
Bremgarten).

Peregrin.

Peregrin.

Peregrin.

Peregrin.

In geringem Maasse
peregrin.

L. papillosus FRIEND . .	Schweiz (Kanton Wallis), Peregrin. Irland (Dublin, Glasnevin, Cork, Valencia, Kerry).
L. polyphemus (FITZ.) . .	**Süd-Ungarn** (Mehadia, Herkulesbad), **Nieder-Oesterreich** (Wien*).
L. rubellus HOFFMSTR. . .	Chatham-Ins..Neuseeland: Peregrin. Nikobaren; Sibirien(Baikal-See,Lena-Mündung). Prov. des Schwarzen Meeres, ganz Europa: Island, Kanarische Inseln: Neu-Fundland. Oregon. Kalifornien.
L. terrestris L., MULL. .	Ganz Europa: Peregrin. Azoren: Neu-Fundland, Neu-England. Massachusetts, Illinois. Mexiko.

Lumbricidae inc. generis

(*Allolobophora*) *auriculata* ROSA	**Nieder-Oesterreich** (Gutenstein).	
(*Dendrobaena*) *Bogdanowi* KULAG.	Transkaukasien(Suchum).	Zweifelhafte Art.
(*Allolobophora*) *brunescens* BRETSCH.	**Schweiz** (Hasenberg. Bäretsweil).	
(*Allolobophora*) *rupitla* RIBAUCOURT	**Frankreich** (Paris).	
(*Enterion*) *carneum* SAV. .	**Frankreich** (Paris).	
(*Dendrobaena*) *caucasica* KULAG.	Kaukasus (Cacik).	Zweifelhafte Art.
(*Allolobophora*) *Claparedei* RIBAUCOURT	**Schweiz** (Bremgarten).	
(*Criodrilus*) *dubiosus* OERL.	Ungarn (Alt-Ofen. Zombor).	Zweifelhafte Art.
(*Octolasium*) *Frivaldszkyi* OERLEY	Ungarn(Grafschaft Bihar).	Zweifelhafte Art.
(*Allolobophora*) *Giardi* RIBAUCOURT	**Frankreich** (Paris).	
(*Lumbricus*) *gigas* A. DUG.	**Frankreich** (Montpellier).	
(*Allolobophora*) *hispanica* UDE	**Spanien** (Sierra de Moncayo).	
(*Allurus*) *macrurus* FRIEND	Irland (Dublin).	Zweifelhafte Art.
(*Allolobophora*) *mediterranea* OERLEY	**Balearen.**	
(*Dendrobaena*) *Nassonovi* KULAG.	Transkaukasien(Suchum).	Zweifelhafte Art.

151

(*Allolobophora*) *Nusbaumi* RIBAUCOURT ? . . . . amph	Schweiz (Mont Géant in Wallis).
(*Allolobophora*) *sulfurica* RIBAUCOURT	Schweiz (Heustrich).
(*Lumbricus*) *teres* A. Dug.	Frankreich (Montpellier). Zweifelhafte Art.

Geographische Verbreitung: Während das Gebiet der *Lumbricidae*, der muthmaasslich jüngsten Familie sämmtlicher Oligochaeten, der Typus eines Expansionsgebietes ist, weist die jedenfalls ältere Familie der *Glossoscolecidae* ein zersprengtes Gebiet auf. Theils durch jüngere Glieder der Megascoleciden-Familie, theils durch die alle übrigen Terricolen unterdrückenden Lumbriciden wurden die Gebiete der terricolen Glossoscoleciden-Abtheilungen voneinander getrennt und zum Theil bis auf reliktenartige Ueberreste reduzirt. Nur die limnischen Glossoscoleciden-Abtheilungen konnten sich in dem Gebiet jener kräftigeren jüngeren, fast ausschliesslich terricolen Oligochaeten halten. Bei keiner Abtheilung ist der Unterschied in der Art der Verbreitung der limnischen Formen von der der terricolen auffallender als bei den Glossoscoleciden. Während bei den terricolen Formen derselben die Unterfamilien mehr oder weniger eng umgrenzte, niemals über breite Ozeane hinüber greifende Gebiete aufweisen — bei ihnen bedingen schon Meeresarme von der verhältnissmässig geringen Breite des Kanals von Mosambique scharfe Scheidungen nach Gattungen — sind bei den limnischen Formen der Glossoscoleciden nicht nur die Unterfamilien, sondern selbst die meisten Gattungen von Kontinent zu Kontinent über breite Ozeane hinüber verbreitet.

Betrachten wir zunächst die Verbreitung der limnischen Formen, also der Gattungen *Criodrilus*, *Alma* und *Sparganophilus*, zusammen die an der Wurzel des Systems stehende Unterfamilie *Criodrilinae* bildend, sowie die beiden Gattungen *Glyphidrilus* und *Callidrilus*, die ältesten Glieder der Unterfamilie *Microchaetinae*. Die Gattungen *Sparganophilus* und *Criodrilus* kommen sowohl in der neuen wie in der alten Welt vor; ihr Gebiet überspringt den Atlantischen Ozean. *Sparganophilus* ist die nördlichere Form, deren Gebiet Nordamerika von Guatemala und Florida bis Kalifornien und Illinois, sowie das nordwestliche Europa (England) umfasst. *Criodrilus* ist eine südlichere Form: neuweltlich nimmt sie die tropischen Gebiete von Brasilien und Paraguay bis Kolumbien ein, altweltlich ein subtropisch-gemässigtes Gebiet Eurasiens (Palästina und Syrien, Süd-Russland, Mittel-Europa von Italien bis Nord-Deutschland). Die dritte Criodrilinen-Gattung, *Alma*, ist auf das tropische und nördliche subtropische Afrika beschränkt. Ihr Gebiet erstreckt sich in den Tropen über den ganzen Kontinent, von Deutsch-Ost-Afrika und Schoa bis Ober-Guinea (Lagos); in der östlichen Region dringt *Alma* Nil-abwärts bis in subtropische Regionen, bis an die Küste des Mittelmeeres vor; wie weit ihr Gebiet sich südwärts über den Aequator hinaus erstreckt ist unbekannt; die südlichste Fundstelle (Bukoba am Viktoria-Nyansa) liegt nicht viel mehr als einen Breitengrad südlich vom Aequator. Beachtenswerth ist, dass die Gebiete der drei Criodrilinen-Gattungen sich gegenseitig ausschliessen, oder vielmehr sich kontinuirlich aneinander reihen, ohne ineinander überzugreifen.

Von den beiden limnischen Microchaetinen-Gattungen ist die eine, *Callidrilus*, auf das südliche tropisch-subtropische Ost-Afrika beschränkt (südliches Deutsch-Ost-Afrika und Mosambique), während das Gebiet der anderen, *Glyphidrilus*, den Indischen Ozean überspringend, sowohl das

tropische Ost-Afrika (südliches Deutsch-Ost-Afrika), wie das tropische indo-
malayische Gebiet (Birma, Sumatra, Java, Flores, Borneo, Celebes) umfasst.
Käme nicht eine *Glyphidrilus*- und eine *Callidrilus*-Art am gleichen Fundort
in Deutsch-Ost-Afrika vor, so könnte man versucht sein anzunehmen, dass
auch diese limnischen Gattungen an dem oben für die Criodrilinen festgestellten Gesetze der gegenseitigen Ausschliessung theilnähmen.

In eigenthümlicher Beziehung steht die geographische Verbreitung der
terricolen Abtheilungen der Glossoscoleciden zu der jener limnischen
Abtheilungen, von denen sie abgeleitet werden müssen. Es stösst das
Gebiet der terricolen Abtheilung meist hart an das der entsprechenden
limnischen Abtheilung, ohne sich — soweit wir bis jetzt wissen — an irgend
einer Stelle in beträchtlichem Maasse mit ihm zu decken. Während die
limnische Gattung *Sparganophilus* in Amerika bis Florida und Guatemala
südwärts geht, reicht das Gebiet der muthmaasslich aus ihr entsprossenen
terricolen Unterfamilie *Glossoscolecinae* vom tropischen Südamerika bis über
die südliche Partie Zentralamerikas (nördlichstes endemisches Vorkommniss
hier in Guatemala) nordwärts. Das Vorkommen der terricolen Unterfamilie
Hormogastrinae in Tunis, Sicilien, Sardinien, Rom und Toskana schliesst
sich an das norditalienische Vorkommen der limnischen Gattung *Criodrilus*
an. Das Gebiet der terricolen Gattung *Kynotus*, Madagaskar, ist dem Gebiet
der limnischen Gattung *Callidrilus* (von Deutsch-Ost-Afrika bis Mosambique)
benachbart und schliesslich das Gebiet der terricolen *Microchaetus*-Gruppe
(Kapland-Natal) durch eine tropisch-ostafrikanische *Glyphidrilus*-Art mit
dem Gebiet dieser Gattung (ausser dem tropischen Ost-Afrika noch Birma
und die grossen Sunda-Inseln) in Verbindung gesetzt. Von der Aufstellung
einer Regel der gegenseitigen Ausschliessung kann hier wohl nicht die Rede
sein, schon deshalb nicht, weil die verschiedene Lebensweise die betreffenden
Abtheilungen ausser Konkurrenz setzt; dann aber sind auch die Grenzen des
Gebiets der limnischen Formen noch zu unsicher: sind diese Gebiete doch
meist nur durch sporadische Funde festgelegt — die limnischen Formen
sind von den Sammlern entschieden vernachlässigt worden —. Vielleicht
dürfen wir aus diesen Verhältnissen schliessen, dass die betreffenden terricolen
Formen einst eine weitere Verbreitung besessen haben, dass ihr Gebiet sich
wenigstens zum Theil mit dem ihrer limnischen Wurzelform deckte. Thatsächlich machen die Gebiete der meisten terricolen Glossoscoleciden-Abtheilungen
ganz den Eindruck von Reduktionsgebieten. Betrachten wir diese Gebiete näher:

Das Gebiet der fast durchweg terricolen Unterfamilie *Glossoscolecinae*
umfasst das tropische Südamerika, südwärts einerseits bis La Plata, andererseits bis Peru, nordwärts bis an das Karibische Meer, dazu noch einen Theil
von Westindien(?) und die südliche Partie Zentralamerikas von Panama bis
Guatemala. Es stellt sich im Gegensatz zu dem der übrigen terricolen
Glossoscoleciden-Abtheilungen als ein Expansionsgebiet dar, im Westen und
Osten durch Ozeane, im Norden und Süden durch andere natürliche,
klimatische und orographische Scheiden ziemlich genau begrenzt. Die südliche Grenze bildet der wasserarme Landstrich, der sich von der pazifischen
Küste Nord-Chiles aus über die Cordilleren hinüber und an ihrer Ostseite
südwärts bis zur Atlantischen Küste Nord-Patagoniens erstreckt. Im Norden
ist die Cordillere der schmalen, langgestreckten zentralamerikanischen Landstriches als natürliche Grenze anzusehen. Dass eine derartige schmale,
gebirgige Bahn der Verbreitung von Terricolen nicht günstig ist, wird schon
durch den entschieden vorwiegenden Quer-Verlauf der vielen, kleinen Flüsse
bedingt. Dafür spricht auch der Umstand, dass sich gerade in diesem Gebiet

verhältnissmässig viele Relikte der ältesten und sehr alten Gruppen von Megascoleciden, die in dem Gebiet der Glossoscolecinen gänzlich ausgerottet scheinen, erhalten konnten, nämlich drei *Notiodrilus*-Arten und eine *Platellus*-Art in Guatemala. Dieser Umstand macht es wahrscheinlich, dass der *Pontoscolex* von Guatemala und Panama wirklich der äusserste vorgeschobene Posten seiner Gruppe ist. Eingehendere Forschungen in diesem Gebiet müssen den genauen Verlauf der nördlichen Grenze der Glossoscolecinen noch sicherer feststellen. Auch im Westindischen Gebiet ist der Verlauf der Grenze noch unbekannt; kennen wir doch von der grossen Insel Cuba überhaupt noch keinen Oligochaeten, von vielen kleineren Inseln ebensowenig. Vorkommnisse terricoler Glossoscolecinen sind gemeldet worden von Jamaica, Barbados und Trinidad (dazu noch von Jamaica und St. Thomas Vorkommnisse littoraler Formen, die für diese Erörterung nicht in Rechnung kommen). Die geringe Zahl dieser Vorkommnisse, nur zwei *Hesperoscolex*-Arten betreffend, von denen die eine noch dazu auf den ziemlich weit voneinander entfernten Inseln Trinidad und Jamaica zugleich vorkommt, also vielleicht in geringem Maasse peregrin ist, lässt Westindien als ziemlich fragwürdigen Besitz der terricolen Glossoscolecinen erscheinen. Vielleicht weisen sich später auch jene beiden Arten als peregrin, oder, wie mehrere ihrer nahen Verwandten, als theilweise littoral aus. Dazu kommt, dass jene beiden Fundortsangaben lediglich auf Notizen aus den Kew gardens beruhen. Es ist also nicht einmal der Fundort ganz sicher, viel weniger noch die endemische Natur des Vorkommens.

Dass das eigentliche kontinentale Glossoscolecinen-Gebiet ein Expansionsgebiet ist, erhellt auch daraus, dass diese Terricolen-Gruppe hier entschieden die Vorherrschaft erlangt und bewahrt hat, kommen von höheren Oligochaeten-Gruppen neben ihnen doch nur limnische (*Criodrilus*) und amphibische Formen (*Ocnerodrilinae*) endemisch vor, Formen, die durch ihre abweichende Lebensweise vor der Konkurrenz der kräftigeren, aber meist rein terricolen Glossoscolecinen geschützt waren. Die Ausbreitung der kräftigeren Glossoscolecinen ist wohl die Ursache der Zurückdrängung der früher zweifellos weiter verbreiteten älteren Megascoleciden-Unterfamilie *Acanthodrilinae*. Soweit die Glossoscolecinen vordrangen, wurden diese älteren, schwächeren Konkurrenten ausgerottet, und da die Glossoscolecinen im Bereich der Tropen den südamerikanischen Kontinent von Ozean zu Ozean eroberten, so wurde das alte Gebiet der Acanthodrilinen in einen hauptsächlicheren südlichen (Chile, Patagonien, Feuerland) und einen mehr reliktenhaften nördlichen Ueberrest (Guatemala, Mexiko) zersprengt.

Die Vertheilung der verschiedenen Gattungen oder Gattungsgruppen der Glossoscolecinen über das ganze Gebiet ist nicht gleichmässig; doch lässt sich eine scharfe Abgrenzung von Untergebieten nicht vornehmen. Die Gruppe der älteren Formen, die sich um die Gattung *Hesperoscolex* gruppiren (*Onychochaeta*, *Hesperoscolex*, *Diachaeta* und *Pontoscolex*), ist auf den nördlichen Theil des Gebietes beschränkt, auf Westindien (nur littorale Formen?), die südliche Hälfte Zentralamerikas, Venezuela (?, peregrine Form?) und Kolumbien. Die kleine nur eine Art enthaltende Gattung *Antcoides* kommt in Nord-Argentinien und Süd-Bolivien, die ebenso kleine Gattung *Opisthodrilus* im nördlichen Argentinien und in Paraguay vor. Die Gattung *Rhinodrilus* ist in den südlichen Theilen des Gebietes anscheinend häufiger (in Brasilien, Argentinien und Paraguay zusammen 5 Arten), dringt aber nordwärts bis Venezuela (2 Arten) und Kolumbien (1 Art) vor. Sehr beschränkt ist das Gebiet der Gattung *Andiodrilus*; diese Gattung (mit 5 Arten) ist

10*

bisher nur in Kolumbien gefunden worden. Das westliche Cordilleren-Gebiet ist auch das Hauptquartier der Gattung *Thamnodrilus*; diese Gattung ist in Kolumbien durch 5 Arten, in Ecuador ebenfalls durch 5 Arten und in Peru (wenig durchforscht!) durch 1 Art vertreten; ausserdem sind 3 Arten in Guayana endemisch und eine einzige in Paraguay. Die *Glossoscolex*-Gruppe schliesslich (Gattungen *Glossoscolex*, *Fimoscolex* und *Enantiodrilus*) ist häufiger im südöstlichen Theil des Gebietes (4 Arten in Brasilien, 4 in Argentinien, Süd-Bolivien und Paraguay), kommt aber auch weiter nördlich, in Kolumbien (2 Arten), vor.

Das Gebiet der kleinen Unterfamilie *Hormogastrinae* ist ein typisches Relikten-Gebiet. Beide *Hormogaster*-Arten, aus denen diese Unterfamilie besteht, sind in Sardinien endemisch, die eine Art, *H. Redii* Rosa, kommt ausserdem in Nord- und Mittel-Italien (Toskana, Rom), auf Sizilien und in Tunis vor, ein kleines Gebiet, eingekeilt zwischen der Wüste Nord-Afrikas und dem Gebiet der verbreitungskräftigen Familie *Lumbricidae*. Diese beiden Hormogastrinen repräsentiren den spärlichen Ueberrest einer früher muthmaasslich grösseren und weiter verbreiteten Gruppe, die wohl erst durch das Vordringen der Lumbriciden von Osten und Norden her so stark reduzirt wurde. Es wäre eine empfehlenswerthe Aufgabe, einmal das Atlas-Gebiet Nord-Afrikas nach etwaigen weiteren Relikten der Unterfamilie *Hormogastrinae* zu durchforschen.

Auch die Gebiete der terricolen Abtheilungen der Unterfamilie *Microchaetinae* sind, wenn nicht gerade Relikten-Gebiete, so doch stark reduzirt. Der eine, wahrscheinlich ältere Zweig, die Gattung *Kynotus* mit 10 Arten, ist beschränkt auf Madagaskar, und hier vorherrschend. Nur einige wenige Arten der ältesten Megascoleciden-Unterfamilie, der Acanthodrilinen, sind hier neben *Kynotus* endemisch. Die Entstehung der Gattung *Kynotus* muss in einer Periode erfolgt sein, da Madagaskar noch nicht vom afrikanischen Kontinent getrennt war. Später schützte der Meeresarm zwischen dem Festlande und Madagaskar diese Insel vor dem Eindringen der jüngeren Formen, die auf dem tropischen Theil des afrikanischen Kontinentes zu üppiger Entwicklung gelangten und hier die terricolen Glossoscoleciden verdrängten. Es giebt wohl kaum eine andere Stelle auf der Erde, wo der Faunen-scheidende Charakter des Meeres so prägnant zum Ausdruck kommt, wie hier: Auf der einen Seite, auf Madagaskar, lediglich einige uralte Formen von Megascoleciden und eine der ältesten Glossoscoleciden-Gattungen, auf der anderen Seite, auf dem Festlande, nur durch einen schmalen, an der engsten Stelle kaum 60 geographische Meilen breiten Meeresarm von jener Insel getrennt, die jüngsten Formen der Megascoleciden, *Eudrilinae* und Gattung *Dichogaster*, vorherrschend, von älteren Formen daneben nur einige amphibische *Ocnerodrilinae* und limnische *Glossoscolecidae*, die ihrer Lebensweise wegen hier nicht in Frage kommen.

Auch der andere, wohl etwas jüngere Zweig terricoler Glossoscoleciden, die *Microchaetus*-Gruppe (Gattungen *Microchaetus*, *Geogenia* und *Tritogenia* mit zusammen 15 Arten) hat vor den jüngeren Formen des tropischen Afrikas zurückweichen müssen. Er findet sich jetzt beschränkt auf das südliche Afrika, Kapland und Natal. Wie der madagassische Zweig, so theilt auch dieser südafrikanische Glossoscoleciden-Zweig sein Gebiet lediglich mit den ältesten und alten Megascoleciden-Formen der Unterfamilie *Acanthodrilinae*. Wie jene madagassische Terricolen-Fauna ihre Erhaltung dem schützenden Meeresarme, so verdankt diese kapländische Fauna ihre Erhaltung zweifellos der Wasserarmuth des Landstriches nördlich vom Kaplande, der Kalahari-Wüste und den sich daran anschliessenden wasserarmen Gebieten. Die klimatischen Verhältnisse dieses Landstriches sagten offenbar den kräftigen afrikanischen Tropenformen nicht zu und verhinderten ihr weiteres Vordringen gegen Süden. (Hierzu Karte IX.)

Es ist schliesslich noch die geographische Verbreitung der jüngsten Oligochaeten-Familie, der *Lumbricidae*, zu erörtern. Die Lumbriciden sind meist rein terricol, einzelne Arten aber amphibisch, ohne in ihren Verbreitungs-verhältnissen sich von jenen terricolen auffallend zu unterscheiden. Eine Ausnahme bildet vielleicht die Gattung *Eiseniella* mit der einzigen, in viele Formen von zweifelhafter systematischer Bedeutung zerfallenden Art *E. tetraedra* (Sav.). Es wäre möglich, dass diese Art ihre weite Verbreitung nicht oder nur zum Theil der Verschleppung durch den Menschen verdankt, dass ihr weites Gebiet lediglich oder hauptsächlich ihrer limnischen Lebensweise zuzuschreiben ist.

Das Gebiet endemischer Lumbriciden ist ungemein lang gestreckt und, wenigstens in seinem eingehend durchforschten Theile (Europa), verhältnis-mässig schmal. Im Osten beginnend, finden wir endemische Lumbriciden zunächst in Japan (1 Art); die nächste Station bildet das Gebiet des Baikal-Sees (ebenfalls nur 1 Art); daran schliesst sich das Gebirgsland Mittel-Turkestans mit 4 Arten und die Persischen Provinzen Chusistan und Farsistan (am Nordostwinkel des persischen Golfs) mit einer gemeinsamen Art. Dieser Theil des Gebietes ist, wie die spärlichen und räumlich weit getrennten Funde endemischer Arten zeigen, nur schwach durchforscht. Jene Funde reihen sich zwar zu einer einheitlichen ost-westlichen Bahn aneinander, über die Breite dieser Bahn, über ihre Süd- und Nordgrenze, fehlt uns jedoch jegliche Kenntniss. Besser bekannt ist der westlich sich anschliessende Theil des Lumbriciden-Gebietes. Eine grössere Anzahl endemischer Formen finden wir zunächst in Transkaukasien (8 Arten), in Syrien und Palästina (5 Arten) und im südlichen Theil des europäischen Russlands (4 Arten); auch von Kleinasien ist eine endemische Art bekannt; die nördlichsten Punkte in diesem Theil des Gebietes sind Irgizla im nördlichen Orenburg-Gouvernement und Charkow. Mit zahlreichen Arten schliessen sich dann westlich die Länder Süd-Europas an. Rumänien (nördlichstes Vorkommniss: Jassy) und Bulgarien, Siebenbürgen und Süd-Ungarn, die Balkan-Halbinsel, Oesterreich und die Alpenländer mit dem südlichsten Deutschland (nörd-lichstes bekanntes endemisches Vorkommniss: Urach in Württemberg), Italien mit Sardinien, Frankreich nordwärts bis Paris, Spanien mit den Balearen und Portugal. Nördlich von dieser Linie sind keine sicheren endemischen Lumbriciden-Vorkommnisse bekannt; Arten, die früher als in dem nörd-licheren Gebiet endemisch angesehen werden konnten, wie *Helodrilus limicola* (Michlsn.) und *H. oculatus* Hoffmstr., sind später auch in jenem südlicheren Gebiet nachgewiesen worden. Eine Ausnahme scheint nur *H. (Dendrobaena) norvegicus* (Eisen) zu machen, eine Form, die in Norwegen weit verbreitet ist, ausserhalb Norwegens aber bisher nicht auf-gefunden wurde, die hier also endemisch erscheint. Wie ich andernorts[1]) nachgewiesen, ist aber die artliche Selbständigkeit dieser Form nicht sicher; der einzige wesentliche Unterschied zwischen *H. norvegicus* und dem ihm jedenfalls sehr nahe stehenden peregrinen *H. constrictus* (Rosa) ist nicht eigentlich ein Art-Unterschied, wenngleich er sogar zur Sonderung von Untergattungen benutzt wurde; wahrscheinlich ist *H. norvegicus* nur eine

---

[1]) W. Michaelsen: Die Lumbriciden-Fauna Norwegens und ihre Beziehungen; in: Verh. Ver. Hamburg, 3 Folge Bd. IX, 1902, p. 5.

lokal beschränkte Rückschlagsform des peregrinen *H. constrictus*. Jedenfalls
kann dieses einzelne, noch dazu in seiner systematischen Werthigkeit zweifelhafte Vorkommniss angesichts der zahlreichen Vorkommnisse endemischer
Lumbriciden im Süd-Gebiete die Begrenzung des eigentlichen Gebietes dieser
Familie nicht modifiziren. Ob auch der Nordrand Afrikas zum eigentlichen
Gebiet der Lumbriciden gerechnet werden muss, lässt sich zur Zeit nicht
sicher entscheiden. Die beiden Arten, die, soweit bekannt, hier möglicher-
weise endemisch sind, *Helodrilus jassyensis* var. *orientalis* (MICHLSN.) von
Unter-Aegypten und *H. Festae* (ROSA) von Tunis, sind auch ausserhalb
Afrikas in benachbarten Gegenden des oben skizzirten Gebietes gefunden
worden, der erstere in Palästina, der letztere in Sardinien; es ist also nicht
ausgeschlossen, dass es sich bei diesen afrikanischen Vorkommnissen doch um
Einschleppungsfälle handelt. Von West-Europa springt das Lumbriciden-
Gebiet nach Madeira über (zwei anscheinend endemische Arten, eine bisher
nur auf Madeira, eine zugleich in Portugal gefunden) und von hier aus über
die ganze Breite des Atlantischen Ozeans nach dem Nordamerikanischen
Kontinent, in dessen Oststaaten (Florida, Georgia, Nord-Carolina, New-Jersey,
Pennsylvanien und Neu-England[1]) 5 endemische Arten — z. Th. zweien
oder dreien der aufgeführten Staaten gemeinsam — nachgewiesen sind. In
den mittleren Gebieten Nordamerikas scheinen keine Lumbriciden endemisch
zu sein, sicher jedenfalls nicht in den gut durchforschten westlichen Staaten
am Pazifischen Ozean.

Im Ganzen betrachtet bildet demnach das Gebiet, in dem Lumbriciden
endemisch vorkommen, eine schmale Bahn, die sich von Japan über Süd-
Sibirien und Turkestan quer durch Asien hindurchzieht, in Persien und Palästina
an die Randmeere des Indischen Ozeans stösst, und dann über Süd-Europa
(und den Nordrand Afrikas?) bis an den Atlantischen Ozean geht, um
schliesslich, diesen überspringend, in den Oststaaten Nordamerikas sein Ende
zu finden. Die Südgrenze dieses Gebietes ist meist durchaus natürlich: sie
wird hauptsächlich wohl von den wasserarmen oder ganz wasserlosen Land-
strichen der Mongolei, Turkestans und Persiens (sowie Arabiens?), weiter
westlich durch das Mittelmeer oder, falls Nord-Afrika in das Gebiet ein-
gerechnet werden muss, die Wüsten Nord-Afrikas gebildet; für den nordamerikanischen Theil des Gebietes ist eine natürliche Grenze anscheinend
nicht vorhanden, es müsste sich denn herausstellen, dass die mittleren Gebiete
Nordamerikas mit an das Gebiet anzureihen sind, und dass also die Cordilleren
eine natürliche Grenze desselben bilden.

Eine eigene Bewandniss scheint es mit der Nordgrenze des Gebietes
endemischer Lumbriciden zu haben. Diese Nordgrenze erscheint durchaus
unnatürlich, läuft sie doch quer durch homogene Gebiete hindurch, weder
durch das Meer noch durch Wüstenstrecken noch durch hohe Gebirgszüge
markirt; auch die Konkurrenz anderer Formengruppen kann hier nicht als
Ursache einer Gebietsbeschränkung in Frage kommen; denn nordwärts von
dieser Grenze kommen auch keine terricolen Oligochaeten der anderen
höheren Familien endemisch vor. Nord-Europa besitzt überhaupt keine
endemischen Regenwürmer, sondern nur peregrine. Wie wir weiter unten
bei der Erörterung der „Gebiete ohne endemische Terricolen" sehen werden,
ist höchst wahrscheinlich die Vereisung der nördlicheren Gebiete während
der Eiszeit als die Ursache dieser Beschränkung des gemässigt-eurasischen
Lumbriciden-Gebietes anzusehen. (Hierzu Karte X.)

[1]) Die genaue Position des „Mount Lebanon in Neu-England [EISEN]" ist mir
nicht bekannt.

Die Oligochaeten-Faunen der einzelnen Gebiete.

Es ist vielfach der Versuch gemacht worden, die Erde in allgemeine Thiergebiete zu theilen. Betrachtet man die Resultate dieser Versuche angesichts der im vorigen Abschnitt festgestellten Verbreitung der Oligochaeten, so findet man, dass nicht ein einziger jener Versuche einer graphischen Darstellung der Oligochaeten-Verbreitung zu Grunde gelegt werden kann. In welcher Thiergruppe finden wir z. B., wie bei den terricolen Oligochaeten, einen so scharf ausgesprochenen Gegensatz zwischen Neu-Guinea und dem australischen Kontinent bei gleichzeitigem engen Anschluss Ceylons an diesen letzteren? Die Oligochaeten verlangen eine eigene Gebietseintheilung der Erde, die nur für sie gültig ist und nicht verallgemeinert oder auf die Verbreitung anderer Gruppen angewandt werden kann.

Die Gebietseintheilung muss sogar noch weiter spezialisirt werden. So einheitlich in systematischer Beziehung die Gruppe der Oligochaeten ist, so different ist sie in biologischer Beziehung, und diesen biologischen Verhältnissen entspricht, wie oben genugsam erörtert, eine ganz spezielle Art der Verbreitung. Jede einzelne biologische Gruppe — wir können deren hauptsächlich drei unterscheiden, nämlich die terricole, die limnische und die marin-littorale — weist ein durchaus charakteristisches Verbreitungs-System auf. Diese Systeme sind aber so verschiedenartig, dass eine Kombinirung derselben, also eine einheitliche Behandlung der Oligochaeten-Verbreitung, ein ganz unklares, unübersichtliches Bild ergeben würde, eine Wirrniss von übereinander weg laufenden Verbreitungsbahnen und -grenzen.

Es könnte die Frage aufgeworfen werden, ob vielleicht einheitliche Gebietseintheilungen erreicht werden können, wenn man das ganze Thierreich nach biologischen Verhältnissen, nach den gleichartigen Ausbreitungsweisen, in wenige Gruppen sonderte, wenn man z. B. die Verbreitungsgebiete sämmtlicher limnischen Thiere gemeinsam behandelte. Es fänden ja alle in biologischer Hinsicht verwandte Thiergruppen die gleichen Verbreitungsmöglichkeiten, die gleichen Verbreitungsbahnen und die gleichen Verbreitungsschranken vor. Auch diese Methode würde zu keinem Resultat führen, denn es kommen für die Ausbreitung noch Momente ganz spezieller Natur hinzu, die stets nur für die systematisch eng begrenzte Gruppe maassgebend sind.

Wir sehen an verschiedenen Beispielen, dass die Ausbreitungsfähigkeit einer bestimmten Gruppe in verschiedenen Perioden sehr verschieden gewesen ist. Die Gattung *Notiodrilus* z. B. muss in längst vergangener Erdperiode eine ungemein starke Ausbreitungsfähigkeit besessen haben, überschwemmte sie doch fast die ganze Erde; jetzt behauptet sie sich in spärlichen Relikten mühsam an einzelnen weit verstreuten, durch lokale Verhältnisse besonders gut geschützten Punkten. Andere Gruppen, so die Lumbriciden, weisen dagegen in der Jetztzeit eine hervorragende Ausbreitungsfähigkeit auf, nachdem sie vielleicht lange Zeit in beschränktem Gebiet ein wenig aggressives Dasein geführt haben. Es geht die Ausbreitung der Thierfamilien nach ähnlichen Gesetzen vor sich, wie die der Völkerfamilien. Die Araber sassen seit erdenklichen Zeiten in dem beschränkten Gebiet ihrer Urheimath, bis plötzlich ein starker Impuls sie veranlasst, sich auszubreiten; sie überschwemmen die benachbarten Gebiete, alle ihnen entgegenstehenden schwächeren Völker unterjochend; sie durchziehen westwärts das ganze nördliche Afrika, bis ihnen der unüberschreitbare Atlantische Ozean und in anderer Richtung ein „Karl Martell" halt gebietet. Der Impuls lässt nach. Andere Völkerfamilien werden von der Ausbreitungslust ergriffen. Der Türke raubt dem Araber die Herrschaft. Der Europäer, lange Zeit fast ganz auf die Defensive beschränkt, dringt in die afrikanischen Mittelmeer-Länder ein, und nicht lange wird es dauern, bis dieses ganze Gebiet von Aegypten bis Marokko unter der Oberherrschaft europäischer Staaten steht. So wechselt auch die Ausbreitungskraft bei den Thierfamilien. Eine bestimmte Thiergruppe benutzt eine ihr dargebotene Verbreitungsbahn nur dann, wenn sie gerade in einer Periode der Ausbreitungskraft begriffen ist. Es werden also von den vielen im Laufe der Erdgeschichte aufeinander folgenden Ausbreitungsmöglichkeiten nur ein Theil von ihr benutzt, und, was für unsere Erörterung bedeutsam ist, verschiedene Thiergruppen benutzen nicht immer dieselben Ausbreitungsmöglichkeiten, sondern die einen diese, die anderen jene, wenngleich sie ihnen sämmtlich offen standen. Die Verschiedenheit in der Benutzung der Ausbreitungsmöglichkeit wächst noch, wenn die zugänglich gemachten Gebiete bereits von Thieren der gleichen Gruppe bewohnt sind, wenn also eine Konkurrenz zu überwinden ist. Dass ein solcher Konkurrenzkampf unter verschiedenen Gliedern der gleichen Gruppe thatsächlich vorkommt, ist oben nachgewiesen worden. Es ist aber einleuchtend, dass die Chancen eines derartigen Konkurrenzkampfes bei verschiedenen Thiergruppen sehr verschieden sein können. Wird z. B. durch eine neue Landbrücke eine Verbindung zwischen zwei Gebieten geschaffen, so mögen gewisse Oligochaeten des α-Gebietes in dem neu zugänglich gemachten β-Gebiet starke Konkurrenten vorfinden, die ihnen das Eindringen unmöglich machen; während andere Thiergruppen des α-Gebietes, etwa Landmollusken, eine solche unüberwindliche Konkurrenz nicht vorfinden und, die Ausbreitungsmöglichkeit benutzend, das β-Gebiet überschwemmen. Man kann also annehmen, dass das Gesammtresultat, wie es in der Gebietseintheilung zum Ausdruck kommt, bei verschiedenen Thiergruppen, selbst wenn sie der gleichen biologischen Gruppe angehören, ein sehr verschiedenes sein muss, dass also eine einheitliche Eintheilung der Erde in charakteristische Thiergebiete von vornherein ausgeschlossen ist.

Partielle Uebereinstimmungen in der Begrenzung der Gebiete verschiedener Thiergruppen werden selbstverständlich vielfach auftreten, und diese sind es, die bis zu einem gewissen Grade eine allgemeine Faunen-Eintheilung zulassen. Es muss aber ausgesprochen werden, dass eine prinzipielle Verallgemeinerung unzulässig ist. Es darf nicht ausser Acht gelassen werden, dass diese sog. allgemeinen Thiergebiete nur auf Basis einer grösseren oder geringeren Zahl von Thiergruppen bestehen können, dass im günstigsten Falle die Majorität der Thiergruppen ausschlaggebend war. Es liegt bei Konstruirung solcher allgemeinen Thiergebiete die Gefahr nahe, dass die höheren, auffallenderen und die Mehrzahl der Beobachter besonders interessirenden Thiergruppen, zumal die Säugethiere und Vögel, eine stärkere Berücksichtigung erfahren, als die unscheinbaren niederen Thiere. Eine derartige Bevorzugung mag für ästhetische Betrachtungen berechtigt sein; die wissenschaftliche Thiergeographie verlangt eine gleichmässige Berücksichtigung sämmtlicher Thiergruppen, soweit sie geeignetes Material zur Gebietssonderung darbieten. Für die Oligochaeten muss ich entschieden eine derartige Berücksichtigung bei allgemein zoogeographischen Erörterungen beanspruchen.

Für die Sonderung der Oligochaeten-Gebiete und ihre Charakterisirung können nicht sämmtliche Oligochaeten-Gruppen gleichmässig verwandt werden. Es ist einleuchtend, dass eine annähernd oder vielleicht vollkommen kosmopolitische Familie, wie etwa die *Aeolosomatidae* und *Naididae*, nicht für eine derartige Sonderung taugt. Es kommen hierfür zunächst die jüngeren und jüngsten Gruppen mit Expansionsgebieten in Betracht, aber doch nicht ausschliesslich. Sie mögen als die positiven Faktoren der Gebietssonderung bezeichnet werden. Ihnen gegenüber stehen die negativen Faktoren, die Reduktionsformen mit ihren charakteristischen Reduktionsgebieten, jenen grösseren und kleineren Gebieten, die den Expansionsformen verschlossen blieben.

Gebiete der limnischen und der littoralen Oligochaeten.

Die terricolen Formen bilden die Hauptmasse der ganzen Ordnung *Oligochaeta*, gegen die die anderen biologischen Abtheilungen weit zurücktreten. Wohl zeigen auch die limnischen und die littoralen Oligochaeten zum Theil recht charakteristische Züge in ihrer Verbreitung; doch hat eine Gliederung der Erde nach Charakter-Formen dieser beiden biologischen Abtheilungen zur Zeit wenigstens keinen Sinn, da allzu grosse Gebiete in Bezug auf diese Formen noch ganz unbekannt sind. Was über jene charakteristischen Züge in der Verbreitung dieser Abtheilungen zu sagen ist, ist bei der Erörterung der einzelnen Oligochaeten-Gruppen genugsam zum Ausdruck gekommen. Ich weise deshalb an dieser Stelle nur auf jene Erörterungen hin. Für die limnische Abtheilung kommt die geographische Verbreitung folgender Gruppen in Betracht: Fam. *Phreodrilidae*, Fam. *Tubificidae*, Fam. *Lumbriculidae*, Fam. *Haplotaxidae*, Unterfam. *Ocnerodrilinae* part. und Fam. *Glossoscolecidae* part. (Gattungen *Callidrilus* und *Glyphidrilus* der Unterfam. *Glossoscolecinae* und Unterfam. *Criodrilinae*). Für die littorale Abtheilung kommt die geographische Verbreitung folgender Gruppen in Betracht: littorale Gruppe der Fam. *Enchytraeidae*, Fam. *Megascolecidae* part. (hospitirend littorale Gruppe der Gattung *Notiodrilus* der Unterfam. *Acanthodrilinae*, Gattung *Pontodrilus* der Unterfam. *Megascolecinae*) und Fam. *Glossoscolecidae* part. (*Diachaeta*-Gruppe).

Gebiete der terricolen Oligochaeten.

Unter den niederen Familien von den Haplotaxiden abwärts finden sich terricole Formen nur bei den Enchytraeiden. Wenngleich einzelne Gattungen derselben fast rein terricol sind, so die grosse Gattung *Fridericia*, die ausser terricolen Formen nur noch einige amphibische aufweist, so ähnelt ihre Verbreitung doch sehr der der ihr nahestehenden limnischen Familien, der Phreodriliden, Tubificiden und Lumbriculiden, insofern sie geschlossen zonal, und zwar nördlich gemässigt und arktisch circumpolar ist. Es ist eine Verbreitung, die anscheinend nur durch allgemeine Klima-Verhältnisse beschränkt ist, und die vielleicht schon längst zu einer kosmopolitischen geworden wäre, wenn das Klima oder andere Lebensverhältnisse der Tropen keine Verbreitungsschranke für diese Thiere wären, wie es nach unseren allerdings noch sehr lückenhaften jetzigen Kenntnissen der Fall zu sein scheint. Da endemische Vorkommnisse terricoler Enchytraeiden bis jetzt aus den Tropen nicht gemeldet sind, so dürfen wir doch wohl annehmen, dass sie hier wenigstens nicht so allgemein vorkommen, wie in den nördlicheren Gebieten, wenn sie nicht etwa ganz fehlen. Für die Charakterisirung der Gebiete terricoler Oligochaeten können die Enchytraeiden nicht weiter in Betracht kommen, da in der Verbreitung dieser phylogenetisch verhältnissmässig alten Gruppe speziellere erdgeschichtliche Umstände nicht mehr zum

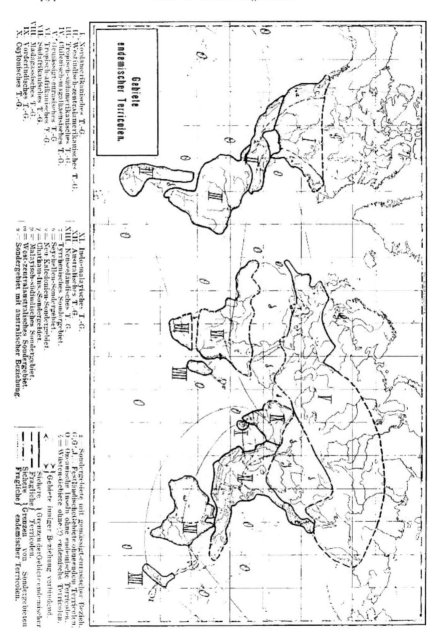

Gebiete endemischer Terricolen.

I. Nordamerikanisches T.-G.
II. Westindisch-zentralamerikanisches T.-G.
III. Tropisch-südamerikanisches T.-G.
IV. Chilenisch-argentinisches T.-G.
V. Neuassigst-antarisches T.-G.
VI. Tropisch-afrikanisches T.-G.
VII. Südafrikanisches T.-G.
VIII. Madagassisches T.-G.
IX. Vorderindisches T.-G.
X. Ceylonisches T.-G.

XI. Indo-malayisches T.-G.
XII. Australisches T.-G.
XIII. Neuseeländisches T.-G.
1 = Tyrrhenisches Sondergebiet.
2 = Seychellen-Sondergebiet.
3 = Neu-Kaledonien-Sondergebiet.
4 = Chatham-Ins.-Sondergebiet.
5 = Malayisch-südindisches Sondergebiet.
6 = West-zentralaustralisches Sondergebiet.
7 = Sondergebiet mit australischer Beziehung.

8 = Sondergebiete mit gemässigt-eurasischer Bezieh.
G.J. = Festländischei Gebiete ohne endemischen Terricolen.
O = Ozeanische Inseln ohne endemische Terricolen.
9 = Wüstengebiete ohne endemische Terricolen.

Gebiete inniger Beziehung verbindend.
Sichere } Grenzen der Gebiete endemischer
Fragliche } Terricolen.
Sichere } Grenzen von Sondergebieten
Fragliche } endemischer Terricolen.

Ausdruck kommen. Es kommen hier nur die höheren Familien *Moniligastridae*, *Megascolecidae*, mit Ausnahme der Unterfam. *Oenerodrilinae*, *Glossoscolecidae* mit Ausnahme der Unterfam. *Criodrilinae* und der Gattungen *Callidrilus* und *Glyphidrilus*, und *Lumbricidae* zur Berücksichtigung.

I. Nordamerikanisches Terricolen-Gebiet.

Dieses Gebiet ist durch eine einzige Expansionsform, die Diplocardinen-Gattung *Diplocardia* charakterisirt, die in 8 Arten sowohl den Osten (Nord-Carolina, Georgia, Florida) wie die mittlere Region (Illinois, Nebraska) und den Westen (Nordregion von Nieder-Kalifornien) dieses Gebietes einnimmt. Die nördliche Grenze des Gebietes ist unbekannt. Die nördlichsten bekannten endemischen Terricolen-Vorkommnisse finden sich auf Queen-Charlotte-Island, in Nebraska und den Neu-England-Staaten. Dass sich das Gebiet nordwärts noch beträchtlich weit über diese Punkte hinaus erstreckt, ist mir unwahrscheinlich. Ich vermuthe, dass sich Nordamerika in dieser Hinsicht ähnlich verhalte wie Europa, dessen endemische Terricolen-Fauna durch die eiszeitlichen Eismassen ausgerottet ist, und dass sich hier zur Zeit nur peregrine, in jüngerer Zeit aus den südlicheren Gebieten eingewanderte Formen finden lassen. Die südliche Grenze des nordamerikanischen Terricolen-Gebietes ist nicht scharf ausgeprägt. Im Bereich Mexikos geht es allmählich in das ihm ziemlich nahe verwandte westindisch-zentralamerikanische Terricolen-Gebiet über, in dem sich der südlichste Vorposten der typisch-nordamerikanischen Gattung *Diplocardia* (*D. Koebelei* (EISEN) von Morelos bei Mexiko) findet, und das auch die Heimath der zweiten Diplocardinen-Gattung, *Zapoteria*, und eines Theils der nahe verwandten Unterfamilie *Trigastrinae* (Gattung *Trigaster* und ein Theil der Gattung *Dichogaster*) ist, also in ziemlich inniger Beziehung zum nordamerikanischen Gebiet steht. Ich ziehe die Grenzlinie zwischen dem westindisch-zentralamerikanischen und dem nordamerikanischen Gebiet derart, dass sie von der nördlichen Region Nieder-Kaliforniens südostwärts nach dem Golf von Mexiko hingeht, wenngleich diese Grenzlinie den südlichsten Vorposten der Gattung *Diplocardia* von seinen Gattungsgenossen trennt. Es ist das eine für das nordamerikanische Gebiet negative Begrenzung, positiv nur für die Charakterformen des westindisch-zentralamerikanischen Gebietes.

Das nordamerikanische Gebiet ist nur homogen, soweit die Gattung *Diplocardia* in Betracht kommt. Diese Gattung ist aber nicht alleinherrschend. In den östlichen Staaten kommen neben ihr einige endemische Lumbriciden-Arten der Gattungen *Eisenia* (2 Arten) und *Helodrilus* (Subgen. *Bimastus*) (3 Arten) vor, die sich an die gemässigt-eurasische Terricolen-Fauna anschliessen. Wie diese östliche Beimischung zur nordamerikanischen Terricolen-Fauna eine Beziehung nach Osten über den Atlantischen Ozean hinüber darstellt, so bildet eine hauptsächlich in den Weststaaten auftretende Beimischung eine Beziehung südwestwärts über den Pazifischen Ozean hinüber nach dem australischen Terricolen-Gebiet. Es sind das einige Arten der in Australien in grosser Artenzahl auftretenden ältesten Megascolecinen-Gattungen *Plutellus* (3 Arten) und *Notoscolex* (1 Art). Während diese Megascolecinen meist das westliche Cordilleren-Gebiet (Queen-Charlotte-Insel, Kalifornien) bewohnen, soll doch eine derselben, *Plutellus heteroporus* E. PERR., ziemlich weit ostwärts gefunden worden sein, nämlich in Pennsylvanien; diese aus dem Jahre 1873 stammende Fundortsangabe, die mir etwas zweifelhaft erscheinen will, ohne dass ich einen direkten Verdacht aussprechen könnte, hat bis jetzt keine Bestätigung gefunden.

II. Westindisch-zentralamerikanisches Gebiet.

Dieses Gebiet besteht aus einem kontinentalen und einem insularen Theil. Der kontinentale

Theil umfasst Zentralamerika mit Ausschluss des südlichsten. zu Kolumbien
gehörigen Theiles und vielleicht auch noch einzelner der sich daran anschliessenden
Republiken, und mit Einschluss des südlichen und mittleren Mexiko bis zu
der beim vorstehenden Gebiet geschilderten Linie, die sich vom Golf von Mexiko
nordwestwärts bis zur nördlichen Region Nieder-Kaliforniens hinzieht. Der
insulare Theil umfasst die grossen Antillen und einen sich daran anschliessenden
Theil der kleinen Antillen, mindestens St. Thomas: ob noch weitere der kleinen
Antillen dazu zu rechnen sind, ist nicht sicher zu entscheiden, da von denselben
keine für eines der aneinander stossenden Gebiete allein typische Formen
bekannt sind. Um eine vorläufige(!) Entscheidung zu treffen, ziehe ich die
Grenzlinie zwischen dem westindisch-zentralamerikanischen und dem tropisch-
südamerikanischen Terricolen-Gebiet derart, dass sie einerseits zwischen Grenada
und Tabago-Trinidad, andererseits zwischen Nicaragua und Costarica verläuft.

Als Charakterformen der westindisch-zentralamerikanischen Terricolen-
Fauna sehe ich einen Theil der Verwandtschaftsreihe *Diplocardinae-Trigastrinae*
(Diplocardia-Zapotecia-Trigaster-Dichogaster) an. Wie wir oben gesehen
haben, ist *Diplocardia* eine typisch-nordamerikanische Gattung. Eine einzige
Art dieser Gattung findet sich auch in dem nördlichen kontinentalen Theil
des westindisch-zentralamerikanischen Gebietes, in der Nähe der Stadt Mexiko.
Besonders charakteristisch für dieses Gebiet und lediglich in diesem Gebiet
angetroffen sind die beiden vermittelnden Gattungen *Zapotecia* und *Trigaster*
(je 2 Arten, je eine auf dem kontinentalen und je eine auf dem insularen
Theil — Haiti und St. Thomas —). Auch die Gattung *Dichogaster*, die das
andere, höhere Ende jener muthmaasslichen Verwandtschaftsreihe bildet, ist
durch mehrere (9) Arten in diesem Gebiet vertreten (4 von Mexiko, 1 von
Guatemala, 2 von Jamaika und 2 von Haiti). Das Hauptquartier der Gattung
Dichogaster ist das tropisch-afrikanische Gebiet. Soweit diese Verwandtschaftsreihe in Betracht kommt, bildet das westindisch-zentralamerikanische Gebiet
also eine Vermittelung zwischen dem nordamerikanischen und dem
tropisch-afrikanischen Gebiet.

Es ist zur Zeit fraglich, ob auch eine Beziehung zwischen den Terricolen-
Faunen des zentralamerikanisch-westindischen und des tropisch-südamerikanischen Gebietes besteht. Es sind verschiedene terricole Vorkommnisse der für dieses Gebiet charakteristischen *Glossoscolecinae*
aus Westindien gemeldet worden — 2 *Hesperoscolex*-Arten, eine *Pontoscolex*-
und eine *Onychochaeta*-Art ; aber die Fundangaben für dieselben beruhen
fast sämmtlich auf Notizen aus Botanischen Gärten (Kew gardens und Botanischer
Garten zu Hamburg), sind also unsicher. Dazu kommt, dass drei dieser
Arten, wenn man alle, auch die verdächtigen, Fundangaben gelten lassen
will, in geringem Maasse peregrin sind (*Hesperoscolex hesperidum* (Bedd.)
zugleich von Trinidad und Jamaika, *Onychochaeta Windlei* (Bedd.) zugleich
von den Bermudas, von Haiti und Venezuela. *Pontoscolex insignis* (Kinb.)
zugleich von Guatemala und Panama). Es bleibt demnach nur eine einzige
Art, die (nach unsicherer Fundortsangabe) als endemisch im westindischen
Terricolen-Gebiet angesehen werden könnte, nämlich *Hesperoscolex barbadensis*
(Bedd.)) von Barbados; die übrigen drei Terricolen kommen zugleich auch
im nördlichen Theil des tropisch-südamerikanischen Gebietes vor und mögen
von diesem aus in das zentralamerikanisch-westindische Gebiet eingewandert
oder eingeschleppt sein. Erwähnt mag noch werden, dass auch einige littorale
Glossoscolecinen in Westindien vorkommen, nämlich zwei *Diachaeta*-Arten und
eine *Pontoscolex*-Art. Dieselben können wegen ihrer abweichenden Lebensweise
für die Charakterisirung der Terricolen-Gebiete nicht in Betracht kommen.

Schliesslich sind vom kontinentalen Theil dieses Gebietes noch einige reliktenartige Vorkommnisse zu erwähnen. Eine *Plutellus*-Art von Guatemala schliesst sich an die Vorkommnisse dieser Gattung in Nordamerika an (Beziehung zu Australien). Einige *Notiodrilus*-Arten (1 vom westlichen Mexiko, 3 von Guatemala) bilden eine kleine Relikten-Kolonie dieser früher allgemeiner verbreiteten, jetzt zersprengten Gattung. Diese Funde schliessen sich wohl am nächsten an die Vorkommnisse im Cordilleren-Gebiet des südlichsten Südamerika — Chile, Patagonien und Feuerland — an. Im dazwischenliegenden tropisch-südamerikanischen Gebiet scheint die Gattung *Notiodrilus*, wohl in Folge der vernichtenden Konkurrenz der jüngeren Glossoscolecinen, vollständig ausgerottet zu sein.

III. Tropisch-südamerikanisches Gebiet.

Dieses Gebiet, im Norden noch einen Theil Zentralamerikas (Nord-Kolumbien, Costarica) und der Kleinen Antillen (Trinidad, Tabago) mit umfassend (siehe oben!), ist im Süden durch jenen Strich regenlosen oder regenarmen Landes begrenzt, der sich in der nördlichsten Region Chiles vom Pazifischen Ozean landeinwärts erstreckt und dann an der Ostseite der Cordilleren entlang gerade nach Süden geht, bis er in Patagonien die Atlantische Küste erreicht.

Die Charakterformen dieses Gebietes sind die terricolen Formen der Glossoscoleciden-Unterfamilie *Glossoscolecinae* (ca. 40 Arten). Diese beherrschen das ganze Gebiet. Wie wir im vorigen Abschnitt gesehen haben, gehen die terricolen Glossoscolecinen nordwärts jedenfalls nur in geringem Maasse über die Grenze dieses Gebietes hinaus (fragliche *Hesperoscolex*- und *Onychochaeta*-Vorkommnisse Westindiens und *Pontoscolex insignis* von Kolumbien bis Guatemala); ihre südliche Grenze fällt genau mit der dieses Gebietes zusammen.

Da die verwandtschaftlichen Beziehungen der herrschenden Unterfam. *Glossoscolecinae* zu den anderen terricolen Glossoscoleciden durch limnische Gruppen vermittelt wird, so kann von einer direkten Beziehung zwischen den Terricolen-Faunen des tropisch-südamerikanischen Gebietes und anderer Gebiete nicht geredet werden. Die limnische Gattung, aus der die *Glossoscolecinae* höchst wahrscheinlich hervorgegangen sind, die Criodrilinen-Gattung *Sparganophilus*, ist in Zentral- und Nordamerika sowie in Nordwest-Europa (England) heimisch.

Hervorzuheben ist noch der Umstand, dass die alte zersprengte Gattung *Notiodrilus* im Bereich der terricolen Glossoscolecinen, also im tropisch-südamerikanischen Gebiet, ganz zu fehlen scheint. Auch fehlen in diesem Gebiet derartige Relikte, die die nördlicheren amerikanischen Gebiete in Beziehung zu Australien setzen (Megascolecinen-Gattungen *Plutellus* und *Notoscolex*).

IV. Chilenisch-magalhaensisches Terricolen-Gebiet.

Dieses Gebiet umfasst die Südspitze Südamerikas einschliesslich der Falkland-Inseln, im Westen, im Bereich der Cordilleren, beträchtlich weiter nach Norden gehend, etwa bis Atacama, als im Osten, wo es wahrscheinlich schon im mittleren Patagonien seine nördliche Grenze findet. Es wird im Norden durch den im vorigen Abschnitt skizzirten regenarmen Landstrich begrenzt. Dieser Landstrich ist wohl als ein Gebiet ohne endemische Terricolen anzusehen, welches das Eindringen der jüngeren, tropisch-südamerikanischen Glossoscolecinen in dieses südlichere Gebiet verhindert. Wir finden in dem chilenisch-magalhaensischen Gebiet fast lediglich ältere Formen, der Megascoleciden-Unterfamilie *Acanthodrilinae* angehörig.

Als Charakterformen dieses Gebietes sind die Acanthodrilinen-Gattungen der *Chilota*-Gruppe, *Chilota* (18 Arten) und *Yagansia* (12 Arten) anzusehen. Diese Gattungen kommen sonst nur im südafrikanischen Gebiet vor, abgesehen

von einer wahrscheinlich verschleppten Form von den Kapverdeschen Inseln
(*Chilota erat*); sie dokumentiren also eine innige Beziehung zwischen dem
chilenisch-magalhaensischen und dem südafrikanischen Gebiet.

Neben der *Chilota*-Gruppe tritt in dem in Rede stehenden Gebiet auch
die weit verbreitete, zersprengte Acanthodrilinen-Stammform *Notiodrilus*
in 5 endemischen terricolen Arten auf (wobei die Gruppe des *N. georgianus*,
von der mehrere Arten in diesem Gebiet, ihrer muthmaasslichen Heimath, auftreten, nicht mitgerechnet ist, da sie nachweislich euryhaline Fähigkeiten besitzt).

Der Gesammtcharakter der Terricolen-Fauna dieses Gebietes lässt es
als ein typisches Reduktionsgebiet erscheinen.

V. Gemässigt-eurasisches Terricolen-Gebiet.

Dieses Gebiet ist durch eine
einheitliche Terricolen-Gruppe, die Familie *Lumbricidae* (ca. 90 endemische
Arten), charakterisirt. Es deckt sich mit dem kontinental-eurasischen
Theil des Gebietes dieser Familie. Die Südgrenze dieses Gebietes ist nicht
nur im schwach durchforschten asiatischen Theil noch ziemlich unbekannt,
sondern auch im europäischen. Wie wir bei der Erörterung der Verbreitung
der Lumbriciden gesehen haben, ist es noch zweifelhaft, ob der Nordrand
Afrikas diesem Gebiet zugeordnet werden muss, ob das Mittelmeer oder die
Sahara als Grenze desselben anzusehen ist. Während Palästina, Syrien und
Persien bis an den Persischen Meerbusen nachgewiesenermaass zum Lumbri-
ciden-Gebiet gehören, ist es von Arabien zweifelhaft, ob es ein Gebiet ohne
endemische Terricolen ist, oder ob es zum gemässigt-eurasischen oder zum
tropisch-afrikanischen Gebiet gehört. Weiterhin bilden wahrscheinlich die
wasserarmen Distrikte Zentral-Asiens die Südgrenze dieses Gebietes. Die
südlichsten endemischen Vorkommnisse der Charakterformen in Zentral-Asien
stammen aus dem Gebiet des oberen Sarafschan, sowie von der Umgebung des
Issyk-Kul und des Baikal-Sees. Wo die Südgrenze den Pazifischen Ozean
trifft, ist unbekannt. Der einzige Anhaltspunkt für eine diesbezügliche Feststellung liegt darin, dass Japan eine endemische Lumbriciden-Art beherbergt.
Es darf hieraus wohl geschlossen werden, dass die Mandschurei wahrscheinlich
noch zum gemässigt-eurasischen Gebiet gehört. Vielleicht dürfte selbst Korea
noch hinzuzurechnen sein. Japan kann trotz der erwähnten endemischen
Lumbriciden-Art nicht mit zum gemässigt-eurasischen Gebiet gezählt werden,
da die ihrer Zahl nach bei weitem überwiegenden endemischen *Pheretima*-
Arten dieses Inselreiches dessen Angliederung an das indo-malayische Gebiet
verlangen. Im Westen des Gebietes ist andererseits Madeira mit einer
anscheinend auf dieser Insel endemischen Lumbriciden-Art anzugliedern.
Es erscheint mir jedoch nicht ausgeschlossen, dass die betreffende Art noch
auf der Iberischen Halbinsel nachgewiesen werde. Damit würde Madeira
zur Kategorie der ozeanischen Inseln ohne endemische Terricolen zurück-
fallen. Die Nordgrenze des gemässigt-eurasischen Gebietes ist im asiatischen
Theil ganz unbekannt. Im europäischen Theil liegt sie auf einer auffallend
niedrigen Breite. Die nördlichsten endemischen Vorkommnisse stammen von
Irgizla im südlichen Ural, Charkow, Jassy in Nord-Rumänien, Wien, Urach
in Württemberg und Paris. Nördlich von dieser Grenze findet sich ein nur
von peregrinen Formen bevölkertes Gebiet, dessen Charakter, wie wir unten
(„Gebiete ohne endemische Terricolen") höchst wahrscheinlich auf die ver-
nichtende Wirkung der eiszeitlichen Eismassen zurückzuführen ist; denn die
Nordgrenze des Gebietes endemischer Terricolen deckt sich in Europa fast
genau mit der Südgrenze der grössten Eisverbreitung während der Eiszeit.

Die Charakterformen des gemässigt-eurasischen Gebietes dokumentiren
eine innige Beziehung dieses Gebietes zu den östlichen Staaten Nordamerikas.

165

in denen eine, wenn auch nur kleine, auf wenigen Arten beruhende, Kolonie endemischer Lumbriciden nachgewiesen ist; weitere Beziehungen sind, wenn man nicht das geringe Eingreifen der Lumbriciden in das indo-malayische Gebiet – Japan – als solche anführen will, nicht zu vermerken.

Die Lumbriciden, die jüngste und offenbar ungemein verbreitungskräftige Terricolen-Familie, haben das gemässigt-eurasische Gebiet fast ganz von Beimengungen anderer Terricolen gereinigt. Nur an einer Stelle haben sich reliktenartige Vorkommnisse aus anderen Terricolen-Familien erhalten, nämlich die beiden Arten der Glossoscoleciden-Unterfamilie *Hormogastrinae* Gattung *Hormogaster* — in Sardinien, Italien, Sizilien und Tunis. Endemisch sind diese beiden *Hormogaster*-Arten augenscheinlich in Sardinien, wo sie nebeneinander vorkommen. Nur die eine Art, *H. Redii* Rosa, zeigt die oben skizzirte etwas weitere Verbreitung, scheint also in sehr geringem Maasse peregrin zu sein. Ich halte es nicht für ausgeschlossen, dass in den noch wenig durchforschten Atlas-Ländern weitere Glieder dieser kleinen Glossoscoleciden-Kolonie aufgefunden werden, dass dieses nach unserer jetzigen Kenntniss sozusagen herrenlose, nur peregrine oder halbperegrine (*Helodrilus Festae* (Rosa) von Tunis und Sardinien) Formen aufweisende Gebiet sich als das eigentliche Gebiet dieser Glossoscoleciden herausstelle. Es wäre vielleicht zu empfehlen, dieses Hormogastrinen-Gebiet als Sondergebiet — Tyrrhenisches Gebiet – vom gemässigt-eurasischen Gebiet abzutrennen.

VI. Tropisch-afrikanisches Terricolen-Gebiet.

Dieses Gebiet nimmt den grössten, mittleren Theil Afrikas vom Atlantischen bis zum Indischen Ozean ein. Im Norden wird es durch den Wüstenbezirk der Sahara begrenzt. Die südliche Grenze ist zur Zeit nicht genauer feststellbar, da zwischen Lunda und der Umgebung der Kapstadt einerseits, zwischen der Sambesi-Mündung und Natal andererseits jeglicher Nachweis der Terricolen-Fauna fehlt. Während Lunda und der Bereich der Sambesi-Mündung noch durchaus zum tropisch-afrikanischen Gebiet gehören, zeigt Süd-Afrika zwischen jenen beiden extremen Punkten (Kapstadt und Natal) eine ganz anders geartete Terricolen-Fauna. Es ist wohl anzunehmen, dass der regenarme Bezirk Deutsch-Südwest-Afrikas und der Kalahari im Westen eine scharfe Faunen-Scheidung bedingt — ob jene regenarmen Distrikte als Gebiet ohne endemische Terricolen anzusehen sind, muss dahingestellt bleiben —; im Osten ist aus derartigen klimatischen Lokalverhältnissen keine natürliche Begrenzung herzuleiten. Hier gehen die Faunen wahrscheinlich allmählich ineinander über. Das könnte als nachgewiesen gelten, falls sich die Fundortsangabe „Natal" für *Eudriloides durbanensis* Bedd. — nach einer unsicheren Notiz aus den Kew gardens — bestätigen würde. Ich sehe vorläufig den südlichen Wendekreis als die Scheidelinie zwischen diesen beiden afrikanischen Gebieten an. Es erscheint mir nicht ganz ausgeschlossen, dass sich das tropisch-afrikanische Gebiet, das Rothe Meer und den Golf von Aden überspringend, auf das südwestliche Arabien hinüber erstreckt. Leider fehlt jegliche Angabe über die Terricolen-Fauna Arabiens.

Als Charakterformen des tropisch-südafrikanischen Gebietes sind zwei verschiedene Gruppen der Familie *Megascolecidae* anzusehen, die Unterfamilie *Eudrilinae* und die jüngste Gattung der Unterfamilie *Trigastrinae*, die Gattung *Dichogaster*. Diese beiden Gruppen, die eine wie die andere einen jüngeren Endast ihrer Familie darstellend und ihr Gebiet als typisches Expansionsgebiet charakterisirend, theilen sich ziemlich gleichmässig in die Herrschaft, verhalten sich aber im Uebrigen nicht ganz gleich.

Die *Eudrilinae* sind durchaus auf das tropisch-afrikanische Gebiet beschränkt, abgesehen von dem nachweislich verschleppten *Eudrilus Eugeniae* (KINB.) niemals ausserhalb desselben angetroffen worden. Ihr Gebiet wird durch folgende extremen, sicheren Fundorte bestimmt: Im Norden Schoa, Hoch-Sennaar und Ober-Guinea von Kamerun bis Accra an der Goldküste; im Süden Bezirk der Sambesi-Mündung und Lunda. Sollte sich der schon oben erwähnte Fund des *Eudriloides durbanensis* in Natal bestätigen, so würde ihr Gebiet im Osten beträchtlich südwärts ausgeweitet werden. Beachtenswerth ist, dass von dem westlicheren Theil Ober-Guineas und von Senegambien bisher kein Eudrilinen-Vorkommniss gemeldet worden ist, trotzdem mehrere Bezirke dieses Gebietes, so Liberia, Bissao und der Bezirk des Gambia, verhältnissmässig gut durchforscht sind.

Die Gattung *Dichogaster*, im Osten von Schoa bis zur Mündung des Sambesi nachgewiesen, zeigt im Westen eine weitere Verbreitung nordwärts. Es sind viele Arten in Liberia, bei Bissao und am Gambia gefunden worden. Der südlichste Fundort im Westgebiet liegt am Oberlauf des Kongo (die Terricolen der südlicheren Gebiete des westlichen tropischen Afrikas sind fast ganz unbekannt). Die Gattung *Dichogaster* unterscheidet sich von ihren Gebietsgenossen, den Eudrilinen, auch darin, dass sie nicht auf das afrikanische Gebiet beschränkt ist; sie nimmt, wie wir oben gesehen, Theil an der Herrschaft im westindisch-zentralamerikanischen Gebiet und ist vielleicht auch in Vorderindien durch eine endemische Art vertreten. Es sind auch mehrere Arten vom malayischen und polynesischen Archipel beschrieben worden; doch halte ich diese nicht für endemisch, wie oben erörtert. Die Beziehung des tropisch-afrikanischen Gebietes zum westindisch-zentralamerikanischen Terricolen-Gebiet einerseits und zum vorderindischen andererseits wird nicht allein durch die Verbreitung der Gattung *Dichogaster* manifestirt; sie wird verstärkt durch das Vorkommen der mit *Dichogaster* innig verwandten Gattungen, der Gattung *Trigaster* im westindisch-zentralamerikanischen, der Gattung *Eudichogaster* im vorderindischen Gebiet. Das tropisch-afrikanische Gebiet bildet ein Glied jener oben (p. 113) geschilderten Gebietskette, in der sich die Entfaltung der Octochaetinen- Diplocardiinen- Trigastrinen-Gruppe abspielt (Neuseeland, Vorderindien, Tropisch-Afrika, Westindien, Zentral- und Nordamerika).

Zu erwähnen ist schliesslich noch das Vorkommen einer *Perionyx*-Art auf Sansibar, nahe verwandt, wenn nicht artlich zu vereinen mit dem vorderindischen *P. saltans* BOURNE (vielleicht in Sansibar eingeschleppt?), sowie das Vorkommen einer fraglichen *Notiodrilus*-Art in Kamerun. Sollte es sich bestätigen, dass die betreffende Art, *N.(?) Valdiviae* MICHLSN., dieser Gattung angehört, so wäre dieses Vorkommen als eine weiteres Relikt dieser weit verbreiteten, zersprengten Gattung anzusehen.

VII. Südafrikanisches Terricolen-Gebiet. Die Begrenzung dieses Gebietes, eines typischen Reduktionsgebietes, ist schon im vorigen Abschnitt erörtert worden. Fast die sämmtlichen Terricolen-Funde aus diesem Gebiet entfallen auf den schmalen Küstenstrich zwischen Kapstadt und Natal; zwei Funde mit der leider sehr ungenauen Angabe „Kafferlandet" stammen vielleicht weiter aus dem Inneren.

Die Charakterformen dieses Gebietes gehören zwei verschiedenen Gruppen an, der Glossoscoleciden-Unterfamilie *Microchaetinae*, speziell der *Microchaetus*-Gruppe, und der *Chilota*-Gruppe aus der Megascoleciden-Unterfamilie *Acanthodrilinae*. Diese beiden Gruppen theilen sich fast gleichmässig in die Herrschaft.

Die *Microchaetus*-Gruppe, Gattung *Microchaetus* mit 10 Arten und 2 Varietäten und die nahe verwandten Gattungen *Tritogenia* und *Geogenia* mit je 1 Art enthaltend, ist vollständig auf dieses Gebiet beschränkt. Ihre verwandtschaftlichen Beziehungen zu anderen Terricolen-Gruppen werden anscheinend lediglich durch limnische Formen vermittelt. Diese limnischen muthmaasslichen Ahnen der *Microchaetus*-Gruppe, die Gattung *Callidrilus*, ist im östlichen Theil des tropischen Afrika (Mosambique und Deutsch-Ost-Afrika) beheimathet, ebenso, wie eine Art der Gattung *Glyphidrilus*, der muthmaasslichen Ahnen-Gattung der madagassischen Microchaetinen-Gattung *Kynotus*. Wir sehen also durch limnische tropisch-ost-afrikanische Formen eine indirekte Beziehung zwischen den Terricolen-Faunen des südafrikanischen und des madagassischen Gebietes hergestellt.

Die *Chilota*-Gruppe, in diesem Gebiet durch 10 *Chilota*-Arten und 1 *Yagansia*-Art vertreten, ist ausserhalb dieses Gebietes vorherrschend im chilenisch-magalhaensischen Gebiet, dokumentirt also eine innige faunistische Beziehung zwischen den Reduktionsgebieten der Südspitzen der beiden Kontinente Afrika und Südamerika.

Wie in jenem südamerikanischen, so sind auch in diesem süd-afrikanischen Reduktionsgebiet Relikte der alten Gattung *Notiodrilus* in verhältnissmässig beträchtlicher Artenzahl (5) erhalten geblieben.

Das fragliche Vorkommen eines Eudrilinen in Natal *(Eudriloides durbanensis)*, der eventuell einen weit vorgeschobenen Posten der tropisch-afrikanischen Terricolen-Fauna darstellen würde, ist schon im vorigen Abschnitt erörtert worden.

VIII. Madagassisches Terricolen-Gebiet. Dieses Gebiet, ein typisches insulares Reduktionsgebiet, umfasst der Hauptsache nach Madagaskar mit seinen eng anliegenden kleinen Inseln (z. B. Nossi Bé). Vielleicht sind aber auch die Seychellen diesem Gebiet anzugliedern.

Die Charakterformen dieses Gebietes liefert die auf Madagaskar und die eng anliegenden Inseln beschränkte Gattung *Kynotus* der Glossoscoleciden-Unterfamilie *Microchaetinae* (10 Arten). Die verwandtschaftlichen Beziehungen der Gattung *Kynotus* weisen auf das süd-afrikanische Gebiet — Gattung *Microchaetus* und Verwandte — hin, werden jedoch wahrscheinlich durch limnische Formen — Gattungen *Glyphidrilus* und *Callidrilus* des tropischen Ost-Afrika — vermittelt.

Auch von der zersprengten Gattung *Notiodrilus* treten 2 Arten in Madagaskar auf, und ausserdem noch die Acanthodrilinen-Gattung *Howascolex* (auf einer einzigen Art beruhend), die vielleicht in verwandtschaftlicher Beziehung zur Megascoleciden-Unterfamilie *Octochaetinae* steht, also eventuell eine faunistische Beziehung Madagaskars zu Vorderindien oder Neuseeland repräsentirt.

Mit den Seychellen hat Madagaskar eine *Pheretima*-Art. *P. pentacystis* (ROSA), gemein; ob dieselbe auf Madagaskar oder auf den Seychellen endemisch ist, muss dahingestellt bleiben. Jedenfalls weist sie auf eine, wenn auch nur untergeordnete, Beziehung des indo-malayischen Gebietes westwärts, nach dem Inselgebiet des westlichen Indischen Ozeans, hin.

Auf den Seychellen ist ausserdem die Acanthodrilinen-Gattung *Maheina*, auf einer einzigen Art beruhend, heimisch. Vielleicht reiht sich diese Gattung an die Acanthodrilinen-Relikte Madagaskars (Gattungen *Notiodrilus* und *Howascolex*) an; vielleicht auch sind die Seychellen als ein kleines, gesondertes Gebiet zu betrachten (Karte p. 154: σ).

IX. Vorderindisches Terricolen-Gebiet.

Eine genauere Begrenzung dieses Gebietes ist zur Zeit unmöglich, da die muthmaasslichen Grenzgebiete in Hinsicht ihrer Terricolen-Fauna fast ganz unbekannt sind. Die Nordgrenze wird wahrscheinlich durch die wasserarmen Gebiete des nordwestlichen Vorderindiens, Turkestans und Tibets gebildet. Gegen Hinterindien, das zweifellos dem indo-malayischen Gebiet angehört, scheint eine scharfe Faunenscheidung nicht zu existiren. Es gehen einzelne typisch vorderindische Gattungen (*Eutyphoeus*) bis nach Birma, während typische Gattungen des indo-malayischen Gebietes (*Pheretima*) einzelne Vertreter in Vorderindien aufweisen. Beachtenswerth ist, dass Ceylon, trotzdem es sich seiner Lage nach eng an Vorderindien anschliesst, ein durchaus gesondertes Terricolen-Gebiet darstellt.

Als Charakterformen des vorderindischen Gebietes ist die Megascoleciden-Unterfamilie *Octochaetinae* mit Anschluss der nächst verwandten Trigastrinen-Gattung *Eudichogaster* und die Moniligastriden-Gattung *Drawida* anzusehen. Beide Gruppen theilen sich nicht gleichmässig in die Herrschaft und zeigen besonders auch grosse Unterschiede in ihren auswärtigen Beziehungen.

Die Unterfamilie *Octochaetinae* ist in Vorderindien durch die Gattungen *Octochaetus* (1 Art), *Hoplochaetella* (1 Art) und *Eutyphoeus* (5 Arten) vertreten. Die sich an die Octochaetinen anschliessende Trigastrinen-Gattung *Eudichogaster* weist 4 sämmtlich vorderindische Arten auf. Die Fundorte dieser Gruppe vertheilen sich ziemlich gleichmässig über das ganze vorderindische Gebiet; doch hat es den Anschein, als bevorzuge die Gattung *Eudichogaster* den nordwestlichen Theil, die Unterfamilie *Octochaetinae* den übrigen Theil desselben. Eine *Eutyphoeus*-Art von Birma schliesst sich an die vorderindischen Arten dieser Octochaetinen-Gattung an. Die Beziehungen der Octochaetinen Vorderindiens weisen auf ein weit entferntes Gebiet hin. Abgesehen von jener einen birmanischen *Eutyphoeus*-Art finden sich Octochaetinen nur in Neuseeland endemisch (nämlich *Octochaetus* in 4 Arten, *Dinodrilus* in 1 Art). Auf den ersten Blick erscheint eine derartige Beziehung unannehmbar. Sie wird aber verständlich, wenn man bedenkt, dass mehrfach eine derartige räumliche Trennung nahe verwandter Formen durch Ausmerzung der betreffenden Gruppe in den dazwischenliegenden Gebieten geschaffen worden ist. Gerade in dem hier erörterten Gebiet trat eine derartige Gebietszersplitterung wiederholt auf. Wir sehen hier das zentrale Gebiet (den malayischen Archipel) von jüngsten Formen bewohnt, jederseits an den Grenzen von deren Gebiet (Australien einerseits, Ceylon andererseits) die nächst älteren Formen, noch weiter vom Zentrum entfernt (Neuseeland einerseits, Vorderindien andererseits) noch ältere Formen.

An die Unterfamilie *Octochaetinae* schliesst sich eng die wahrscheinlich aus jener entsprossene Trigastrinen-Gattung *Eudichogaster* an. Da dieselbe muthmaasslich ihrerseits die Stammform der übrigen Trigastrinen ist, deren Hauptquartier das tropische Afrika, Westindien und Zentralamerika bilden, so repräsentiren diese jüngeren nordwestlich-vorderindischen Formen eine faunistische Beziehung Vorderindiens westwärts, zunächst zum tropisch-afrikanischen Gebiet.

Eine noch andere Beziehung zeigt die zweite Hauptgruppe vorderindischer Terricolen, die Moniligastriden-Gattung *Drawida*. Diese Gattung weist 10 endemische Arten in Vorderindien auf, und zwar finden sich dieselben sämmtlich in dem südlichen Theile dieses Gebietes. Die nördlichsten Fundorte derselben sind die Nilgiri-Gebirge und die Umgegend von Madras. Es stellt sich hiernach der südliche Theil Vorderindiens als ein kleines Sondergebiet (Karte p. 154: u) dar. Die Gattung *Drawida* ist weiter verbreitet über Ceylon (3 Arten), Sumatra und Flores (je 1 Art), vielleicht sogar bis Japan (1 Art in Japan endemisch?). Die in der Verbreitung dieser Gattung zum Ausdruck kommende faunistische Beziehung des südlichen Vorderindien zu Ceylon und dem indo-malayischen Gebiet tritt noch deutlicher hervor, wenn man die Verbreitung der übrigen Moniligastriden-Gattungen in Rücksicht zieht (*Moniligaster* in Ceylon, *Desmogaster* in Birma, auf Sumatra und Borneo, *Eupolygaster* auf Sumatra und Borneo).

Zu der geschilderten Terricolen-Fauna Vorderindiens kommen noch einzelne Arten anderer Gattungen hinzu, die, soweit sie sicher endemisch sind, untergeordnete Beziehungen darstellen. Es sind das 3 *Pheretima*-Arten (eine nur nach Notizen aus den Kew gardens, eine andere vielleicht mit einer malayischen Form identisch, also vielleicht peregrin, und die dritte eine nicht ganz sichere Art), die vielleicht weitere Beziehungen zum indo-malayischen Gebiet darstellen, ebenso wie eine *Perionyx*-Art; ferner 2 (eine nur fraglicherweise endemisch) *Megascolex*-Arten und eine ebenfalls nur fraglicherweise endemische *Diporochaeta*-Art, die eine schwache Beziehung zu Ceylon und über Ceylon zu Australien andeuten.

X. Ceylonisches Terricolen-Gebiet.

Es ist eine der merkwürdigsten Thatsachen der Faunistik, dass die Terricolen-Fauna Ceylons so scharf von der des naheliegenden kontinentalen Gebietes, Vorderindiens, unterschieden ist. Will man diese Insel nicht dem fernen australischen Gebiet angliedern, so muss man sie als gesondertes Terricolen-Gebiet betrachten. Wenngleich die vorherrschenden Gattungen die gleichen sind, wie die Australiens, so berechtigen doch einige sekundäre Charakterzüge der ceylonischen Terricolen-Fauna zur Sonderung des ceylonischen und des australischen Gebietes.

Die Charakterformen der ceylonischen Terricolen-Fauna gehören der Megascoleciden-Unterfamilie *Megascolecinae* an, und zwar der Hauptreihe derselben: *Plutellus* (2 Arten), *Notoscolex* (7 Arten), *Megascolex* (18 Arten), *Pheretima* (1 Art). Beachtenswerth ist, dass die Nebenzweige dieser Verwandtschaftsreihe, die Gattungen *Fletcherodrilus*, *Diporochaeta*, *Megascolides*, *Trinephrus*, *Digaster*, *Perissogaster* und *Didymogaster*, nur in Australien heimisch zu sein scheinen (eine *Diporochaeta*-Art vielleicht in Vorderindien endemisch), während sie in Ceylon bisher nicht nachgewiesen sind. Auch ist das prozentuale Verhältniss der ceylonischen Arten ein anderes als das der australischen, insofern die älteste Gattung, *Plutellus*, die in Australien eine grosse Artenzahl aufweist (fast die gleiche wie *Megascolex*) in Ceylon sehr zurücktritt. Diesem Zurücktreten der ältesten Formen entspricht andererseits der Umstand, dass die höhere Gattung, *Megascolex*, in einzelnen Gliedern eine höhere Stufe der pylogenetischen Entwicklung erreicht als im australischen Gebiet. Einzelne ceylonische *Megascolex*-Arten nähern sich in ihrer Organisation der höchsten Gattung dieser Verwandtschaftsreihe, der Gattung *Pheretima*, die im indo-malayischen Gebiet vorherrschend ist. An diese höchsten *Megascolex*-Arten schliesst sich auch die einzige in Ceylon nachgewiesene endemische *Pheretima*-Art. *P. taprobanae* (BEDD.), an, und zwar anscheinend der niedrigsten Stufe dieser höchsten Megascolecinen-Gattung angehörig (noch ohne Darmblindsäcke [1]). Ceylon bildet ein vermittelndes Glied zwischen dem australischen und dem indo-malayischen Gebiet, insofern die höchsten

---

[1] Auch aus Australien ist eine echte *Pheretima*-Art gemeldet worden. Ich bezweifle jedoch, dass sie hier endemisch ist. Vergl. die Erörterung im Abschnitt über das australische Terricolen-Gebiet.

Formen der höchsten Stufe sich eng an die Charakterformen des letzteren, die mittleren und niederen sich eng an die Charakterformen des ersteren anschliessen.

Neben den Charakterformen treten noch einzelne Arten der Familie *Moniligastridae* in Ceylon auf. Dieselben gehören der Gattung *Drawida* (3 Arten) und der etwas unsicheren, ihrer verwandtschaftlichen Stellung nach noch unklaren Gattung *Moniligaster* (einzige Art) an. Diese vier Moniligastriden-Arten stellen vielleicht die einzige, jedenfalls ziemlich schwache Beziehung der ceylonischen Terricolen-Fauna zu der des südlichen Vorderindien dar. Hierher zu rechnen ist eventuell noch das vereinzelte Vorkommen von *Megascolex* (1 Art oder 2) in Vorderindien.

XI. Indo-malayisches Terricolen-Gebiet.

Die Grenzen dieses Gebietes sind zum Theil nur ungenau feststellbar. Es umfasst die südost-asiatischen Küstenländer Hinterindiens, ferner das malayische Inselgebiet von Japan und Sumatra bis Neu-Guinea mit den Inseln des Bismarck-Archipels. Ob es sich noch auf weitere Inseln der Südsee erstreckt, muss zur Zeit unentschieden gelassen werden. Einzelne anscheinend endemische Vorkommnisse von Charakterformen dieses Gebietes (Gattung *Pheretima*) sind von den Neu-Hebriden, den Samoa- und den Gesellschafts-Inseln gemeldet worden. Es bleibt aber bei der geringen Zahl der betreffenden Arten zweifelhaft, ob es sich hierbei um peregrine oder endemische Formen handle.

Als Charakterform dieses Gebietes ist die jüngste Megascoleciuen-Gattung *Pheretima* anzusehen. Dieselbe herrscht hier mit ihren ca. 110 Arten so entschieden vor, dass die übrigen Bestandtheile der Terricolen-Fauna weit zurücktreten. Nur in ganz vereinzelten Formen (von peregrinen natürlich abgesehen) geht diese Gattung über die Grenzen dieses Gebietes hinaus, und zwar findet sich eine Art endemisch im ceylonischen Gebiet, eine oder wenige zweifelhafte in Vorderindien, eine auf den Seychellen und zugleich in Madagaskar, sowie eine fragliche (muthmaasslich peregrine) in Australien (Queensland). Eine weitere Theilung des indo-malayischen Gebietes nach etwaigen Gruppen innerhalb der Gattung *Pheretima* ist, zur Zeit wenigstens, nicht ausführbar, da die verwandtschaftlichen Verhältnisse innerhalb dieser Gattung noch nicht geklärt sind. Gewisse Sondergebiete, so z. B. Japan, Halmahera—Celebes, Nord-Celebes—Borneo, Neu-Guinea, scheinen durch das Auftreten bestimmter Formen, die wahrscheinlich engeren Verwandtschaftsgruppen angehören, ausgezeichnet zu sein; doch handelt es sich hierbei um Formengruppen, die sich wohl erst in der jüngsten Zeit aus einzelnen Arten gebildet haben, und bei denen es zweifelhaft sein kann, ob man sie zu einer sehr variablen Art zusammenfassen oder als Gruppe nahe verwandter, aber gesonderter Arten ansehen soll (z. B. die Gruppe der *Pheretima Stelleri* (MICHLSN.) von Nord-Celebes, Sangir und Borneo).

Wenn das indo-malayische Gebiet in Bezug auf die Charakterformen - Gattung *Pheretima* - einen durchaus einheitlichen Eindruck macht, so bedingen doch die ihrer Artenzahl nach sehr untergeordneten Beimengungen aus anderen Terricolen-Gruppen eine Modifizirung von Sondergebieten. In erster Linie ist hier die Verbreitung der Fam. *Moniligastridae* zu erörtern. Die Stammgattung dieser Familie, *Desmogaster*, ist auf den südwestlichen Theil des indo-malayischen Gebietes beschränkt; sie kommt endemisch vor in Birma (1 Art) und auf Sumatra (2 Arten) und auf Borneo (1 Art). Demselben Gebiet angehörig, aber in ihrer Verbreitung anscheinend noch weiter beschränkt, ist der Moniligastriden-Zweig, der durch die Gattung *Eupolygaster* repräsentirt wird — 3 oder 4 Arten auf Sumatra und Borneo —. Auch der andere

Hauptzweig dieser Familie, die Gattung *Drawida*, deren Hauptquartier das südliche Vorderindien und Ceylon ist, kommt in einzelnen Arten im indo-malayischen Gebiet vor. Eine Art ist auf Sumatra endemisch und vielleicht eine in Japan; doch erscheint mir die endemische Natur dieses letzteren Vorkommens zweifelhaft. Noch unsicherer ist die endemische Natur eines Vorkommens von Flores, bei dem es sich wahrscheinlich um die sicherlich peregrine Art *Drawida Burwelli* (Benh.) handelt, die ausserdem von den Philippinen und von Birma bekannt ist. So gering auch die Zahl dieser Moniligastriden-Arten des in Rede stehenden Gebietes ist — nicht den zwölften Theil der *Pheretima*-Arten desselben betragend —, so bildet sie doch einen bedeutsamen Faktor in der faunistischen Charakteristik. Sie bringt eine Sonderung des südwestlichen Theiles des Gebietes zuwege und setzt diesen in eine Beziehung zu den benachbarten, sich ostwärts angliedernden Gebieten, dem c e y l o n i s c h e n und dem südlichen v o r d e r i n d i s c h e n. Es drängt sich der Gedanke auf, dass diese durch die Moniligastriden bewirkte Modifizirung des südwestlichen Theiles des indo-malayischen Gebietes im Zusammenhang stehe mit jenen Faunenscheidungen, die Wallace zur Gegenüberstellung seiner „orientalischen" und „australischen" Regionen führten, mit anderen Worten, dass die östliche Grenze des Moniligastriden-Gebietes identisch mit der sogenannten Wallace'schen Linie sei. Hierzu ist zunächst zu bemerken, dass die Ostgrenze des Moniligastriden-Gebietes anscheinend nur streckenweise, so in dem Bereich der Mangkassar-Strasse, mit der Wallace'schen Linie zusammen fällt; in dem gut durchforschten Java, das durch die Wallace'sche Linie dem „orientalischen" Gebiet zugeordnet wird, ist dagegen bisher kein Moniligastride gefunden worden; es verläuft also die Ostgrenze des Moniligastriden-Gebietes zwischen Sumatra und Java. Ferner finden wir östlich von dieser Grenze durchaus keine Formen, die uns eine nähere Beziehung zur Fauna des australischen Kontinents verriethen, sondern alleinherrschend über das ganze indo-malayische Gebiet gleichmässig verbreitete Gattung *Pheretima*. Dieselbe gehört zwar der Verwandtschaftsreihe an, deren niedrigste Glieder in Australien herrschen, ist aber von diesen australischen Gliedern scharf gesondert. Vermittelnde Glieder, die höchst entwickelten Formen der Gattung *Megascolex*, finden sich lediglich in Ceylon. Es wäre immerhin möglich, dass etwa auf Neu-Guinea, von dem bisher nur einige endemische *Pheretima*-Arten bekannt sind, noch derartige vermittelnde Glieder gefunden würden. Das Bild der Terricolen-Gebiete bliebe aber auch dann noch ein ganz anderes, als das der Wallace'schen Gebietseintheilung, in der die innige Beziehung zwischen dem australischen Kontinent und Ceylon keine Andeutung findet. Jedenfalls verbietet das bei weitem überwiegende Vorherrschen der Gattung *Pheretima* in dem ganzen indo-malayischen Gebiet eine Berücksichtigung dieser untergeordneten Modifikationen bei der Festlegung der Terricolen-Gebiete.

Es bedarf noch der Aufführung einiger weiterer Beimengungen zur Terricolen-Fauna des indo-malayischen Gebietes. Auf den Philippinen und den Molukken, und zwar beschränkt auf diese Inseln, findet sich die der herrschenden Gattung *Pheretima* nahestehende Gattung *Pleionogaster* (4 Arten), die eine geringe Modifikation im faunistischen Charakter dieser Inselgruppen bedingt, aber besondere Beziehungen zu anderen Gebieten nicht verräth. Einige *Perionyx*-Arten von Birma (2 Arten) und Java-Sumatra (1 Art, in geringem Maasse peregrin?) schliessen sich durch ihr Auftreten im südwestlichen Theil des Gebietes und durch ihre Beziehung zum vorderindischen Gebiet vielleicht an die oben besprochenen Moniligastriden an. Schliesslich ist noch das Auftreten mehrerer kleiner(!) *Dichogaster*-Arten im indo-malayischen

Gebiet zu erwähnen. Wie oben des näheren erörtert, halte ich diese Vorkommnisse nicht für endemisch, wenngleich einzelne dieser *Dichogaster*-Arten bisher in dem eigentlichen Gebiet dieser Gattung noch nicht nachgewiesen worden sind.

XII. Australisches Terricolen-Gebiet.

Dieses Gebiet umfasst den Kontinent Australien und Tasmanien, vielleicht auch noch Neu-Kaledonien (siehe unten!). Die Terricolen-Fauna dieses Gebietes ist eine einheitliche, insofern lediglich eine enge Verwandtschaftsgruppe hier auftritt, und zwar die mittleren und niedrigen Glieder der Megascoleciden-Unterfamilie *Megascolecinae*, aufwärts bis zu einer gewissen Entwicklungsstufe der Gattung *Megascolex*, sowie einschliesslich einiger Glieder der Unterfamilie *Acanthodrilinae*, augenscheinlich jener Glieder, aus denen sich die Megascolecinen entwickelt haben.

Die Stammgattung der ganzen Megascoleciden-Familie und damit auch der Unterfamilie *Megascolecinae*, die im Uebrigen weit verbreitete, zersprengte Gattung *Notiodrilus*, ist durch 4 endemische Arten in Australien vertreten, je eine auf der Halbinsel Cape York, in Queensland, in Zentral-Australien und in Nordwest-Australien. In Nordwest- und Zentral-Australien sind bisher andere Terricolen überhaupt nicht gefunden worden. Hier scheint demnach die Wurzelgattung *Notiodrilus* alleinherrschend zu sein (in allen anderen Gebieten findet sie sich vergesellschaftet mit anderen Terricolen-Gruppen). Jedenfalls hat Spencer, neben Fletcher der eifrigste Erforscher der australischen Terricolen-Fauna, in den Oasen Zentral-Australiens neben der betreffenden *Notiodrilus*-Art keine weiteren Terricolen auffinden können. Spencer kommt aus der Betrachtung der lokalen Verhältnisse dieses Vorkommens zu dem Schluss, dass diese Oasen-Form die terricole Ureinwohnerschaft Australiens repräsentire, eine Anschauung, die sich mit meiner auf einem ganz anderen Wege gewonnenen Anschauung von der Bedeutung der Gattung *Notiodrilus* als der Stammform der Megascoleciden, und damit auch der australischen Megascolecinen, deckt.

An die australischen *Notiodrilus*-Vorkommnisse schliesst sich die queensländische Gattung *Diplotrema* mit der einzigen Art *D. fragilis* W. B. Sp. an. Spencer's Entdeckung der Gattung *Diplotrema* hat mir eine grosse Genugthuung bereitet, bildet diese Gattung doch ein Zwischenglied zwischen den niedersten Megascolecinen (Gattung *Plutellus*) und der Gattung *Notiodrilus*, die ich als die Wurzelgattung jener Megascolecinen hingestellt habe. Mit dieser jüngst aufgefundenen Form schliesst sich lückenlos die Formen-Kette, die von der allgemeinen Megascoleciden-Stammform *Notiodrilus* zum höchsten Gliede der Megascolecinen-Unterfamilie, *Pheretima*, hinführt. Australien, das Hauptquartier der niederen Gruppen dieser Unterfamilie, stellt sich nach diesem Funde auch als der Entstehungsherd derselben dar.

Dem entspricht auch die Thatsache, dass die älteren Gattungen der Megascolecinen ausschliesslich oder fast ausschliesslich diesem Gebiet angehören, nämlich 38 von 45 *Plutellus*-Arten (ca. 84 %), die ganze Gattung *Fletcherodrilus* (1 Art mit 2 Varietäten), 31 von 34 *Diporochaeta*-Arten (96 %), die ganzen Gattungen *Megascolides* (4 Arten) und *Trinephrus* (8 Arten). Bei den mittleren Gliedern der geraden Megascolecinen-Reihe *Plutellus*—*Pheretima*, bei den Gattungen *Notoscolex* und *Megascolex*, ist der Prozentsatz der australischen Formen schon geringer. Von den 26 als endemisch auftretend nachgewiesenen *Notoscolex*-Arten stammen nur 17 (65 %) aus Australien, von den 60 endemischen Megascolex-Arten nur 40 (ca. 67 %). Die von diesen mittleren Gliedern der geraden Reihe (*Notoscolex*) abgehenden Nebenäste, die Gattungen *Digaster* (6 Arten) und *Perissogaster* (3 Arten), sind dagegen ausschliesslich australischen Ursprunges. Die höchsten Glieder der Megascolecinen-Unterfamilie, die Gattung *Pheretima*, ist wahrscheinlich nicht endemisch in Australien. Ein einziges anscheinend endemisches Vorkommen in Queensland ist wohl auf die Lückenhaftigkeit unserer Kenntniss zurückzuführen. Muthmaasslich handelt es sich hierbei um eine peregrine, in Australien eingeschleppte Form.

Die faunistischen Beziehungen der Terricolen-Arten Australiens gehen nach zwei Richtungen, nordwestlich und nordöstlich. In Nordamerika, hauptsächlich in der Cordilleren-Region, finden sich einige Arten der Gattungen *Plutellus* (5 Arten) und *Notoscolex* (1 Art), reliktenartige Vorkommnisse, die auf einen direkten oder indirekten Zusammenhang Australiens mit Nordamerika in der ältesten Zeit der Megascolecinen - Unterfamilie hindeuten. Weit länger andauernd muss eine Verbindung zwischen Australien und Ceylon angesehen werden. Auf dieser Insel finden sich nicht nur die Gattungen *Plutellus* (2 Arten) und *Notoscolex* (7 Arten), sondern vor Allem auch die Gattung *Megascolex* (18 Arten). Im Uebrigen sind die typisch australischen Gattungen nur noch auf Neuseeland (1 *Notoscolex*- und 1 *Diporochaeta*-Art). auf den Chatham-Inseln (1 *Diporochaeta*-Art) und in Vorderindien (2 *Megascolex*-Arten und 1 fragliches *Diporochaeta*-Vorkommniss) anscheinend endemisch gefunden worden. Die spärlichen Vorkommnisse von Neuseeland und den Chatham-Inseln sind wohl nur anscheinend endemisch, wahrscheinlich auf Einschleppung zurückzuführen; denn sie stehen ganz unvermittelt da. solange nicht auch die Gattung *Plutellus* hier nachgewiesen wird. Das *Diporochaeta*-Vorkommniss von Vorderindien ist, wie bereits angegeben, sehr zweifelhaft. Die beiden (3?) in Vorderindien anscheinend endemischen *Megascolex*-Art sind vielleicht von dem nahe gelegenen Ceylon eingeschleppt.

XIII. Neuseeländisches Terricolen-Gebiet.
Dieses Gebiet umfasst die beiden Neuseeländischen Hauptinseln mitsammt den kleinen, nahegelegenen Nebeninseln (z. B. den Snares-Inseln), und wahrscheinlich auch die Chatham-Inseln. Vielleicht muss auch Neu-Kaledonien diesem Gebiet zugeordnet werden.

Als Charakterformen sind die Acanthodrilinen der *Neodrilus*-Gruppe anzusehen, die Arten der Gattungen *Maoridrilus* (7 Arten). *Neodrilus* (1 Art) und *Plagiochaeta* (1 sichere und 2 unsichere Arten). Diese Gruppe ist vollständig auf Neu-Seeland einschliesslich der nahe gelegenen Nebeninseln beschränkt.

In zweiter Linie kommen einige Arten der zersprengten Megascoleciden-Wurzelgattung *Notiodrilus* (3 Arten) und der ihr nahestehenden Gattung *Microscolex* (2 Arten?) in Betracht. Eine dritte *Microscolex*-Art kommt auf den Chatham-Inseln vor. In Bezug auf die Selbständigkeit der verschiedenen Arten dieser Gattung herrscht eine bedauerliche Unklarheit. Ich hege den Verdacht, dass alle übrigen Vorkommnisse dieser Gattung auf die beiden in hohem Grade peregrinen, nachweislich verschleppbaren und dazu noch euryhalinen Arten *M. dubius* (FLETCHER) und *M. phosphoreus* (ANT. DUG.) zu beziehen sind, und dass *Microscolex* nur auf Neuseeland und den Chatham-Inseln endemisch ist. Hierauf beruht auch meine Vermuthung. dass die Chatham-Inseln vielleicht dem Neuseeländischen Gebiet zuzuordnen sind (eine *Diporochaeta*-Art von den Chatham-Inseln mag vielleicht aus Australien eingeschleppt sein).

Eine dritte neuseeländische Terricolen-Gruppe von faunistischer Bedeutung bilden einige Arten aus der Megascoleciden-Unterfamilie *Octochaetinae*, den Gattungen *Octochaetus* (4 Arten) und *Dinodrilus* (1 Art), also den niedrigsten Gliedern der grossen Gruppe *Octochaetinae*-*Diplocardinae*-*Trigastrinae*.

174

angehörig. Da die nächststehenden Formen, die übrigen Theile der Unterfamilie *Octochaetinae* (1 *Octochaetus*-Art, 1 *Hoplochaetella*-Art und 6 *Eutyphoeus*-Arten) dem vorderindischen Gebiet — eine Art von Birma ist hier einbezogen — angehören, so stellen diese Octochaetinen eine interessante faunistische Beziehung zwischen Neuseeland und Süd-Asien dar, herrührend aus jener alten Periode, da Neuseeland noch mit dem asiatischen Kontinent in Verbindung stand, und die alte Stammgattung *Notiodrilus* der hauptsächlichste Konkurrent dieser wenig jüngeren Terricolen-Gruppe war, die später durch die üppige Entwicklung jüngerer Formen in den mittleren Theilen ihres Gebietes zersprengt wurde. Es muss hier darauf hingewiesen werden, dass auch Süd-Madagaskar eine Form (Gattung *Howascolex*) aufweist, die wahrscheinlich diesen Octochaetinen nahesteht und muthmaasslich ein verbindendes Glied zwischen diesen und der Wurzelgattung *Notiodrilus* ist.

Des weiteren sind von Neuseeland nur noch zwei Arten aus der Unterfamilie *Megascolecinae*, und zwar typisch australischen Gattungen (*Notoscolex* und *Diporochaeta*) angehörig, zu erwähnen. Da die Wurzelgattungen dieser Unterfamilie (*Diplotrema* und *Plutellus*) in Neuseeland ganz zu fehlen scheinen, so dürfen wir wohl annehmen, dass diese beiden Arten aus Australien in Neuseeland eingeschleppt sind, wenngleich sie in Australien bis jetzt nicht nachgewiesen werden konnten (nachweisbar ist es von einer dritten Art, *Didymogaster sylvatica* Fletcher, die zugleich in Neuseeland und Australien vorkommt, also in geringem Maasse peregrin ist und hier deshalb ohne weiteres von den endemischen Arten ausgeschlossen wurde). Die Beziehungen zwischen Neuseeland und Australien scheinen lediglich auf den gemeinsamen Besitz der Wurzelgattung der ganzen Familie *Megascolecidae*, *Notiodrilus*, zu beruhen, also aus jener fernliegenden Periode herzurühren, da die australische Unterfamilie *Megascolecinae*, sowie die neuseeländische Acanthodrinen-Gruppe *Neodrilus* und Verwandte noch nicht entstanden waren, oder wenigstens noch nicht beträchtlich über ihren Entstehungs-Ort verbreitet sein konnten.

Fraglich ist die faunistische Beziehung der Insel Neu-Kaledonien. Eine endemische *Notiodrilus*-Art lässt es unentschieden, ob diese Insel dem australischen oder dem neuseeländischen Gebiet zuzuordnen ist. Eine *Acanthodrilus*-Art, die einzige dieser einen selbständigen Zweig der Unterfamilie *Acanthodrilinae* darstellenden Gattung, spricht dafür, dass diese Insel ein kleines selbständiges Gebiet repräsentirt. Da es misslich ist, auf eine einzige Art hin ein Terricolen-Gebiet zu charakterisiren, so lasse ich die Frage über die faunistische Stellung Neu-Kaledoniens einstweilen unentschieden.

Gebiete ohne endemische Terricolen.

Die oben geschilderten Terricolen-Gebiete schliessen sich nicht überall lückenlos aneinander an. Mehrfach grenzen sie an Landstriche, die mehr oder weniger sicher nachweisbar jeglicher endemischer Terricolen entbehren. Die Feststellung über das Fehlen endemischer Terricolen ist nur in wenigen Gebieten sicher. Wenn wir alle Terricolen-Funde auf einer Karte vermerken, so bleiben noch grosse undurchforschte oder wenig durchforschte Gebiete frei, von denen wir annehmen dürfen, dass sie eine reiche endemische Terricolen-Fauna beherbergen. Das Fehlen von Fundangaben bietet also keineswegs ein Anzeichen für das Fehlen endemischer Terricolen. Nur wenn uns in gut durchforschten Gebieten — und deren giebt es leider nicht viele — keine Fundnotizen endemischer Formen vorliegen, dürfen wir annehmen, dass hier thatsächlich keine vorkommen. Es ist also unserer diesbezüglichen

Feststellung von vornherein eine ziemlich enge Grenze gesetzt. Wir können nur ganz vereinzelte Gebiete mit Sicherheit als solche ohne endemische Terricolen bezeichnen.

Das Fehlen endemischer Terricolen kann ein **primärer Zustand** sein, und zwar in Gebieten, die nie eine eigene Terricolen-Fauna besassen, oder es kann **sekundär** sein, in Gebieten, deren endemische Terricolen-Fauna unter irgend welchen Umständen ausgerottet wurde. Die Gebiete der ersten Kategorie zerfallen wiederum in zwei Gruppen. Gebiete von **geringem geologischem Alter**, denen nicht die genügende Zeit zur Bildung einer endemischen Terricolen-Fauna zur Verfügung stand, also Gebiete, die sich erst in jungen geologischen Perioden über die Meeresoberfläche erhoben haben, und solche, die dauernd durch beträchtliche Meeresstrecken von allen anderen Terricolen-Gebieten getrennt waren, die **weit isolirten ozeanischen Inseln**. Auch die Umstände, die den sekundären Zustand des Fehlens endemischer Terricolen verursachten, die zur Vernichtung älterer endemischer Terricolen-Faunen führten, können verschieden sein. Als eine der nachweisbaren Ursachen muss die **Schaffung neuer Konkurrenz-Verhältnisse** in Folge Einschleppung verbreitungskräftiger peregriner Formen in Gebiete mit schwächerer Urbevölkerung angesehen werden. Wichtiger noch sind gewisse **ungünstige klimatische Verhältnisse** der Jetztzeit oder der jüngeren Vorzeit.

Gebiete jüngeren geologischen Alters: Ich möchte in diesem Abschnitt die Aufmerksamkeit der Zoogeographen auf ein Gebiet lenken, das in Hinsicht seiner Terricolen-Fauna sehr auffallende Verhältnisse aufweist, auf das **Chinesisch-Mongolisch-Tibetanische Gebiet**. Ich lasse zunächst eine Liste der hier aufgefundenen Terricolen sammt Angaben über ihren Charakter und ihre weitere Verbreitung folgen:

Megascolex mauritii (Kinb.) — peregrin — Kowloon, Küstenländer und Inseln des Indischen Ozeans, auch Borneo.

Pheretima asiatica (Michlsn.) — peregrin — Ost-Tibet, Tientsin.

Pheretima aspergillum (E. Perrier) — in sehr geringem Maasse peregrin — Amoy, Kowloon, Formosa.

Pheretima capensis (Horst) — peregrin — Hongkong, Sunda-Inseln, Kapland, Westindien.

Pheretima Guillelmi (Michlsn.) — in geringem Maasse peregrin — Wuchang, Tientsin.

Pheretima hawayana (Rosa) — peregrin — Hongkong, Japan, Hawaii-Ins., Sunda-Ins., Pinang, Vorderindien, Mauritius, Kanarische Ins., Brasilien, Chile, Westindien, Bermuda-Ins.

Pheretima hesperidum (Bedd.) — peregrin — Wuchang, Hongkong, Hawaii-Ins., Westindien.

Pheretima hupeiensis (Michlsn.) — peregrin — Wuchang, Japan.

Pheretima rodericensis (Grube) — peregrin — Foochow, Japan, Rodriguez, Madagaskar, Ober-Guinea, Westindien, Venezuela.

Pheretima Schmardae (Horst) — peregrin — Tientsin, Japan, Hawaii-Ins., Westindien.

Helodrilus caliginosus (Sav.) — peregrin — Hongkong, fast kosmopolitisch.

Helodrilus Beddardi (Michlsn.) — peregrin — Ost-Tibet, Nordost-Mongolei, nördlich circummundan.

Helodrilus parvus (Eisen) — peregrin — Ost-Tibet, fast kosmopolitisch.

Aus dieser Liste ist zunächst zu ersehen, dass die Zahl der aus diesem Gebiet bekannten Terricolen-Funde, in denen 13 verschiedene Arten vertreten sind, nicht unbeträchtlich ist und sehr wohl schon einen Schluss auf den

176

Charakter der Terricolen-Fauna zulässt. Dazu kommt, dass wenigstens zwei Funde sehr reich genannt werden müssen. Die von mir bearbeitete Kozlow'sche Sammlung aus Tibet z. B. stammt von 10 verschiedenen Sonderfunden: 9 dieser 10 Funde enthielten *Pheretima asiatica*, daneben fanden sich nur wenige Exemplare von *Helodrilus Beddardi* und *H. parcus*. Es darf also angenommen werden, dass diese Sammlung wenigstens den grössten Theil der hier überhaupt vorkommenden Terricolen-Arten umfasst. Die von mir bearbeitete Wuchang-Sammlung (W. Lönn leg.) enthielt über 100 Exemplare — lediglich *Pheretima Guilelmi*, *Ph. hesperidum* und *Ph. hupeiensis* — . Es liegen, wenn wir die 10 aus verschiedenen Orten stammenden Kozlow'schen Funde gesondert rechnen, 23 Einzelfunde aus diesem Gebiet vor.

Unter diesen Umständen muss es als auffallend bezeichnet werden, dass bisher nicht eine einzige sicher endemische Terricolen-Art aus diesem Gebiete bekannt geworden ist. Zwar sind einzelne Arten, *Pheretima asiatica* und *Ph. Guilelmi*, bisher nur in diesem Gebiet gefunden worden, aber an sehr weit voneinander entfernten Orten — ca. 1800 bezw. 2300 km ; das sind Entfernungen, die ungefähr denen zwischen der Südspitze Italiens und Hamburg bezw. der Nordspitze Dänemarks gleichkommen, sodass diese Formen nicht wohl als endemisch gelten können. *Ph. aspergillum* zeigt andererseits eine nur geringe Verbreitung, die aber über dieses Gebiet hinausreicht, nach Formosa hin, sodass auch diese Form nicht als in China endemisch angesehen zu werden braucht. Wir müssen demnach das Chinesisch-Mongolisch-Tibetanische Gebiet nach unserer jetzigen nicht unbeträchtlichen Kenntniss als ein Gebiet ohne endemische Terricolen bezeichnen.

Dieser faunistische Charakter tritt noch schärfer hervor, wenn wir dieses Gebiet mit den benachbarten, soweit sie gut durchforscht sind, vergleichen. Sowohl Japan wie auch Birma sammt der Malayischen Halbinsel zeigen eine reiche Fauna endemischer Terricolen, zumeist der indo-malayischen Gattung *Pheretima* angehörig, zu der in Japan noch ein Anklang an die gemässigt eurasische Fauna, ein Lumbricide, hinzukommt, während Birma noch einzelne Moniligastriden, an die Fauna der Sunda-Inseln, Ceylons und des südlichen Vorderindiens erinnernd, aufweist.

Ich kann für das Fehlen endemischer Terricolen im Chinesisch-Mongolisch-Tibetanischen Gebiet keine andere Erklärung finden als die Annahme, dass dieses Gebiet erst in verhältnissmässig junger geologischer Periode für Terricolen zugänglich wurde. Es ist Sache der Geologen, die endgültige Entscheidung in dieser Frage zu treffen. Es scheinen aber die Anschauungen derselben über die jüngere geologische Geschichte dieses Gebietes noch nicht geklärt. Soweit ich übersehen kann, darf eine umfangreiche jung-tertiäre Wasser-Bedeckung Innerasiens vom Tarim-Becken bis zur östlichen Mongolei als nachgewiesen angesehen werden, während es noch fraglich ist, ob es sich um ein marines Gewässer, ein grosses Mittelmeer, oder um einen Komplex vieler grösserer und kleinerer Süsswasser-Seen handelt. Beide Anschauungen würden, falls man die Wasserbedeckung nur als kontinuirlich ansieht, in gleicher Weise das Fehlen endemischer Terricolen in dem nördlicheren Theile des in Rede stehenden Gebietes erklären und zugleich auch eine Erklärung für die südliche Begrenzung des gemässigt eurasischen Terricolen-Gebietes im zentral- und ost-asiatischen Bereiche darbieten. Unerklärt bleibt aber das Fehlen endemischer Terricolen in dem südlicheren Theil des Gebietes, in Ost-Tibet und im eigentlichen China, und die scharfe Begrenzung des indo-malayischen Terricolen-Gebietes zwischen Hinterindien und Ost-Tibet—China.

Weit isolirte ozeanische Inseln: Alle ozeanischen Inseln, die seit ihrem Bestehen, oder wenigstens seit der Zeit, da Terricolen zum ersten Mal zu allgemeiner Verbreitung gelangten, durch beträchtliche Meeresstrecken von den Festländern getrennt waren, entbehren einer endemischen Terricolen-Fauna. Erst durch den Menschen empfingen sie eine zum Theil sehr reiche Fauna peregriner Formen, die hier um so leichter Fuss fassten und sich um so üppiger vermehrten, als ihnen auf diesem jungfräulichen Boden keine Konkurrenten entgegen traten. Man kann demnach auch an der Terricolen-Fauna erkennen, ob eine Insel eine in jüngerer geologischer Periode losgelöste Festlandspartie darstellt (z. B. Ceylon und Neuseeland), oder ob sie als ursprünglich isolirte, ozeanische Insel anzusehen ist (z. B. die Hawaiischen Inseln). Im Folgenden sollen die Inseln und Inselgruppen der verschiedenen Ozeane auf den Charakter ihrer Terricolen-Fauna geprüft werden.

Die Terricolen-Fauna der nördlichsten Inselgruppen des **Pazifischen Oceans,** der Aleuten, ist durchaus unbekannt[1], ebenso die Sachalins und die der Kurilen. Erst in Japan treffen wir auf eine bekannte und gut durchforschte Terricolen-Fauna, die viele endemische Formen aufweist und dem indo-malayischen Gebiet zugeordnet werden muss. Diesem Gebiet endemischer Terricolen gehören, wie wir oben gesehen, auch Formosa, die Philippinen, die Molukken, die Sunda-Inseln und Neu-Guinea an. Dasselbe erstreckt sich auch wohl noch über die sich hier anschliessenden Inseln des Bismarck-Archipels:

Pheretima montana (Kixb.) — peregrin (indo-malayische Form, auch von Neu-Kaledonien, Loyalty Ins., Neu-Hebriden, Viti Ins., Tahiti, Samoa-Ins. bekannt)

Pheretima novaebritannicae (Bedd.) — **wahrscheinlich endemisch**

Pheretima pacifica (Bedd.) —   „   „

Pheretima Seidwicki (Bedd.) —   „   „

Der grössere Theil der hier aufgefundenen Arten ist bisher nur hier gefunden, also anscheinend endemisch.

Von den Salomo-Inseln sind nur zwei Arten.

Pheretima Loriae (Rosa) — in geringem Maasse peregrin (Neu-Guinea)

Pheretima solomonis (Bedd.) —   „   „   „

bekannt, die zugleich auch auf Neu-Guinea vorkommen und noch keinen sicheren Schluss auf den Charakter der Terricolen-Fauna zulassen.

Aehnliches gilt von den Neu-Hebriden mit

Pheretima esafatae (Bedd.) — **anscheinend endemisch**

Pheretima montana (Kixb.) — peregrin (indo-malayische Form)

Pheretima apoluensis (Bedd.) — peregrin (Samoa-Ins.).

von den Loyalty-Inseln mit

Pheretima montana (Kixb.) — peregrin (indo-malayische Form)

und den Norfolk-Inseln mit

Microscolex dubius (Fletch.) peregrin (fast kosmopolitisch).

In Neu-Kaledonien und Neuseeland treffen wir wieder auf charakteristische, sicher endemische Terricolen, die sich aber nicht mehr an das indo-malayische Gebiet anschliessen, sondern ein besonderes Gebiet markiren. Zum neuseeländischen Gebiet sind vielleicht auch die Chatham-Inseln zu rechnen:

Microscolex Huttoni Bexb. — **anscheinend endemisch**

Diporochaeta chathamensis Bexb. — **endemisch?**

---

[1] Nachträglich wurde das Vorkommen des peregrinen *Helodrilus constrictus* (Rosa) auf Unalaschka bekannt.

Eisenia rosea (Sav.) — peregrin (gemässigt eurasisch-nordamerikanische
   Form)
Helodrilus caliginosus (Sav.) — peregrin (gemässigt eurasisch-nordamerikanische Form)
Lumbricus rubellus Hoffmst. — peregrin (gemässigt eurasisch-nordamerikanische Form);
wenigstens würde das Vorkommen eines endemischen *Microscolex* hierfür
sprechen. Andererseits ist der starke Prozentsatz peregriner Formen auffallend   3 europäische, sicher eingeschleppte Formen und eine allerdings
bisher nur auf den Chatham-Inseln gefundene *Diporochaeta*, einer typisch-
australischen Gattung angehörig, der aber der Verdacht der peregrinen Natur
anhaftet, solange sie und ihre Wurzelform *(Plutellus)* nicht auch als endemisch
auf Neuseeland nachgewiesen wird (vergl. oben p. 168).

   Oestlich von dem soeben charakterisirten, dem asiatischen und australischen
Kontinent vorgelagerten Inselkranz mit sicher oder fraglich endemischen
Terricolen liegt das Gebiet der isolirten pazifischen Inseln, die keine endemischen
Terricolen besitzen. Folgende Listen mögen den Charakter der auf diesen
Inseln angetroffenen Terricolen-Faunen veranschaulichen.

   Hawaii-Inseln:
Pheretima hawayana (Rosa) — peregrin (tropisch circummundan)
Pheretima heterochaeta (Michlsn.) — peregrin (tropisch circummundan)
Pheretima hesperidum (Bedd.) — peregrin (China, Westindien)
Pheretima peregrina (Fletch.) — peregrin (Australien [Mauritius?], Sumatra,
   Singapore)
Pheretima Schmardae (Horst) — peregrin (Japan, China, Westindien)
Pontoscolex corethrurus (Fr. Müll.) — peregrin (tropisch-südamerikanische
   Form)
Eisenia foetida (Sav.) — peregrin (gemässigt eurasisch-nordamerikanische
   Form)
Helodrilus caliginosus (Sav.) — peregrin (gemässigt eurasisch-nordameri-
   kanische Form)
Helodrilus Beddardi (Michlsn.) — peregrin (gemässigt eurasisch-nord-
   amerikanische Form)
Helodrilus constrictus (Rosa) — peregrin (gemässigt eurasisch-nordameri-
   kanische Form).

   Marianen:
Pheretima aeruginosa Kinb. — peregrin (Sunda-Inseln).

   Viti-Inseln:
Pheretima Godeffroyi (Michlsn.) — **bisher nur hier gefunden, wahrscheinlich peregrin**
Pheretima montana (Kinb.) — peregrin (indo-malayische Form)
(*Dichogaster Damonis* Bedd.) — Fundortsangabe nur durch Händler
   vermittelt, verdächtig (tropisch-afrikanisch — westindisch-zentralamerikanische Form)

   Samoa-Inseln:
Pheretima montana (Kinb.) — peregrin (indo-malayische Form)
Pheretima upolaensis (Bedd.) — peregrin (Neu-Hebriden)
Dichogaster Reineckei (Michlsn.) — **bisher nur hier gefunden, wahr-
   scheinlich peregrin.**

   Tahiti:
Pheretima montana (Kinb.) — peregrin (indo-malayische Form)
Pheretima taitensis (Grube) — **bisher nur hier gefunden (zweifelhafte Art).**

Marquesas Inseln:

Pontoscolex corethrurus (FR. MÜLL.) — peregrin (tropisch-südamerikanische Form).

Juan Fernandez:

Kerria saltensis BEDD. — in geringem Maasse peregrin, amphibisch und wahrscheinlich hospitirend littoral (Chile)

Helodrilus rubidus (Sav.)

var. *subrubicunda* (EISEN) — peregrin (gemässigt eurasisch-nordamerikanische Form)

Helodrilus caliginosus (SAV.) — peregrin (gemässigt eurasisch-nordamerikanische Form)

Eiseniella tetraedra (SAV.) — peregrin (gemässigt eurasisch-nordamerikanische Form).

Nur wenige dieser Terricolen sind bisher nur auf einer dieser Inseln gefunden, dem Anscheine nach also hier endemisch. Bei der Lückenhaftigkeit unserer bisherigen Kenntnisse kann diese anscheinende Abweichung von den theoretischen Feststellungen nicht verwundern. Wir dürfen erwarten, dass diese Formen später noch in ihrer eigentlichen Heimath nachgewiesen werden, die beiden *Pheretima*-Arten, von denen eine übrigens unsicher ist, im indo-malayischen Gebiet, die beiden *Dichogaster*-Arten, von denen auch nur die Fundortsangabe der einen als sicher bezeichnet werden kann, im tropisch-afrikanischen oder westindisch-zentralamerikanischen Gebiet. Die muthmasslich peregrine Natur dieser *Dichogaster*-Arten ist schon oben eingehend erörtert worden (siehe p. 14. 114).

Die peregrine Terricolen-Fauna dieser Inseln rekrutirt sich hauptsächlich aus dem angrenzenden indo-malayischen Gebiet (*Pheretima*-Arten), und dem gemässigt eurasischen Gebiet, das die ihm eigenen Formen (*Lumbricidae*) besonders wohl durch den modernen Handelsverkehr zur Verschleppung gebracht hat. Dass Juan Fernandez auch eine chilenische Form beherbergt, ist bei der kommerziellen Abhängigkeit dieser Insel von Chile nicht verwunderlich.

Von den Inseln des **Indischen Ozeans** können nur einige kleinere als solche ohne endemische Terricolen bezeichnet werden. Tasmanien, das sich in seiner Terricolen-Fauna eng an Australien anschliesst, sowie die Sunda-Inseln, Ceylon und Madagaskar, mit ihren charakteristischen endemischen Terricolen sind als losgelöste Festlandspartien anzusehen. An Madagaskar schliessen sich vielleicht die Seychellen mit der ihnen eigenthümlichen Acanthodrilinen-Gattung *Maheina* an. Zweifelhaft ist der Charakter der Terricolen-Fauna von Christmas-Island, südlich vom Westende Javas:

Megascolex mauritii (KINB.) — peregrin (Küsten und Inseln des Indischen Ozeans, auch Borneo und China)

Pheretima breris (ROSA) — **anscheinend endemisch**

Pheretima posthuma (VAILLANT) — peregrin (indo-malayische Form, auch Vorderindien und Bahama).

Die übrigen kleinen Inseln weisen, so weit wir wissen, nur peregrine Formen auf.

Minikoi:

Megascolex mauritii (KINB.) — peregrin (Küsten und Inseln des Indischen Ozeans, auch Borneo und China).

Nikobaren:

Eisenia foetida (SAV.) — peregrin (gemässigt eurasisch-nordamerikanische Form)

Lumbricus rubellus HOFFMSTR. — peregrin (gemässigt eurasisch-nordamerikanische Form).

Mauritius:

Megascolex mauritii (KINB.) — peregrin (Küsten und Inseln des Indischen Ozeans, auch Borneo und China)

Pheretima robusta (E. PERRIER) peregrin (Philippinen)

Pheretima hawayana (ROSA) — peregrin (indo-malayische Form)

Pontoscolex corethrurus (FR. MÜLL.) — peregrin (tropisch-südamerikanische Form)

Rodriguez:

Pheretima rodericensis (GRUBE) – peregrin (indo-malayische Form)

St. Paul:

Helodrilus parvus (EISEN) — peregrin (gemässigt eurasisch-nordamerikanische Form).

Auch auf diesen Inseln spielen indo-malayische und gemässigt eurasisch-nordamerikanische Formen die Hauptrolle, doch kommt auf den meisten Inseln noch eine *Megascolex*-Art, als deren Urheimath wahrscheinlich Ceylon, vielleicht aber auch Australien, anzusehen ist, hinzu.

Auch im **Atlantischen Ozean** sind es lediglich die kleinen, weit isolirten Inseln, die einer Fauna endemischer Terricolen entbehren, während die grösseren Inseln und die sich kettenartig ziemlich eng daran anschliessenden kleinen — die Antillen — eine charakteristische endemische Form aufweisen. Die Falkland-Inseln scheinen sich an das chilenisch-magalhaensische Gebiet anzuschliessen:

Notiodrilus Bovei (ROSA) — in geringem Maasse peregrin (Feuerland, Süd-Patagonien)

Notiodrilus falclandicus (BEDD.) - **anscheinend endemisch**

Notiodrilus aquarumdulcium (BEDD.) „ „

Chilota Dalei (BEDD.) — **wahrscheinlich endemisch**

Helodrilus rubidus (SAV.)

var. *subrubicunda* (EISEN) — peregrin (gemässigt eurasisch-nordamerikanische Form).

Die *Notiodrilus*-Arten können als endemische Formen kaum in Betracht kommen, da ihre nahe Verwandtschaft mit nachweisbar euryhalinen Formen (z. B. *N. georgianus* (MICHLSN.) von Süd-Georgien) sie in den Verdacht setzt, ebenfalls hospitirend littoral zu sein. Eine wirklich endemische Form scheint aber *Chilota Dalei* zu sein; diese ist es, die für den Anschluss dieser Inseln an das magalhaensisch-chilenische Gebiet spricht.

Die folgenden Inseln und Inselgruppen entbehren wahrscheinlich sämmtlich endemischer Terricolen.

St. Helena:

Eudrilus Eugeniae (KINB.) — peregrin (tropisch-afrikanische Form)

Helodrilus caliginosus (SAV.) — peregrin (gemässigt eurasisch-nordamerikanische Form)

Lumbricus castaneus (SAV.) — peregrin (gemässigt eurasisch-nordamerikanische Form).

Fernando Naronha:

Pontoscolex corethrurus (FR. MÜLL.) — peregrin (tropisch-südamerikanische Form).

Kapverdesche Inseln:

Chilota exul (ROSA) — bisher nur hier aufgefunden **(endemisch?)**

Kanarische Inseln:

Microscolex dubius (FLETCH.) — peregrin (fast kosmopolitisch)

Microscolex phosphoreus (ANT. DUG.) — peregrin

Pheretima hawayana (ROSA) — peregrin (indo-malayische Form)

Eiseniella tetraedra (SAV.) — peregrin (gemässigt eurasisch-nordamerikanische Form)

Eisenia foetida (SAV.) — peregrin (gemässigt eurasisch-nordamerikanische Form)

Eisenia rosea (SAV.) — peregrin (gemässigt eurasisch-nordamerikanische Form)

Helodrilus caliginosus (SAV.) peregrin (gemässigt eurasisch-nordamerikanische Form)

Helodrilus chloroticus (SAV.) — peregrin (gemässigt eurasisch-nordamerikanische Form)

Helodrilus Eiseni (SAV.) — peregrin (gemässigt eurasisch-nordamerikanische Form)

Octolasium complanatum (ANT. DUG.) — peregrin (Mittelmeer-Form)

Lumbricus rubellus HOFFMSTR. — peregrin (gemässigt eurasisch-nordamerikanische Form).

Madeira:

Microscolex dubius (FLETCH.) — peregrin (fast kosmopolitisch)

Pheretima californica (KINB.) — peregrin (indo-malayische Form)

Helodrilus caliginosus (SAV.) — peregrin (gemässigt eurasisch-nordamerikanische Form)

Helodrilus chloroticus (SAV.) peregrin (gemässigt eurasisch-nordamerikanische Form)

Helodrilus Möbii (MICHLSN.) — bisher nur hier gefunden **(endemisch?)**

Helodrilus madeirensis (MICHLSN.) — in geringem Maasse peregrin (Portugal)

Helodrilus octaedrus (SAV.) — peregrin (gemässigt eurasisch-nordamerikanische Form)

Helodrilus Eiseni (LEVINS.) — peregrin (gemässigt eurasisch-nordamerikanische Form)

Azoren:

Pheretima heterochaeta (MICHLSN.) — peregrin (indo-malayische Form)

Eiseniella tetraedra (SAV.) — peregrin (gemässigt eurasisch-nordamerikanische Form)

Eisenia foetida (SAV.) peregrin (gemässigt eurasisch-nordamerikanische Form)

Helodrilus caliginosus (SAV.) — peregrin (gemässigt eurasisch-nordamerikanische Form)

Helodrilus chloroticus (SAV.) — peregrin (gemässigt eurasisch-nordamerikanische Form)

Helodrilus rubidus (SAV.) — **peregrin** (gemässigt eurasisch-nordamerikanische Form)

var. *subrubicunda* (EISEN) — peregrin (gemässigt eurasisch-nordamerikanische Form)

Helodrilus Eiseni (LEVINS.) — peregrin (gemässigt eurasisch-nordamerikanische Form)

Octolasium lacteum (OERLEY) — peregrin (gemässigt eurasisch-nordamerikanische Form)

Lumbricus terrestris L., MILL. — peregrin (gemässigt eurasisch-nordamerikanische Form).

Bahama-Inseln:
Pheretima Houlleti (E. Perrier) — peregrin (indo-malayische Form)
Pheretima posthuma (Vaillant) —   „   „   „
Bermuda-Inseln:
Pheretima hawayana (Rosa) — peregrin (indo-malayische Form)
Eudrilus Eugeniae (Kinb.) — peregrin (tropisch-afrikanische Form)
Onychochaeta Windlei (Bedd.) — peregrin (Westindien, Venezuela)
Eisenia foetida (Sav.) — peregrin (gemässigt eurasisch-nordamerikanische
        Form)
Helodrilus chloroticus (Sav.) — peregrin (gemässigt eurasisch-nordameri-
        kanische Form).

Auch auf den Inseln des Atlantischen Ozeans finden sich noch verschiedene Arten der verbreitungskräftigen indo-malayischen Form *Pheretima*, doch treten sie, besonders auf den Europa näher liegenden Inselgruppen, den Azoren, Madeira und den Kanarischen Inseln, gegen die nicht minder verbreitungskräftigen Lumbriciden des gemässigt eurasisch-nordamerikanischen Gebietes — der Hauptsache nach wohl aus den Kulturstaaten Europas stammend — weit zurück. Einer Erörterung bedürfen zwei dem Anscheine nach auf diesen Inseln endemische Arten. *Chilota erul* von den Kapverdeschen Inseln gehört einer Gruppe an, die in Süd-Afrika und im magalhaensisch-chilenischen Gebiet beheimathet ist. Schon Rosa, der Autor dieser Art, betrachtete sie als eingeschleppt. Es ist wohl kaum anzunehmen, dass wir es mit einem Relikt einer früher weiter verbreiteten Gattung zu thun haben. Auch Madeira besitzt dem Anscheine nach eine endemische Art, *Helodrilus Möbii*, ein Lumbricide, der diese Insel als Theilstück des gemässigt eurasischen Gebietes charakterisiren würde. Zu beachten ist, dass auch *H. madeirensis* einst als endemische Madeira-Form angesehen werden musste, bis sie in Portugal angetroffen wurde. Wahrscheinlich ist auch *H. Möbii* eine ursprünglich portugisische Form — sie steht dem portugisischen *H. Molleri* (Rosa) am nächsten —: doch bedarf es noch des thatsächlichen Nachweises.

Die Inseln des **Nordpolar-Meeres**, lediglich von peregrinen Lumbriciden des gemässigt eurasisch-nordamerikanischen Gebietes bevölkert, bedürfen an dieser Stelle keiner Erörterung, da sie in den Bereich des unten (p. 179) näher erörterten Gebietes der eiszeitlichen Vereisung gehören. Dasselbe gilt von den Inseln des **Südpolar-Meeres**, lediglich von hospitirend littoralen Acanthodrilinen der Gattung *Notiodrilus* (vergl. die Erörterung über die Verbreitung dieser Gattung, oben p. 76. 77) bewohnt.

Gebiete der Ausrottung endemischer Terricolen in Folge Einschleppung peregriner: Die Gebiete, in denen durch Einschleppung verbreitungskräftiger peregriner Formen eine schwächere terricole Urbevölkerung vollständig ausgerottet ist, sind nur sehr klein. Es gehören hierher bis jetzt nur einzelne grössere Städte, die wegen der besonderen Kulturverhältnisse schon an und für sich keinen günstigen Boden für die Entfaltung einer artenreichen Fauna endemischer Terricolen bieten, und in denen die Eingeschleppten, die sich ja in hervorragender Weise an die gärtnerische Kultur angepasst haben, leichte Arbeit hatten. Als typisches Beispiel führe ich Santiago in Chile an und verweise im Uebrigen auf die diesbezüglichen Erörterungen in dem Kapitel „Verschleppung durch den Menschen" (p. 24).

Gebiete mit ungünstigen klimatischen Verhältnissen der Jetztzeit: Als solche Gebiete sind vor Allem die unter einer kontinuirlichen Eisdecke begrabenen polaren Länder, z. B. Grönland, vielleicht mit Ausnahme einzelner Küstenstrecken, anzusehen. Auch manche wasserlose Gebiete mögen einer Terricolen-

Fauna entbehren; doch ist zu bemerken, dass bei dem einzigen eingehend auf eine Terricolen-Fauna untersuchten Wüstenbezirk, der Wüste Zentral-Australiens, in den weit isolirten Oasen das Vorhandensein einer charakteristischen endemischen Terricolen-Fauna festgestellt werden konnte. Es ist demnach noch fraglich, ob es überhaupt grössere Wüstenbezirke ohne endemische Terricolen giebt.

Gebiete mit ungünstigen klimatischen Verhältnissen der jüngeren Vorzeit: Wir kennen grosse Gebiete, die nicht der Terricolen überhaupt, sondern nur endemischer Formen entbehren, die eine reiche Fauna lediglich peregriner Terricolen beherbergen. Bei gewissen derartigen Gebieten kann das Fehlen endemischer Formen nicht auf Verhältnissen der Jetztzeit beruhen; wir müssen die Ursache in der Vergangenheit suchen, und zwar in einer Periode, die nicht genügend weit zurückliegt, um die Neubildung einer endemischen Terricolen-Fauna aus eingewanderten Formen möglich erscheinen zu lassen.

Zu dieser Kategorie ist höchst wahrscheinlich das Gebiet zu rechnen, welches nördlich vom gemässigt-eurasischen Gebiet liegt, und zu dem ganz Nord-Europa von Mittel-Deutschland an gehört. Da dieses Gebiet wenigstens in seinem europäischen Theil zu den best-durchforschten gehört, so verlohnt es sich wohl, seine peregrine Terricolen-Fauna eingehender auf Charakter, Herkunft und Ausbreitung zu prüfen und eine Erklärung dieser Verhältnisse zu versuchen. Ich stelle deshalb eine Liste der in diesem nördlich-europäischen Gebiet im Freilande beobachteten Formen sammt Notizen über ihren Charakter und ihre Verbreitung zusammen (siehe folgende Seite!).

Die Hauptmasse der in dieser Liste aufgeführten Arten sind peregrin. Nur eine Form, *Helodrilus norvegicus* (EISEN), scheint in Norwegen endemisch zu sein. Sehen wir von dieser unten noch eingehender zu besprechenden Form einstweilen ab, so stellt sich dieses boreal-arktische europäische Gebiet als ein solches dar, welches keine endemischen Terricolen, wohl aber zahlreiche peregrine Formen beherbergt.

Sämmtliche Arten dieser Liste gehören der im gemässigt eurasischen Gebiet sowie in den Oststaaten Nordamerikas beheimatheten Familie *Lumbricidae* an. Wir dürfen also das gemässigt eurasische Gebiet mit Sicherheit als die Urheimath ansehen, von der die peregrine Fauna des nördlicheren Europa ausgegangen ist.

Betrachten wir die Verbreitung dieser Formen näher, so zeigt sich, dass ihre Zahl gegen Norden entschieden abnimmt. Einzelne Arten haben nur einen sehr geringen Vorstoss gegen Norden gemacht, so *Helodrilus mammalis* (SAV.) von Nord-Frankreich nur bis England und Schottland, *H. oculatus* HOFFMSTR. von Italien und der Schweiz oder von Nord-Frankreich nur bis Nord-Deutschland, *H. limicola* (MICHLSN.) von der Schweiz bis Nord-Deutschland. Hier in Nord-Deutschland findet sich die im Gegensatz zu Süd-Europa mit seinen vielen endemischen Arten zwar geringe, im Gegensatz zu Skandinavien aber verhältnissmässig grosse Zahl von 19 Lumbriciden-Formen (Arten und Unterarten). Mehrere dieser Formen, zumal die Arten der im Mittelmeer-Gebiet so reich entwickelten Gattung *Octolasium*, gehen nicht nach Skandinavien hinüber, in dessen südlicherem Theil, etwa bis zur Breite Stavangers, wir nur 14 Lumbriciden-Formen antreffen. Von diesen 14 Formen dringen aber nur 5 bis in die arktische Region, das Tromsø-Amt mit den Lofoten, vor, und nur eine einzige geht noch über die Nordküste Europas hinaus nach Novaja Semlja hinüber.

Es bieten sich zwei verschiedene Erklärungen für die Abnahme der Artenzahl gegen Norden dar. Wir dürfen wohl annehmen, dass die strenge Winterkälte der arktischen und subarktischen Region vielen Formen unzuträglich

Liste der im borealen und arktischen Europa angetroffenen Terricolen.

Art	Verbreitung im nördlichen Europa	Herkunft und Charakter
Eiseniella tetraedra (Sav.)	nordwärts bis Nord-Norwegen	nördlich gemässigt, stark peregrin
Eisenia foetida (Sav.) . .	nordwärts bis Norwegen	nördlich gemässigt, stark peregrin
Eisenia rosea (Sav.)	.. Süd-Norwegen	nördlich gemässigt, stark peregrin
E. veneta (Rosa) f. *hibernica* (Friend)	Irland	Italien, peregrin
f. *hortensis* (Michlsn.) .	nordwärts bis Nord-Deutschland	Süd- und West-Europa, stark peregrin
Helodrilus caliginosus (Sav.)	nordwärts bis Nord-Norwegen	nördlich gemässigt, stark peregrin
Helodrilus chloroticus (Sav.)	nordwärts bis Norwegen	nördlich gemässigt, stark peregrin
Helodrilus limicola (Michl.)	Nord-Deutschland	Schweiz, schwach peregrin
Helodrilus longus (Ude) .	nordw. b. West-Norwegen	nördl. gemässigt, peregrin
Helodrilus mammalis (Sav.)	Schottland, England	Nord-Frankreich, schwach peregrin
Helodrilus octaedrus (Sav.)	nordwärts bis Nowaja Semlja	nördlich gemässigt, stark peregrin
H. rubidus (Sav.) f. *typica*	nordwärts bis West-Norwegen	nördlich gemässigt, stark peregrin
f. *subrubicunda* (Eisen)	nordwärts bis Mittel-Schweden	nördlich gemässigt, stark peregrin
Helodrilus Beddardi (Mich.)	Irland	nördl. gemäss., stark peregr.
Helodrilus constrictus (Rosa)	nordwärts bis Südwest-Norwegen	nördlich gemässigt, stark peregrin
Helodrilus norwegicus (Eis.)	**West-** und **Nord-Norwegen**	anscheinend endemisch, Selbständigkeit als Art nicht ganz sicher, zum mindesten nahe verwandt mit der vorhergehenden
Helodrilus Eiseni (Levins.)	nordwärts bis Dänemark	Süd- und West-Europa, peregrin
Helodrilus oculatus Hoffms.	.. .. Nord-Deutschland	Italien, Schweiz, Frankreich, schwach peregrin
Octolasium cyaneum (Sav.)	nordw. bis Nord-Deutschl.	Süd-Europa, stark peregrin
Octolasium lacteum (Oerley)	nordwärts bis Nowgorod	nördlich gemässigt, stark peregrin
Lumbricus castaneus (Sav.)	nordwärts bis Süd-Norwegen	nördlich gemässigt, stark peregrin
Lumbricus papillosus Frien.	Irland	Schweiz, peregrin
Lumbricus rubellus Hoffms.	nordwärts bis Nord-Norwegen	nördlich gemässigt, stark peregrin
Lumbricus terrestris L.,Mül.	nordwärts bis Mittel-Norwegen	nördlich gemässigt, stark peregrin

und zumal für die starke Verminderung der Artenzahl in den kälteren Regionen, besonders in der Strecke von Süd-Schweden bis Nord-Norwegen, verantwortlich zu machen ist. Diese klimatischen Verhältnisse erklären aber nicht die geringe Artenzahl der Terricolen in den südlicheren Regionen des erörterten Gebietes; ist doch Nord-Deutschland mit nur 19 Terricolen-Formen in klimatischer Hinsicht nicht ungünstiger gestellt als z. B. die Alpenländer mit einer weit höheren Artenzahl. Als zweiter Grund für die Verminderung der Artenzahl nordwärts kann die weitere Entfernung von dem eigentlichen Gebiet der Lumbriciden, der Urheimath dieser peregrinen Formen, angeführt werden. Dass auch dieser Umstand bei der Erklärung dieser Verbreitungsverhältnisse in Rücksicht zu ziehen ist, geht schon daraus hervor, dass die am wenigsten weit vorgedrungenen Formen, *Helodrilus mammalis*, *H. oculatus* und *H. limicola*, auch in seitlicher, west-östlicher Richtung nur eine geringe oder sehr geringe Verbreitung aufweisen. Wahrscheinlich haben beide Umstände, das unwirthlichere Klima des Nordens und die grössere Entfernung von der Urheimath, zusammen gewirkt zur stufenweisen Verringerung der Artenzahl vom Süden nach den nördlicheren Regionen des europäischen Gebietes. Wenn wir aber auch hiermit eine genügende Erklärung für die geringere Artenzahl gefunden haben, so trifft dieselbe doch nicht den Hauptpunkt in dem Charakter der Terricolen-Fauna dieses Gebietes, nämlich das so gut wie vollständige Fehlen endemischer Formen.

Es ist nicht verständlich, dass gerade nur peregrine Formen dieses mässig kältere und kalte Klima vertragen sollten; wenn auch die Artenzahl dadurch herabgemindert wird, warum ändert sich das Zahlen-Verhältniss zwischen peregrinen und endemischen Formen, und zumal, warum ändert es sich in so schroffer Weise? Ist das Gebiet eben nördlich von der scharfen Grenzlinie des Gebietes endemischer Lumbriciden denn klimatisch so sehr benachtheiligt, dass wirklich gar keine endemischen Formen hier existiren können? Ist z. B. Nord-Deutschland mit lediglich peregrinen Formen klimatisch ungünstiger gestellt als die Alpenländer mit ihren vielen endemischen Arten? Diese Fragen müssen entschieden verneint werden. Es bedarf einer anderen Erklärung für die scharfe nördliche Begrenzung des Gebietes endemischer Lumbriciden. Da die klimatischen Verhältnisse der Jetztzeit uns hier im Stiche lassen, so liegt es nahe, die klimatischen Verhältnisse der Vorzeit daraufhin zu prüfen, ob sie vielleicht die gesuchte Erklärung bieten. Eines der hervorstechendsten vorzeitlichen klimatischen Phänomene, das in dem in Frage kommenden Gebiet besonders stark zum Ausdruck kam, brachte die Eiszeit, eine ungemein starke Eisablagerung in den Polarländern. Nach den Schilderungen, die uns die Geologen von diesem Phänomen geben, hat während desselben ganz Nord-Europa unter einer zusammenhängenden, Hunderte von Metern dicken Eisdecke begraben gelegen, und immer neue Eismassen schoben sich von dem damals viel umfangreicheren skandinavisch-finnischen Lande herunter. Ueber den nördlichen und mittleren Theil Grossbritanniens (der Südrand Englands blieb frei) bis an die Rheinmündung und unsere deutschen Mittelgebirge, an denen sich der Eisrand stellenweise 400 und 500 Meter hoch hinaufschob, und weiter östlich bis tief in das Innere Russlands hinein, bis Kiew, drangen diese Eismassen, alles Leben unter sich erdrückend. Der Südrand der grössten Eisausbreitung während der Eiszeit deckt sich nun fast genau mit dem Nordrand des Gebietes endemischer Lumbriciden (und damit endemischer Regenwürmer überhaupt). Dieses Zusammentreffen ist zu genau, als dass man an einem direkten Zusammenhang zwischen der Verbreitung der Lumbriciden und der grössten Eisverbreitung während der Eiszeit zweifeln könnte. Wir haben uns demnach

12*

die Ausbreitung der Lumbriciden über Mittel- und Nord-Europa folgendermaassen vorzustellen: Als nach Verlauf der Eiszeit der mächtige Eispanzer, der ganz Nord-Europa und Theile von Mittel-Europa überdeckte, von den Rändern her allmählich abschmolz, liess er ein totes, ödes Land zurück, in dem auch keine Spur von Regenwürmern mehr zu finden war; alle Lumbriciden, die vor der Eiszeit in diesem Nordgebiet endemisch gewesen sind, waren ausgestorben. Erst durch Einwanderung aus den südlicheren, freigebliebenen Landen empfing dieses vom Eise befreite, noch öde Nordland eine neue Terricolen-Bevölkerung: aber nur verhältnissmässig wenige Arten, und fast nur solche, die wir als vielfach verschleppte bezw. peregrine Formen kennen gelernt haben, wanderten in das herrenlose Gebiet ein. Wahrscheinlich ist diese Neubesiedelung in hohem Grade durch den Menschen gefördert worden — inwieweit, das entzieht sich allerdings unserer Kenntniss. Die seit dem Zurückweichen der glacialen Eismassen verflossene Zeit ist, mit geologischem Maassstab gemessen, sehr kurz; sie genügte jedenfalls nicht für eine ausgiebige Bildung neuer Arten.

So erklärt es sich, dass wir nördlich von der oben (bei der Schilderung der Verbreitung der Fam. *Lumbricidae*, p. 149) skizzirten Grenzlinie fast nur verschleppte und peregrine Formen vorfinden, während das südlichere Europa noch die zahlreichen endemischen Arten aufweist, die sich hier in weit zurückliegender geologischer Periode entwickelt, und, unberührt durch die vernichtenden Eismassen der Eiszeit, bis auf unsere Tage erhalten haben.

Gegen diese Hypothese scheint der Reichthum der Alpenländer an endemischen Formen zu sprechen: denn auch den Alpenländern hat die Eiszeit eine starke Vergletscherung gebracht. Diese Ueberlegung hat mich lange davon abgehalten, dem Gedanken von jenem eiszeitlichen Einfluss Raum zu geben; da aber eine andere Erklärung für die eigenthümliche Verbreitung endemischer Terricolen in Europa nicht zu erbringen war, so habe ich schliesslich versucht, mich auch mit diesem Einwurf abzufinden. Jedenfalls brachte die Vergletscherung der Alpenländer zur Eiszeit keine so umfangreiche, und vor Allem keine so kontinuirliche Eisdecke zuwege, wie wir sie für Nord-Europa annehmen müssen. Vielleicht blieben, wenn auch viele Gletscher ihren Fuss weit aus den Alpenländern herausstreckten, zwischen den Gletschern kleinere, vielleicht nur oasenartige Gebiete, in denen sich mit einer Vegetation auch Kolonien der alt eingesessenen Terricolen halten konnten. Vielleicht auch waren die jetzt anscheinend nur in den Alpenländern endemischen Terricolen zur Eiszeit in den eisfreien Nachbargebieten, etwa in Nord-Italien, zu Hause und sind erst mit dem Zurücktreten der Vergletscherung die kurze Strecke in die Alpenländer hinein gewandert. Dass sie jetzt nur in den Alpenländern, nicht mehr in den benachbarten Gebieten angetroffen werden, mag mit der intensiveren menschlichen Kultur dieser Tiefebenen-Gebiete erklärt werden.

Einer Erörterung bedarf noch das Vorkommen einer anscheinend endemischen Art in Norwegen, des *Helodrilus norvegicus* Eisen. Die Selbstständigkeit dieser Art ist nicht ganz sicher. Jedenfalls ist sie der stark peregrinen Art *H. constrictus* (Rosa) nahe verwandt, vielleicht nur eine lokale Rückschlagsform derselben [1]. Wir haben diese Form wohl als eine der ersten Spuren der Neubildung einer dem Gebiete eigenthümlichen, endemischen Terricolen-Fauna anzusehen. Die Zeit, die seit dem Zurücktreten der glacialen Eismassen verstrichen ist, ist immerhin beträchtlich genug, um eine derartige Neubildung, wenn auch nicht einer ganzen Fauna, so doch einer einzelnen schwach gesonderten Art, erklärlich erscheinen zu lassen.

---

[1] Vergl. W. Michaelsen: Die Lumbriciden-Fauna Norwegens und ihre Beziehungen; in Verh. Ver. Hamburg, 3. F. Bd. IX p. 1.

Inhalt.

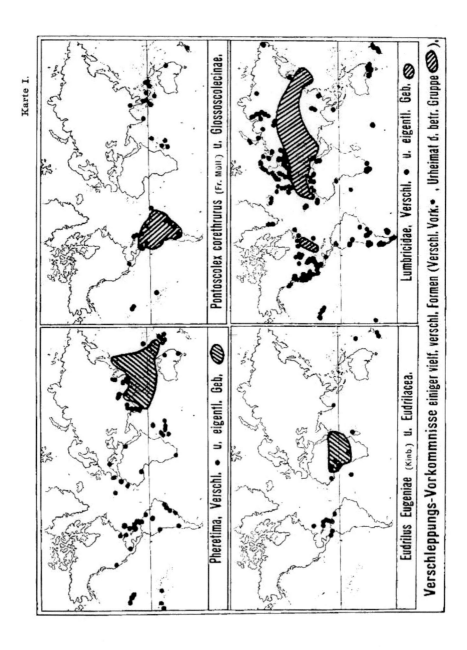

Pontoscolex corethrurus (Fr. Müll.) u. Glossoscolecinae.

Pheretima, Verschl. ● u. eigentl. Geb. ◍

Eudrilus Eugeniae (Kinb.) u. Eudrilacea.

Lumbricidae, Verschl. ● u. eigentl. Geb. ◍

Verschleppungs-Vorkommnisse einiger vielf. verschl. Formen (Verschl. Vork. ● , Urheimat d. betr. Gruppe ◍).

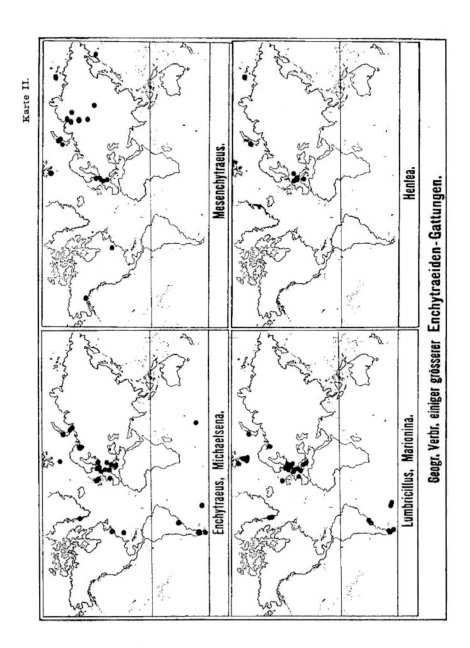

Mesenchytraeus.

Henlea.

Enchytraeus, Michaelsena.

Lumbricillus, Marionina.

Geogr. Verbr. einiger grösserer Enchytraeiden-Gattungen.

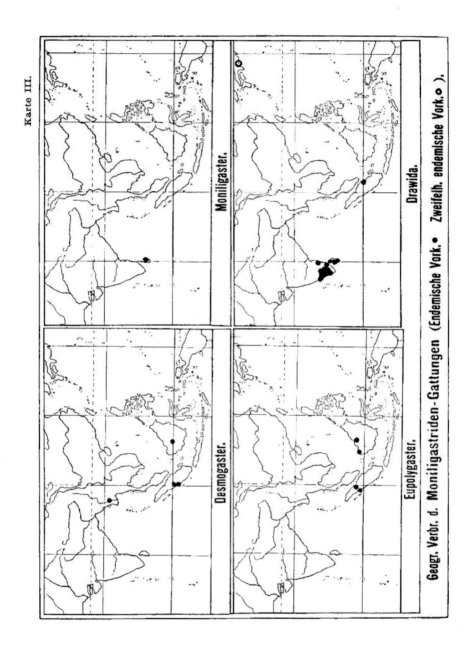

Karte III.

Moniligaster.

Drawida.

Desmogaster.

Eupolygaster.

Geogr. Verbr. d. Moniligastriden-Gattungen (Endemische Vork.● Zweifelh. endemische Vork.○).

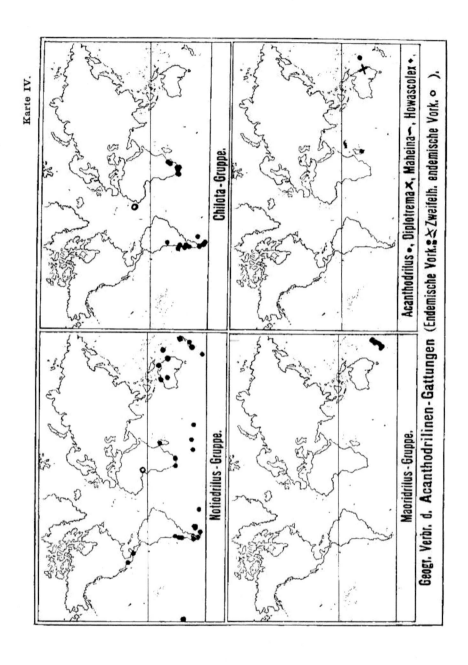

Karte IV.

Chilota - Gruppe.

Notiodrilus - Gruppe.

Maoridrilus - Gruppe.

Acanthodrilus •, Diplotrema ×, Maheina ⚊, Howascolex ♦.
(Endemische Vork.⦂ ≈ Zweifelh. endemische Vork. ○).

Geogr. Verbr. d. Acanthodrilinen - Gattungen

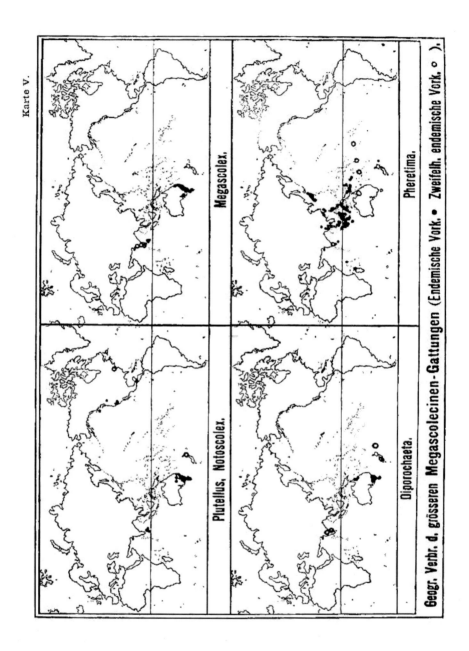

Megascolex.

Plutellus, Notoscolex.

Pheretima.

Diporochaeta.

Geogr. Verbr. d. grösseren Megascolecinen-Gattungen (Endemische Vork. ● Zweifelh. endemische Vork. ○).

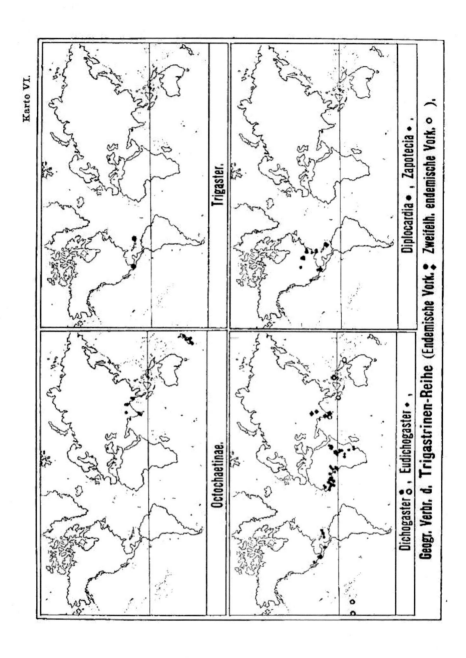

Karte VI.

Trigaster.

Octochaetinae.

Diplocardia ● , Zapotecia ● .

Dichogaster ● ○ , Eudichogaster ● .

Geogr. Verbr. d. Trigastrinen-Reihe (Endemische Vork. ● , Zweifelh. endemische Vork. ○).

204

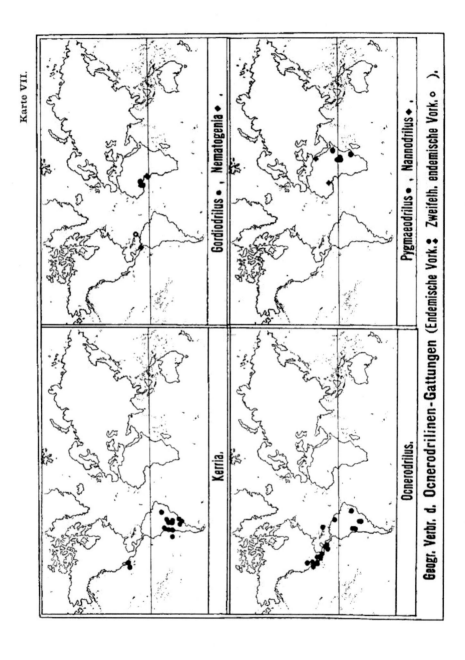

Karte VII.

Gordiodrilus ● , Nematogenia ◆ .

Pygmaeodrilus ● , Nannodrilus ◆ .

Kerria.

Ocnerodrilus.

Geogr. Verbr. d. Ocnerodrilinen-Gattungen (Endemische Vork.● Zweifelh. endemische Vork.○).

206

Karte VIII.

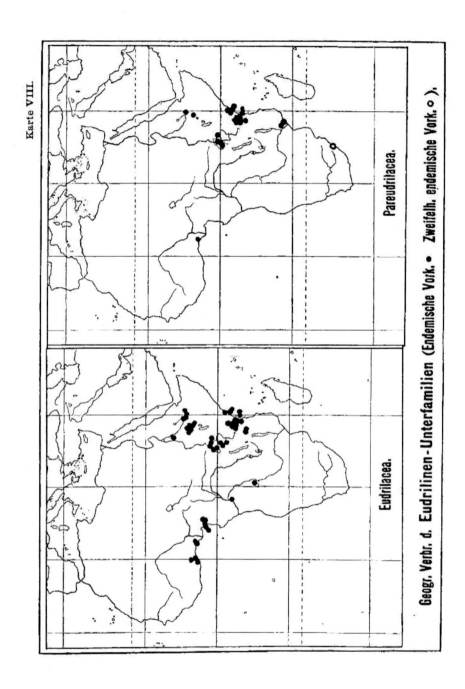

Pareudrilacea.

Eudrilacea.

Geogr. Verbr. d. Eudrilinen-Unterfamilien (Endemische Vork. ● Zweifelh. endemische Vork. ○).

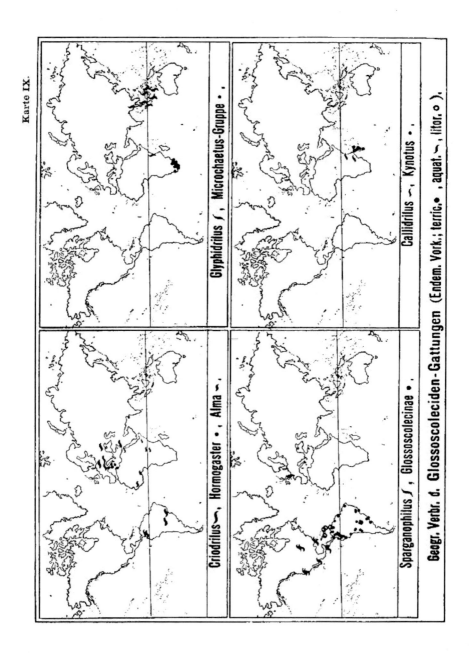

Karte IX.

Glyphidrilus ʃ, Microchaetus-Gruppe ●.

Callidrilus ⌒, Kynotus ●.

Criodrilus ⌒, Hormogaster ●, Alma ⌒.

Sparganophilus ʃ, Glossoscolecinae ●.

Geogr. Verbr. d. Glossoscoleciden-Gattungen (Endem. Vork.; terric,●, aquat.⌒, litor.○),

210

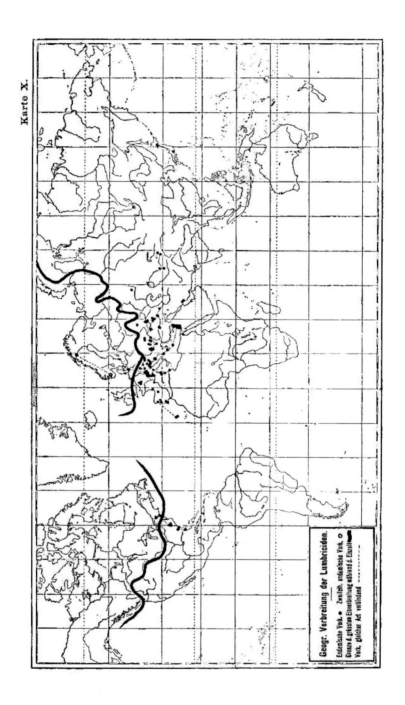

Karte X.

Geogr. Verbreitung der Lumbriciden.

Endemische Verb. •   Zweifelh. endemische Verb. ○
Grenze d. grössten Einzelverbreitung während d. Einzelf. ▬
Verb. gleicher Art verbindend -------